LLON A LLEDDF
A
STORÏAU ERAILL

LLON A LLEDDF
A
STORÏAU ERAILL

gan

SARA MARIA SAUNDERS (S.M.S)

golygwyd gan Rosanne Reeves

CLASURON HONNO

Cyhoeddwyd gan Honno
'Ailsa Craig', Heol y Cawl, Dinas Powys,
Bro Morgannwg, CF64 4AH
www.honno.co.uk

British Library Cataloguing in Publishing Data
Ceir cofnod catalog o'r llyfr hwn yn y Llyfrgell Brydeinig

ISBN: 978-1-906784-49-2

Llun y clawr: *Chapel and Lights*, Christopher Griffin

Cysodydd: Dafydd Prys
Dylunydd y clawr: Nicola Schumacher

Cyhoeddwyd gyda chymorth ariannol Cyngor Llyfrau Cymru
Argraffwyd yng Nghymru gan Gomer, Llandysul

Er cof am fy mam a ’nhad,
Ymneilltuwyr o’r iawn ryw,
ac i Mary
am ei diddordeb brwd yn y ‘pethe’ ac am fynnu
ein bod yn ymweld â Chwrt Mawr, Llangeitho.

CYNNWYS

RHAGAIR

Sefydlwyd Honno Gwasg Menywod Cymru ym 1986 er mwyn rhoi cyfleon i fenywod yn y byd cyhoeddi Cymreig ac i gyflwyno llên menywod Cymru i gynulleidfa ehangach. Un o brif amcanion y wasg yw meithrin llenorion benywaidd Cymru a rhoi'r cyfle cyntaf iddynt weld eu gwaith mewn print. Yn ogystal â darganfod awduron benywaidd, mae Honno hefyd yn eu hailddarganfod: rhan bwysig o genhadaeth y wasg yw cyflwyno gweithiau gan fenywod o Gymru, sydd wedi bod allan o brint ers amser maith, i genhedlaeth newydd o ddarllenwyr. Dyma a wneir yn y ddwy gyfres Clasuron Honno a Honno Classics. Crynhoir cenadwri Clasuron Honno yn rhagair y gyfrol gyntaf yn y gyfres, sef *Telyn Egryn* gan Elen Egryn:

> Fel merched a Chymry teimlwn ei bod hi'n hynod o bwysig inni ailddarganfod llenyddiaeth y rhai a'n rhagflaenodd, er mwyn cofio, dathlu a mwynhau cyfraniad merched y gorffennol i'n llên ac i'n diwylliant yn gyffredinol.

A Honno Gwasg Menywod Cymru yn dathlu chwarter canrif o gyhoeddi eleni, y mae hi'n briodol iawn mai golygydd y gyfrol ddiweddaraf yn y gyfres, *Llon a Lleddf a Storïau Eraill*, yw Rosanne Reeves, un o aelodau ffurfiannol y wasg. Y mae tîm Honno yn ddiolchgar iawn i Rosanne, nid yn unig am ei gwaith gofalus ar y gyfrol hon, ond am chwarter canrif o ymroddiad diflino i Honno ac o gydweithio hynaws a chysurus. Gobaith diffuant Honno yw y bydd y gyfrol hon yn ysgogi ymchwil pellach ac yn denu sylw beirniadol newydd i Sara Maria Saunders (S.M.S.) a'i chyfraniad. Gorau oll os darganfyddir awduresau y gellir cyhoeddi eu gwaith yn y gyfres hon!

Cathryn A. Charnell-White
(Cyd-olygydd y gyfres)

DIOLCHIADAU

Cydnabyddir yn ddiolchgar gymorth y canlynol: Jane Aaron am ei hysbrydoliaeth; E. Wyn James am rannu ei frwdfydedd a'i wybodaeth am S.M.S.; Mari Ellis am ddeunydd a sgyrsiau diddorol; Cathryn Charnell-White am ei chymorth a'i chyngor ar ddiweddaru'r testun; staff Honno am lywio'r gyfres drwy'r wasg mor ddiffwdan; Christopher Griffin am ganiatâd i ddefnyddio'i ddarlun hyfryd, *Chapel and Lights*; Nicola Schumacher am ddylunio'r clawr; Dafydd Prys am gysodi, a Gomer am argraffu'r gyfrol. Diolchir hefyd i Lyfrgell Salisbury Prifysgol Caerdydd, Llyfrgell Canolog Caerdydd, Llyfrgell Genedlaethol Cymru a Chyngor Llyfrau Cymru.

RHAGYMADRODD

Cyhoeddir y teitl hwn, *Llon a Lleddf a Storïau Eraill*, mewn ymgais i ennyn diddordeb unwaith eto ym mywyd a gwaith Sara Maria Saunders (1864–1939) a ddaeth yn adnabyddus yn ei dydd o dan ei henw llenyddol S.M.S., ond sydd erbyn heddiw wedi mynd yn angof. Yn 1894 cydnabu N. Cynhafal Jones, golygydd *Y Drysorfa*, ei 'safle anrhydeddus ymysg ein llenorion mwyaf poblogaidd',[1] a chyfeiriodd R. J. Williams Lerpwl yn *Y Cenhadwr* yn 1908 at ei '[m]edr eithriadol i ddisgrifio cymeriadau Cymreig, gwledig, crefyddol, gyda naturioldeb a swyn'.[2] Cadarnheir ei dawn gynhenid gan ei chwaer, Annie. 'O'i mebyd' meddai, yr oedd Sara, fy chwaer hynaf yn adroddreg storïau tan gamp ... Gallai daflu rhyw hud a lledrith drosom am oriau cyfain',[3] talent a ategwyd gan ei merch Mair genhedlaeth yn ddiweddarach pan ddywedodd mewn llythyr at Mari Ellis,[4] 'Mother was a marvellous raconteur and could really hold audiences of children or adults quite spellbound'.[5] Ysgrifennai yn Gymraeg a Saesneg, ac ymddangosodd ei ffuglen yn rheolaidd rhwng 1893 a 1930

[1] N. Cynhafal Jones (gol.), *Y Drysorfa*, LXVl, rhif 768 (1894), 388. Yma ymddengys llun o S.M.S. uwchben ei stori 'Pregeth Olaf Matthew Jones', 388–92.

[2] R. J. Williams, Liverpool, 'Mrs. J. M. Saunders', *Y Cenhadwr*, III, rhif 1 (1924), 13.

[3] Annie Davies, 'Atgofion am Cwrt Mawr', 10 (teipysgrif ym meddiant Mari Ellis).

[4] Daeth Mari Ellis yn ferch-yng-nghyfraith i Annie, chwaer S.M.S., yn dilyn ei phriodas â T. I. Ellis, mab Annie a Tom Ellis, Aelod Seneddol cyfnod Cymru Fydd.

[5] Llythyr Mair at Mari Ellis, 1964.

yng nghylchgronau Ymneilltuwyr Cymru.[6]

Mae'r detholiad hwn o'i straeon wedi eu dewis o dair o'i chyfresi sy'n portreadu cymunedau cefn gwlad gorllewin Cymru yng nghanol y bedwaredd ganrif ar bymtheg a dechrau'r ugeinfed. Mae rhan gyntaf y casgliad yn cynnwys hanesion am bentre Llanestyn y cyfrannodd S.M.S. yn wreiddiol i'r *Drysorfa* rhwng 1893 a 1896, mewn cyfres o'r enw 'Hen Bobl Llanestyn', ac a gyhoeddwyd yn 1897 o dan y teitl *Llon a Lleddf*.[7] Symudwn wedyn i Bentre Alun yn nechrau'r ganrif ganlynol at ddwy gyfres a gyhoeddwyd rhwng 1906 a 1907 yn yr *Ymwelydd Misol*, ac a gasglwyd at ei gilydd o dan y teitlau *Y Diwygiad ym Mhentre Alun gydag ysgrifau eraill* (1907) a *Llithiau o Bentre Alun* (1908).[8] Ymddengys tair ar ddeg o'r storïau hyn yn y casgliad newydd hwn, ond gan fod tair o'r 'ysgrifau eraill' yn mynd â ni nôl i Lanestyn, gosodwyd y rhain, er mwy cysondeb, ar ôl straeon *Llon a Lleddf* ar ddechrau straeon *Y Diwygiad ym Mhentre Alun* sef: 'Gwen fy Chwaer', 'Aberth Gwirfoddol', a 'Siomedigaeth Rebeca Parri'.

Gyda'i ffraethineb, ei dawn dweud a'i gallu i greu plot credadwy a chymeriadau a siaradai â'i gilydd yn rhugl yn nhafodiaith gyfoethog Ceredigion, troes S.M.S. arddull anystwyth ei mamau llenyddol yn ffuglen ddifyr, ddarllenadwy;[9] edrychai ei darllenwyr ymlaen o fis i fis at y

[6] Gellir gweld rhestr o'i holl weithiau ysgrifenedig yn Rosanne Reeves, 'Dwy Gymraes, Dwy Gymru: Hanes Bywyd a Gwaith Gwyneth Vaughan a Sara Maria Saunders' (traethawd anghyhoeddedig Prifysgol Morgannwg 2010).

[7] *Llon a Lleddf* (Holywell, 1897).

[8] *Y Diwygiad ym Mhentre Alun gydag ysgrifau eraill* (Wrecsam, 1907); *Llithiau o Bentre Alun* (Gwrecsam, 1908).

[9] Yn 1889 y cychwynnodd merched Cymru ysgrifennu ffuglen o ddifri, a hynny o dan anogaeth golygydd *Y Frythones*, Sarah Jane Rees (Cranogwen; 1839–1910).

bennod nesaf yn hanes cymeriadau fel Siôn y Crydd a Benja Jones y Teiliwr a ddaeth yn enwau cyfarwydd ar aelwydydd Anghydffurfiol Cymru mewn oes a welodd y stori gyfres yn datblygu fel ffurf lenyddol hynod boblogaidd. Ond rhaid cofio mai Ymneilltuaeth oedd y dylanwad mwyaf ar lenyddiaeth a bywydau S.M.S. a'i chyd-lenorion; crefydd a ddisgwyliai i'w haelodau, benywaidd a gwrywaidd, ysgwyddo cyfrifoldeb am gyflwr eu cymunedau. Daw'n amlwg yn fuan felly wrth ddarllen ffuglen S.M.S. nad difyrru oedd ei hunig fwriad. Mae dwy thema'n rhedeg fel llinyn arian drwy ei holl weithiau, sef ei chrefydd a'i ffeminyddiaeth, a defnyddiodd ei thalentau creadigol i'r eithaf i ddylanwadu ar ei chynulleidfa, a thrwyddynt, wireddu ei hamcanion fel efengylydd ac arloeswraig yn oes 'Y Ddynes Newydd'. Yn y casgliad hwn dewiswyd storïau sy'n tanlinellu'r blaenoriaethau hyn.

S.M.S. yr Efengylydd

I ddeall tarddiad argyhoeddiadau crefyddol S.M.S., rhaid mynd yn ôl i'w phlentyndod ac ystyried ei chysylltiadau teuluol. Fe'i magwyd, yr hynaf o ddeg o blant,[10] yng Nghwrt Mawr, Llangeitho, cartref y cyfeiriwyd ato gan Mari Ellis fel 'plasty bychan' (sy'n dal i sefyll ar gyrion y pentre). Merch y Methodistiaid yng ngwir ystyr y gair oedd Sara, un o ddisgynyddion David Charles, brawd Thomas Charles o'r Bala, ar ochr ei thad, a Peter Williams yr esboniwr Beiblaidd ar ochr ei mam. Etifeddodd ei mam-gu, Eliza Charles, merch David Charles, ddigon o arian ar farwolaeth ei gŵr – masnachwr o Aberystwyth – i brynu Cwrt Mawr yn 1850, a dyfodd yn ystâd o 2000 o aceri o dan ofal ei mab ieuengaf,

[10] Dioddefodd teulu Cwrt Mawr brofedigaethau ar farwolaeth tri phlentyn: Edward yn ddwy oed yn 1869, George yn faban yn 1877, a Bertie'n 14 oed yn 1879, pan yr oedd S.M.S. yn 5, 13, a 15 oed.

Robert Joseph Davies a'i wraig Frances Humphreys (tad a mam S.M.S.). Fel canlyniad dyrchafwyd y teulu i statws tirfeddianwyr mewn cyfnod a welodd deuluoedd Anghydffurfiol yn disodli'r hen sgweieriaid Seisnig, eglwysig, wrth i ddosbarth canol – newydd a gwahanol – ymddangos yng Nghymru. 'Edrychid ar deulu Cwrt Mawr', medd Mari Ellis, 'fel math o ysweiniaid y plwyf, a rhoddai'r merched cyrtsi pan ddeuent heibio yn eu cerbyd. Ond yn wahanol i'r ysweiniaid arferol', ychwanegodd, 'siaradai'r rhain Gymraeg.'[11] Dyna'r iaith y clywsent ac y defnyddiasent yn feunyddiol fel aelodau o Gapel Gwynfil, Llangeitho, a phrin fod angen crybwyll swyddogaeth arweiniol y teulu yn holl weithgareddau'r capel hwnnw. Felly er mai Saesneg a siaradai'r rhieni â'r plant a'r plant â'i gilydd, ac er i Sara, yn ôl arfer yr oes honno, dreulio cyfnodau mewn ysgolion bonedd Seisnig, sicrhawyd ei chariad hi a'i theulu tuag at yr iaith Gymraeg drwy eu hymroddiad i ddatblygiad a pharhad Methodistiaeth.

Pan ddaeth ei haddysg ffurfiol i ben, tynged S.M.S. oedd dychwelyd i Gwrt Mawr, ac i ganol nythaid o blant iau. Nid ystyriwyd addysg bellach ar gyfer merch hynaf Cwrt Mawr ac felly'n wahanol i'w chwaer Annie, a oedd ddeng mlynedd yn iau, ni chafodd gyfle i fynychu prifysgol a chyfathrebu â chenhedlaeth o bobl ifanc ddisglair Cymru'r cyfnod. Ond fel y gellid disgwyl, chwiliodd yr eneth ifanc ddeallus hon am weithgaredd a oedd yn ymestyn tu hwnt i'w swyddogaethau domestig, a throes ei sylw at y digwyddiadau ar garreg ei drws. Cynyddodd ei hymwybyddiaeth o bwysigrwydd ac arwyddocâd Llangeitho yn hanes Methodistiaid Calfinaidd Cymru ac, yn gynnar yn ei bywyd, profodd dröedigaeth.

Cam allweddol yn natblygiad diwinyddol S.M.S. oedd ei

[11] Mari Ellis, 'Cefn Gwlad: S.M.S. Awdures Enwog o Llangeitho', *Country Quest* (Chwefror 1998), 30.

phriodas yn 1887 â John Saunders, pregethwr gyda'r Methodistiaid a mab i'r enwog Dr D. D. Saunders, achlysur a unodd 'ddau deulu adnabyddus iawn yn holl gylchoedd crefyddol y Methodistiaid trwy Gymru, a thu hwnt'.[12] Aethant i America ar eu mis mêl, taith yr oedd ei gŵr eisoes yn gyfarwydd â hi, a chyn genedigaeth Mair, eu plentyn cyntaf yn 1901, yr oeddent wedi dychwelyd yno o leiaf deirgwaith. Heb amheuaeth byddai sgyrsiau a thrafodaethau ysgrythurol yng nghwmni pregethwyr Anghydffurfiol y Cyfandir hwnnw, llawer ohonynt, fel y gwyddom, â chysylltiadau â Chymru, wedi ychwanegu dimensiwn newydd at astudiaethau a gweledigaethau cynharach S.M.S. Mae'n debygol y byddai hefyd wedi dod i wybod am waith yr efengylwyr benywaidd a oedd yn teithio o fan i fan yn America yn nechrau'r bedwaredd ganrif ar bymtheg ac wedi ei hysbrydoli gan eu hymrwymiad di-ildio i'w galwedigaeth.[13]

Yn dilyn cyfnod yn Llanymddyfri, aeth S.M.S. a'i gŵr i fyw i Benarth, ar yr union adeg y sefydlwyd Y Symudiad Ymosodol, sef braich genhadol enwad y Methodistiaid Calfinaidd a oedd yn gweithio'n bennaf yn ardaloedd trefol a diwydiannol Morgannwg a Mynwy. Rhoddwyd ffocws newydd i weithgareddau S.M.S. pan gafodd y cyfle i ymuno ac, wedi hynny, arwain ymgyrchoedd y Symudiad drwy annerch cynulleidfaoedd a threfnu digwyddiadau codi arian ar gyfer prynu lloches i ferched yng Nghaerdydd. Yn awr, esblygodd ei nwyd crefyddol fel merch ifanc yn egni

[12] 'Mrs Saunders a Mair Fach', *Y Gymraes*, cyf. 6, rhif 74 (1902), 161–3. Gweler hefyd 'Mair Frances Saunders', *Trysorfa y Plant*, cyf. 40 (1901). Diddorol nodi mai'r gwas priodas oedd Lodwig Lewis (tad Saunders Lewis), cyfaill y priodfab o'u cyfnod yn Lerpwl, a enwodd ei fab yn 'Saunders' fel arwydd o'i barch tuag at y teulu hwnnw.

[13] Gweler Elizabeth Elkin Grammer (gol.), *Some Wild Visions: Autobiographies by Female Itinerant Evangelists in 19th-century America* (New York, 2003).

efengylaidd ac uniaethodd â'r ysfa ymhlith nifer o Fethodistiaid Cymru yn negawd olaf y bedwaredd ganrif ar bymtheg am ddiwygiad arall. Amcan hanesion Llanestyn, yn anad dim, oedd cadw fflam diwygiadau'r gorffennol ynghynn yn y gobaith, o'i gweld yn ffrwydro'n goelcerth unwaith eto. Ysgrifennodd am y bobl '... ymhlith pa rai y cefais y fraint o dreulio blynyddau cyntaf fy mywyd',[14] gan gyfleu gorfoledd y rhai a brofodd dröedigaeth yn ystod diwygiad mawr 1858–9 mewn cyfnod o ddirwasgiad affwysol mewn rhannau helaeth o orllewin Cymru.

Fel y nodwyd gan yr hanesydd Russell Davies yr oedd y fath amgylchiadau dyrys wedi creu cymdeithas: 'where no solutions were offered to the perennial problems of life' ac o'r herwydd, meddai, 'magic and paganism flourished'.[15] Roedd gan S.M.S., fodd bynnag, ateb amgen i helyntion dioddefwyr, sef natur adferol gweddi, meddyginiaeth a oedd ar gael yn rhad ac am ddim i bawb. Dewisodd hanesion a fyddai'n cysuro'i darllenwyr yng nghanol afiechyd a galar, tor-calon ac ing, fel yn y stori 'Merch y Brenin' lle llwyddodd Betsy ddiwyd, drwy ei gweddïau, i drawsnewid ei hanffodusrwydd yn fendith er gwaethaf y *rheumatics* a ddaeth i'w chaethiwo i'w chartref. Pan gollodd Betsy Jones ei mab Iago i'r genhadaeth dramor, a phan fu farw Edward mab disglair ei ffrind Let yn 'Cennad Dros Dduw', cyn diwedd y stori maent yn llwyddo i lawenhau a chyd-ganu 'Henffych i'r Dydd'. Trwy weddi, daeth tawelwch meddwl i Rachel yn 'Y Can' Cymaint', yn dilyn marwolaeth ei mab mewn pwll glo, ac yn hanesion 'Benja Jones y Teiliwr' a 'Crydd Duwiol Tŷ Siôn' dilynwn y ddau gyfaill i ben bryn penodedig lle cyfarfuasent yn rheolaidd i weddïo ar i Dduw arbed plant Llanestyn rhag

[14] Mrs John M. Saunders, 'Rhagymadrodd', *Llon a Lleddf.*

[15] Russell Davies, *Secret Sins: Sex and Violence and Society in Carmarthenshire 1870–1920* (Cardiff, 1996), t. 210.

tyfu i fyny'n ddiotwyr ac yn anffyddwyr, sef gofid mwyaf pob mam grefyddol.[16]

Fel un a fu'n gweithio'n ddiflino fel efengylydd ers dechrau 90au'r bedwaredd ganrif ar bymtheg, ac a gymerodd ran mewn cyfarfodydd di-ri a gynhaliwyd gan efengylwyr brwd ar hyd ac ar led Ceredigion a Sir Gaerfyrddin yn nechrau'r ugeinfed, yr oedd S.M.S. â'i bys ar bỳls cyflwr crefyddol ei chenedl. Gellid honni iddi glywed y 'sŵn ym mrig y morwydd', gan ragweld Diwygiad 1904–5. 'Gwn fod llawer o bobl dda yn credu na welwn ni byth mwyach ddiwygiadau mawr megys cynt,' meddai yn *Y Traethodydd* yn ei herthygl ar ymweliad yr efengylydd Gipsy Smith ag Abertawe:

> [H]onant fod cymdeithas wedi newid, a bod yr Arglwydd yn y dyddiau hyn yn gweithio mewn ffyrdd gwahanol. Anhawdd iawn ydyw derbyn yr athrawiaeth hon ar ôl gweled effeithiau grymus gweinidogaeth Gipsy Smith.[17]

Gellir dychmygu gorfoledd S.M.S. a'i chyd-efengylwyr pan dynnwyd sylw'r byd at y cyfarfod ym Mlaenannerch, 'when a twenty six year old collier fell poleaxed to his knees, his face streaming with sweat',[18] gan gychwyn y diwygiad y cyfeiriwyd ato wedi hynny fel Diwygiad Evan Roberts. Ond, fel ei chydweithwyr, yr oedd S.M.S. yn ymwybodol o fyrhoedledd diwygiadau; rhwng 1762 ac 1859 bu pump ar hugain ohonynt yng Nghymru. Felly, ni laesodd ei dwylo am

[16] Fel y dywed S.M.S. yn ei 'Rhagymadrodd' i *Llithiau o Bentre Alun*, 'Hyderaf y bydd rhywbeth yn y llyfr bach yma fydd o lesâd i ambell un sydd yn unig neu yn glaf. I'r cyfryw rai yr wyf yn ei gyflwyno'.

[17] 'Ymweliad Gipsy Smith ag Abertawe', *Y Traethodydd*, LVIII (Tachwedd 1903), 459.

[18] Disgrifir tröedigaeth Evan Roberts yn Davies, *Secret Sins*, t. 194.

funud. Yn hytrach, dyblodd ei hymdrechion llenyddol. Yn awr, disodlwyd ei hatgofion am hen bobl Llanestyn yn y gorffennol gan brofiadau trigolion Pentre Alun yn y presennol, ac yn ei ffuglen dug ei darllenwyr i ganol y cynnwrf a gyrhaeddodd 'fel storom o fellt a tharanau' gan ryddhau emosiynau, yn ogystal â thafodau trigolion y pentre. Ni ellir gorbwysleisio pwysigrwydd tröedigaeth fel cyfrwng i alluogi aelodau capel Methodistiaid Salem i archwilio eu teimladau dirdynnol a gorfoleddus, wrth i'r llifddorau ffrwydro a'u hachub, yn y broses, rhag trychinebau di-ri.

Mae'r stori 'Dihangfa Dic Pen-rhiw', un o hoff hanesion S.M.S.,[19] yn enghraifft sy'n crynhoi i'r dim neges a phŵer diwygiad. Yma, mae Dic yn cael ei achub drwy weddïau ei dad ac aelodau capel Salem rhag saethu Mr Preston, Sais trahaus a dwyllodd y ferch yr oedd Dic mewn cariad â hi, ei thaflu o'r neilltu, a phriodi Saesnes gyfoethog. Ar y funud olaf, cafodd Dic ei berswadio gan Katie Williams, yr athrawes leol, i bicio mewn i'r capel pan oedd ar ei ffordd i ymosod ar Mr Preston. Yn sŵn gweddïau'r hen ffyddloniaid, profodd Dic dröedigaeth, ac wrth i gerbyd Mr Preston fynd heibio'r capel gellid clywed ei ddiolchiadau ef a'r gynulleidfa'n atseinio drwy'r ardal.

Merch i ysgolfeistr lleol oedd Wini, ond nid achubiaeth sydyn, ddramatig fel un Dic a roddwyd iddi hi i'w chyflawni yn 'Priodas Lisa Bennet', ond cenhadaeth a'i dygodd nifer o weithiau i dŷ diarffordd i ymweld â chawres a oedd yn codi arswyd ar drigolion Pentre Alun; sef dynes anhydrin, ddigrefydd a gadwai'r blaidd o'r drws drwy gasglu carpiau ac esgyrn ym mhob tywydd gyda'i hasyn a'i chert. Byrdwn y

[19] Ymddangosodd y fersiwn cyntaf o'r stori hon yn Saesneg yn *Young Wales* yn 1899, o dan y teitl 'A Tragedy Averted', a fersiwn diwygiedig yn *The Torch* yn 1908 fel rhan o'r gyfres 'Revival Stories', casgliad o gyfieithiadau o hanesion Pentre Alun.

stori yw bod hyd yn oed gymeriadau sy'n ymddangos tu hwnt i achubiaeth yn dal o fewn cyrraedd yr efengyl yng nghefn gwlad Cymru yr adeg hon am fod adnodau'r Beibl yn dal i ganu cloch yn eu hisymwybod ac, yn wir, gan fod Beibl teuluaidd ar gael yn eu cartrefi. Felly, er gwaethaf datganiadau negyddol Lisa am grefydd, er mawr lawenydd i Wini, cyflawnwyd ei nod ac ar ei gwely angau roedd Lisa Bennet yn ddynes hapus iawn am ei bod wedi cwrdd â Iesu Grist ac yn edrych mlaen at adael y byd hwn a mynd i'r nefoedd i'w briodi.

Dyma nodweddion yng nghymeriad y Cymry a barodd y fath syndod i'r seicolegydd o Ffrainc, J. Rogues de Fursac pan ddaeth i asesu'r Diwygiad gan ddod i'r casgliad mai Cymru, o bosib, oedd y wlad fwyaf crefyddol yng ngwareiddiad:

> ... with Biblical imagery and metaphors punctuating social and political discourse. The character of the Welsh has been formed by religious culture – steeped in sermons, ministers, Sunday Schools, singing festivals and prayer meetings. These prepared the ground. Without this background the revival could not work.[20]

Roedd Lisa Bennet, ymddangosiadol ddigrefydd, yn rhan o'r 'diwylliant crefyddol' yma, ac o dan amgylchiadau

[20] Kenneth O. Morgan, *Wales in British Politics, 1868–1922* (Cardiff, 1963); Geraint H. Jenkins, *The Foundations of Modern Wales,1642–1680* (Oxford, 1993), t. 212: sonnir yma am y gwaith arloesol a wnaed gan ysgolion cylchynol yn niwedd yr ail ganrif ar bymtheg, gwaith a baratôdd bobl Cymru ar gyfer Diwygiad 1762–64. Roedd y werin yn barod 'to respond favourably to the soul-stirring message of its leaders. John Wesley was right. Wales was ripe for the Gospel'. Roedd y traddodiad wedi parhau, a'r un peth yn dal yn wir am fenywod cyffredin diaddysg fel Lisa yn nechrau'r ugeinfed ganrif.

arbennig, pan gyrhaeddai diwygiad fel 'storom o fellt a tharanau', roedd mor agored â phawb arall i gael eu dylanwadu.

Mae naws amrywiol fuddugoliaethau'n treiddio drwy holl dudalennau straeon Pentre Alun; dathliad o wireddiad y dyhead a sbardunodd holl ysgrifennu S.M.S. cyn hyn ac, wrth gwrs, ymgais i hyrwyddo parhad bendithion y diwygiad. Byddai S.M.S. wedi bod wrth ei bodd mae'n siŵr i ddarllen sylw E. Wyn James am ei hymdrechion, pan ddywedodd mai *Y Diwygiad ym Mhentre Alun*, yn ei farn, oedd y 'cynnyrch ffuglennol Cymraeg pwysicaf i ddeillio o Ddiwygiad 1904–5'.[21]

S.M.S. 'Y Ddynes Newydd'

Hollbwysig yn y dasg o achub eneidiau yn ffuglen S.M.S. oedd cyfraniad menywod hyderus, duwiol a gweithgar a gadwai lygad barcud ar gyflwr ysbrydol eu cymunedau lle'r oedd bywyd yn troi o gwmpas y capeli. Yn ail hanner y rhagymadrodd hwn canolbwyntir ar ei delweddau o'r Gymraes a'u cyfraniad cadarnhaol i fywyd Llanestyn a Phentre Alun.

Yr oedd Mamau Methodistaidd dewr a di-ildio yn bresenoldebau herfeiddiol ym mhentrefi cefn gwlad Cymru mor gynnar â dechrau'r bedwaredd ganrif ar bymtheg, pan ddaeth cynnwrf i fywydau merched a menywod wrth wrando ar bregethwyr angerddol y ffydd newydd yn cyhoeddi neges yr efengyl mewn cyfarfodydd a gâi eu cynnal, yn y Gymraeg, ar eu haelwydydd. Daethant i adnabod Iesu Grist fel ffrind a gwawriodd arnynt fod eu heneidiau hwy'n gyfartal ag eneidiau eu tadau, eu gwŷr, a'u brodyr yn ei olwg Ef.

[21] E. Wyn James, 'Cwm Rhondda a Cheinewydd: Croth a Chrud Diwygiad 1904–05', yn Tegwyn Jones a Huw Walters (goln.), *Cawr i'w Genedl: Cyfrol i Gyfarch yr Athro Hywel Teifi Edwards* (Llandysul, 2008), t. 211.

Menywod oedd y mwyafrif o'r rhai a brofodd ailenedigaeth,[22] a gwelid merched yn mynychu seiadau'n wythnosol i drafod eu teimladau'n gyhoeddus ochr yn ochr â'r bechgyn.[23] Yr oedd yn brofiad mor wahanol i'w gorchwylion llafurus diddiolch yn y tŷ ac allan ar y meysydd, a daeth ag ystyr newydd i'w bywydau.

Crynhoir eu nodweddion yn nisgrifiad yr hanesydd Jane Williams (Ysgafell) o Betsy Cadwaladr, un o'r cymeriadau mwyaf lliwgar yn hanes ei chenedl. 'Such eras', meddai, 'ever tend to produce determined characters as the necessity for resistance to opposing power follows the choice of party and stimulates the exercise of strength'.[24] Cadarnheir hon fel delwedd ddilys o ferched crefyddol y cyfnod gan Edward Thomas yn ei lyfr *Mamau Methodistaidd*, sy'n cofnodi dewrder bron i ddeugain o fenywod a ddioddefodd wrthwynebiad y lliaws ac ymosodiadau ffyrnig yn nyddiau cynharaf Methodistiaeth.[25]

Etifeddwyd nodweddion yr arwresau hyn gan genedlaethau o ferched a'u dilynodd (yn wir, gellid dadlau, hyd y dydd heddiw), a luniodd yr Ymneilltuwyr ddelwedd ddelfrydol ohoni, y gallent ei chyflwyno gyda balchder i'r byd, yn arbennig i'r Eglwys Wladol, fel prawf o ragoriaeth Ymneilltuaeth. Medd Lewis Edwards, wrth gymharu'r

[22] Jane Aaron, *Pur fel y Dur: Y Gymraes yn Llên Menywod y Bedwaredd Ganrif ar Bymtheg* (Caerdydd, 1998), t. 33.

[23] Eryn Mant White, 'Y Byd, y Cnawd a'r Cythraul: Disgyblaeth a threfn seiadau Methodistaidd de-orllewin Cymru 1737–1750', yn Geraint H. Jenkins (gol.), *Cof Cenedl VIII: Ysgrifau ar Hanes Cymru* (Llandysul, 1993), tt. 69-103; eadem, '"Myrdd o Wragedd": Merched a'r Diwygiad Methodistaidd', *Llên Cymru*, 20 (1997), 62-74.

[24] Jane Williams (Ysgafell), 'Introduction', *An Autobiography of Elizabeth Davis: Betsy Cadwaladr, A Balaclava Nurse* (London, 1857; adargraffiadau Honno, 1987 a 2007).

[25] Edward Thomas, *Mamau Methodistaidd* (Gwrecsam, 1905).

Gymraes â merched gwledydd eraill yn ei adolygiad o gofiant Thomas Jones i'w chwaer Margaret Jones, 'o'r rhai hyn i gyd y mae yn ddiddadl, yn ein meddwl ni o leiaf, mai merched Cymru, mewn amryw ystyriaethau, yw y rhai rhagoraf'.[26]

Menywod fel y rhain, a naddwyd o graig Methodistiaeth, oedd mam-gu a mam S.M.S. Yr oedd y wraig weddw, Eliza Charles (1798–1876), mam i bedwar o blant bach, 'yn gwbl alluog i ddwyn ymlaen lywyddiaeth ei thŷ a dygiad i fyny ei phlant' oherwydd yr oedd ganddi 'feddwl annibynnol ac ewyllys penderfynol'.[27] Yr oedd yn athrawes yn yr Ysgol Sul ac ni chollodd ei llymder meddyliol wrth fynd yn hen. Pan aeth yn rhy ffaeledig i fynychu gwasanaethau'r Sul ar ei hymweliadau cyson â Llangeitho – o'i chartref yn Aberystwyth y symudodd iddo yn ei henaint – trefnodd i'r Ysgol Sul gael ei chynnal yn nwy gegin fawr Cwrt Mawr, o dan ei harolygiaeth hi.[28]

Roedd mam S.M.S., Frances Humphreys, hefyd yn gymeriad cryf, yn un a fedrai 'fod yn fanwl heb fod yn finiog, ac yn gref heb dra-awdurdodi [...] yn drefnydd tan gamp, yn medru rheoli pawb a phopeth'.[29] Daeth ei hunanhyder a'i pharodrwydd i ysgwyddo cyfrifoldebau yn amlwg pan heriodd arbenigwyr ysbyty St Bartholomew yn Llundain, a'u gwahardd rhag torri coes un o'i meibion i ffwrdd. Daeth ag ef adre i Gwrt Mawr a rhoi *compress* ar ei ffêr am chwe wythnos. Yn dilyn hyn daeth draenen allan o'r goes a chyn hir roedd y bachgen yn holliach. Cydnabuwyd ei chadernid a'i

[26] Lewis Edwards, 'Merched Cymru: Adolygiad o Lyfr Thomas Jones ar Ei Chwaer Margaret Jones yr Wyddgrug', *Y Traethodydd*, 1 (1845), 72.

[27] T. I. Ellis, *John Humphreys Davies 1871–1826* (Lerpwl, 1963), t. 16.

[28] Rhoddodd teulu Cwrt Mawr ddarn o dir i'r capel ar waelod y lôn, fel y gellid adeiladu Ysgol Sul ger y fynedfa. Ond fe'i gwerthwyd yn ddiweddar a'i droi yn dŷ.

[29] Davies, 'Atgofion am Cwrt Mawr', 11.

gwybodaeth a'i synnwyr cyffredin gan ei chymdogion, ac ati hi y byddai cleifion yn troi am gymorth a chyngor.

Gyda menywod fel y rhain yn rôl-fodelau, ynghyd â gwelliannau pellgyrhaeddol yn addysg merched, law yn llaw ag esgyniad yr Ymneilltuwyr i safleoedd ym myd busnes, gwleidyddiaeth a'r proffesiynau, yr oedd S.M.S. a chriw o fenywod o'r un anian wedi tyfu i fyny yng Nghymru, ac yn barod i groesawu'r Ddynes Newydd a'i hathroniaethau blaengar pan groesodd Fôr yr Iwerydd i Loegr ac wedi hynny dros Glawdd Offa i Gymru. Dyma'r cyfnod pan ddaeth mamau capeli Cymru allan o'u cartrefi i sefydlu cymdeithasau dirwest, gan annerch cynulleidfaoedd o lwyfannau cyhoeddus. Ymunodd miloedd ohonynt â'r blaid Ryddfrydol, gan sefydlu canghennau merched, gyda'r bwriad o gynyddu ymwybyddiaeth y Gymraes o'r angen am gyfartaledd os am greu cymdeithas deg a gwaraidd. Yn 1894, pan ganiatawyd i ymgeiswyr benywaidd sefyll mewn etholiadau lleol, neidiodd nifer ar y cyfle a chyn hir, gwelwyd menywod ar Gynghorau Sir, ar fyrddau Gwarcheidwaid y tlotai a byrddau iechyd.

Ond er bod S.M.S. yn cefnogi'r mudiad dirwestol ac amcanion y Blaid Ryddfrydol, i'r efengylyddion arf yn llaw Duw oedd y ferch, a thrwy dröedigaeth y gellid newid cymdeithas er gwell a dileu'r anghyfartaledd rhwng y rhywiau. Dyna'r sbardun a'i gyrrodd i weithio'n ddiflino i godi'r Gymraes uwchlaw dadleuon a thrallodion daearol, a chanolbwyntio ar Grist y Priodfab ar ei Orsedd, presenoldeb a wnâi bopeth yn bosibl. Gellir yn hawdd ddychmygu mai hi a ysgrifennodd yr erthygl ddienw yng ngholofn y menywod yn *The Torch* yn 1908, ac mai hi a ddywedodd: 'This is a time for women's demonstrations [...] The Temperance women and the Suffragettes are having their say. Let these meetings in Llandrindod [Cyfarfod Cyffredinol Blynyddol menywod y Symudiad Ymosodol] be a record demonstration that we mean to have the world for Christ'.[30]

Er iddi hi ei hunan gael magwraeth freintiedig, aeth ei gwaith efengylaidd â hi i ganol merched o bob dosbarth, a gwelodd eu potensial a'u diffyg hunanhyder, fel y mynegir yn ei 'Llythyr Agored at Ferched Ieuainc Cymru'. Meddai:

> Y mae'r adeg yn neshâu pan y bydd raid i chwi gymeryd eich safleoedd. A gaiff byddin Rhyddid ei gwneud i fyny o adgyfnerth egwan a phlentynnaidd, neu ynte a wnewch chwi yn nerth eich ieuenctid roddi eich hunain dan ddisgyblaeth fanwl ac egnïol? Os yw merch i gael ei chydnabod yn allu yn y dyfodol rhaid iddi fod yn un "yn meddwl fel gwyddon ac yn gweithredu fel Samaritan."[31]

Ymgnawdoliad, nid yn unig o Samariad, ond o Saul a Moses yw Mrs Powel, prif gymeriad stori gyntaf hanesion Pentre Alun, 'Yr Etholedig Arglwyddes', lle mae S.M.S. yn gwyrdroi'r theori batriarchaidd fod bioleg wedi rhagordeinio statws israddol i ferched ac awdurdod digwestiwn i ddynion. Tröedigaeth a agorodd lygaid Mrs Powel, oherwydd cyn hynny credai mai 'lle gwraig rinweddol yw yr aelwyd gartref', ac nid oedd byth 'yn mynd i wrando ar y chwiorydd hynny sydd yn myned ar draws y wlad i areithio o bryd i bryd.' Ond o dan ddylanwad y Diwygiad, fe'i trawsnewidiwyd, a cherddodd i mewn i'r seiat un nos Iau gan annerch y gynulleidfa am 'gariad' Iesu Grist, heb ofni blaenor na phregethwr.

Cynyddodd ei dylanwad, a phenderfynodd fod angen ysgytwad ar wragedd y blaenoriaid yn y stori 'Gwragedd y

[30] *The Torch*, IV, rhif 7 (1908), 128.

[31] S. M. Saunders, 'Llythyr at Ferched Ieuainc Cymru', yn T. Stephens (gol.), *Cymru: Heddyw ac Yfory* (Caerdydd, 1908), t. 149.

Blaenoriaid'. Rhestrodd eu gwendidau i Griffith Roberts y traethydd, sef rhai digon cyffredin, fel brifo teimladau, pwdu, neu ledaenu straeon cas am bobl, gan roi cyfle i S.M.S. wahodd ei darllenwyr i holi eu hunain ai gwir grefydd oedd eu crefydd hwy, neu a oeddent hwythau hefyd efallai'n euog o bechodau gwragedd y blaenoriaid. Ar ôl cyffesu eu pechodau o dan lygaid dwyfol (a deifiol) Mrs Powel, a gofyn am faddeuant, darganfu'r gwragedd 'wir grefydd' ac, yn y broses, daethant hefyd yn ymwybodol o'u hunain fel unigolion cyfartal â'r dynion yn eu bywydau. Nid 'gwragedd' eu gwŷr oeddent bellach. Newidiodd 'gwraig Edwart Hywel', er enghraifft, yn 'Lisa Hywel, a 'gwraig Dafydd Rees' yn 'Jane Rees', a 'gwraig William Griffith' yn 'Dinah Griffith, a darganfu mwy nag un ohonynt am y tro cyntaf erioed, drwy eu haileniedigaeth, y nerth i fentro 'cymeryd rhan yn gyhoeddus'.

Yn y stori 'Gwen fy Chwaer', mae S.M.S. yn tanseilio'r syniad na fedr merch fod yn benteulu. Chwaer y traethydd Ifan Cadwgan oedd Gwen. Ar ei wely angau galwodd ei thad Gwen at erchwyn y gwely a'i chael i addo gofalu am ei mam a'i brawd – gwael ei iechyd ers ei enedigaeth – ac meddai, '"mae dy fam yn rhy wannaidd i weithio, ti yw y *mab* hynaf". "Peidiwch ofni 'Nhad", atebodd, "mi ofalaf amdanyn nhw *hyd angau*"'.

Parhad o'i beirniadaeth o ragfarnau confensiynol oedd agwedd gellweirus S.M.S. tuag at y syniad o wragedd fel y 'llestri gwannaf' yn 'ymostwng i'w gwŷr priod, megis i'r Arglwydd', fel a orchmynnir yn Rheolau Disgyblaethol y Methodistiaid Calfinaidd.[32] Mae'n herio'r fath ddatganiad drwy ei chymeriad Sarah Thomas yn y stori 'Gwraig y Tŷ Capel'. Dangosodd i ddarllenwyr Cymru pa mor anwybodus oedd blaenoriaid Salem i feddwl am funud bod gweddwon,

[32] Dros y dudalen...

yn dilyn marwolaeth eu gwŷr, wedi colli eu 'cynhalwyr'. Pan restra Sarah wendidau'r gwŷr o dan sylw, un ac un, fel dynion diog, meddw, ofer ac angharedig, ni fedr y blaenoriaid lai na chytuno, a hyd yn oed 'chwerthin fel bechgyn' wrth wrando ar Sarah yn eu dwrdio. Cryfheir y ddadl hon pan edrydd Sarah anecdot am ei phriodas hi ei hunan wrth y gwragedd a heidiai i'r Tŷ Capel yn ddyddiol i glywed y straeon diweddaraf. Nid oedd yn fwriad erioed ganddi hi, meddai wrthynt, i addo ufuddhau i ddyn dwl fel ei darpar ŵr, ac yn lle ynganu'r gair anffodus hwnnw yn y seremoni briodasol, peswch wnaeth Sarah, ac roedd y pregethwr, meddai, yn deall yn iawn.

Anodd anwybyddu'r rôl gynorthwyol, a roddir yn aml gan S.M.S. i'w chymeriadau gwrywaidd. Helpu Mrs Powel i drefnu'r cyfarfod ar gyfer gwragedd y blaenoriaid a wnaeth Griffith Roberts; eistedd gyda'i fam a Gwen a wnai Ifan gyda'r nos gan ofyn eu barn ar ei stori nesaf i'r *Drysorfa*, a gorchwyl trydydd gŵr Sarah Thomas Tŷ Capel oedd tacluso bedd ei hail ŵr. Mewn aml i stori mae dynion yn absennol, fel yn 'Priodas Lisa Bennet', a'r hanesyn am yr arwres Sali Coed Tân, lle mae Martha Jones, un o Chwiorydd y Bobl yng Nghaerfor, yn treulio'i hamser yn dod i adnabod ac achub merched anghenus sydd wedi mynd ar gyfeiliorn. Yn y stori 'Ruth Tŷ Capel', Ruth sy'n teyrnasu, gwraig weddw,

[32] R. Tudur Jones, *Coroni'r Fam Frenhines* (Llandysul, 1977), t. 13, dyfynnwyd yn Marged Haycock, Kathryn Hughes, Elin ap Hywel, Ceridwen Lloyd-Morgan, 'Gwragedd a Grym yn y Ganrif Ddiwethaf', *Y Traethodydd: Rhifyn Arbennig, Merched a Llenyddiaeth* (1986), 31. Eironig yw nodi mai yng nghartref mam-gu a thad-cu S.M.S. yn Aberystwyth y cytunwyd ar gynnwys 'Hanes, Rheolau Disgyblaethol, Cyfansoddiad a Chyffes Ffydd y Corff o Fethodistiaid Calfinaidd yng Nghymru' gan griw o bregethwyr adnabyddus o ogledd, de a gorllewin Cymru yn 1823 yn 'Heol y Porth Tywyll' (Great Darkgate Street). Gweler Y Parch Huw Edwards, Pontyberem, 'Hanes "Cyffes Ffydd" y Methodisitiaid', *Y Lladmerydd* (Mai 1912), 137.

ffaeledig, yn byw gyda'i merch, Harriet. Gan fod trafod pregeth a phregethwr y Sul blaenorol yn brif weithgaredd amser hamdden chwiorydd capel Llanestyn, cyfrifid Ruth fel arbenigwraig, a medrai ei datganiadau hi sicrhau llwyddiant neu fethiant y pregethwyr ifainc a letyai yn ei chartref.

Drwy osgoi confensiwn y 'teulu niwclear', felly, caniateir i weddwon, merched ifanc sengl, a hen ferched feddiannu'r llwyfan a dweud eu dweud a llunio barn, a phrin fod angen crybwyll newydd-deb delweddau S.M.S. o'r Gymraes yn ffuglen Cymru. Anwybyddodd y ddelwedd a fewnforiwyd o Loegr ac a efelychwyd gan lawer o awduron gwrywaidd troad y ganrif. 'Angel yr Aelwyd', oedd hon, Saesnes yn perthyn i ddosbarth canol Lloegr, mewn cyfnod pan yr oedd y 'sfferau ar wahân', chwedl yr haneswyr, wedi creu bwlch rhwng y dynion a âi allan i weithio mewn swyddfeydd a'r gwragedd a oedd yn eistedd gartref mewn segurdod a moethusrwydd yn aros iddynt ddod adre. Nid oedd y system hon wedi cyrraedd cymunedau Llanestyn a Phentre Alun, a chwbl anaddas felly oedd priodoli i Gymraesau'r pentrefi hynny nodweddion yr Angyles Seisnig.

Cadarneir cyfraniad S.M.S. i ddatblygiad ffuglen menywod gan Jane Aaron yn ei llyfr am y Gymraes yn llenyddiaeth y bedwaredd ganrif ar bymtheg. Gwêl yn hanesion Llanestyn a Phentre Alun 'hyder newydd wrth ddelweddu'r Gymraes', mewn cymunedau 'sy'n cael eu rhedeg i bob pwrpas ymarferol gan fenywod cryf a deallus'.[33] A chyfeiria Katie Gramich hithau at 'feiddgarwch' S.M.S. yn ei 'phortreadau o'r Ferch Newydd'. 'Mae hi'n defnyddio'r Diwygiad fel esgus, bron' meddai, 'i ystyried grym yn y gymdeithas'.[34]

Gan gadw mewn golwg sylwadau cadarnhaol academyddion cyfoes am waith S.M.S., aethpwyd ati, mewn

[33] Aaron, *Pur fel y Dur*, t. 198.

[34] Katie Gramich, 'Dehongli'r Diwygiad', *Taliesin*, 128 (Haf 2006), 24.

ysbryd optimistaidd, i adargraffu detholiad o waith un a symudodd lenyddiaeth Cymraes y bedwaredd ganrif ar bymtheg gam ymlaen, gan bontio ymdrechion yr awduron benywaidd petrusgar a ddaeth allan o'u hogofâu i ysgrifennu i'r *Frythones*, a'r genhedlaeth hyderus a ddaeth ar ei hôl yn hanner cyntaf yr ugeinfed. Ynghyd â nifer o'i chyd-lenorion, wrth i Ymneilltuaeth a Rhyddfrydiaeth bylu, ac wrth i lenyddiaeth wryw-ganolog ardaloedd diwydiannol Cymru swyno cyhoeddwyr a darllenwyr, anghofiwyd am S.M.S. a nifer o'i chyfoedion. Ond yn rhinwedd ei rhagoriaeth fel un a lwyddodd i bortreadu drama'r dröedigaeth mewn dull mor ddifyr, ynghyd â delweddau arloesol, bywiog o'r Gymraes Anghydffurfiol, teimlwn fod S.M.S. yn haeddu cydnabyddiaeth ac ailddarlleniad yn yr unfed ganrif ar hugain.

Rosanne Reeves, Dinas Powys

RHAGYMADRODDION S.M.S.

Llon a Lleddf (1897)*

Y mae'r ysgrifau hyn eisoes wedi ymddangos yn *Y Drysorfa*. Meddyliwyd gan rai mai gwell fyddai eu rhoddi mewn llyfr, er mwyn cadw mewn ffurf gyfleus goffadwriaeth am ambell i hen gymeriad sydd erbyn hyn wedi diflannu o'n golwg. Y mae addysg a gwyddoniaeth y dyddiau hyn yn gyflym iawn yn newid gwyneb ein Cymru ni; a chyn bo hir coeliaf mai amhosibl fydd cwrdd ag un Cymro heb fod mor hyddysg yn yr iaith Saesoneg ag yn iaith ei fam! Yr ydym yn barod i addef fod addysg uwchraddol y dyddiau presennol yn gwneud, ac yn sicr o wneud eto, ddaioni amhrisiadawy i Gymru; ond, ar yr un pryd, y mae ein cenedl yn colli llawer. Os ydyw bechgyn a merched y rhan olaf o'r ganrif yma yn medru darllen ac ysgrifennu Saesoneg, gyda rhwyddineb a phleser, y mae y gwreiddioldeb a berthynai i'w tadau wedi diflannu; ac y mae gwyneb cymdeithas wedi myned yn druenus o unffurf yr olwg arni. Dyma fy rheswm, ddarllenydd caredig, am gyflwyno i dy sylw y llyfr bychan hwn. Y mae y rhan fwyaf o'r hanesion yn wir, a llawer o'r ymddiddanion mor debyg ag a allaswn i gofio i eiddo'r bobl ymhlith pa rai y cefais y fraint o dreulio blynyddau cyntaf fy mywyd.

Yr eiddoch yn gywir,

J. M. Saunders
Penarth

* Mewn copi o'r llyfr hwn sy'n eiddo i E. Wyn James mae S.M.S. wedi rhoi croes drwy 'J. M. Saunders' ac wedi ychwanegu ei henw hi ei hunan o dan enw ei gŵr.

Y Diwygiad ym Mhentre Alun (1907)

Amcan y rhan fwyaf o'r ysgrifau hyn ydyw cofnodi (yn arwynebol iawn, bid sicr) rai o ffeithiau y Diwygiad. Mae'r Diwygiad wedi myned heibio, ond yr ydym yn hyderus gredu fod ei ddylanwadau yn aros, ac i aros.

Bûm yn meddwl i'r symudiad grasol hwn effeithio ar dri dosbarth o bobl: ar y rhai hynny oedd tu allan i'n heglwysi – y rhai difeddwl ac anystyriol – daeth cannoedd o'r rhai hyn i fewn i'r gorlan.

Y rhai hynny oeddynt eisoes yn aelodau eglwysig, heb erioed brofi grym a nerth croes Crist. Hwyrach fod llawer o'r rhai hyn wedi gwneud camsyniad am yr hyn a gymerodd le yn eu hanes yn ystod y Diwygiad. Tystiasant iddynt, bryd hynny, dderbyn bedydd yr Ysbryd Glân, tra y gwirionedd ydyw mai pryd hynny y cawsant dröedigaeth; nid goleuni Pentecost ddisgleiriodd arnynt, ond goleuni yr ail enedigaeth – goleuni creadigaeth newydd.

Y rhai hynny nad oedd dim amheuaeth am eu crefydd. I lawer o'r cyfryw bu y Diwygiad yn agoriad llygaid. Cawsant eu bod yn llawer mwy cyfoethog nag yr oeddynt erioed wedi meddwl. Yr oeddynt, ers blynyddoedd, feallai, wedi trigo ym mhalas y Brenin fel gweision cyflog, yn cyflawni dyletswyddau crefyddol gyda ffyddlondeb a serch. Ond yn ystod y Diwygiad, clywsant, am y tro cyntaf, lais tyner y Tad yn eu gwahodd i'r wledd, a chawsant fod y 'wisg orau, y fodrwy a'r esgidiau' yn eiddo iddynt yr awr honno trwy waed yr Iesu. Yn y dyddiau hynny, pan dorrodd y wawr ar eu heneidiau, yr oeddynt yn byw llawer yng ngwlad Beulah, ac yn cael cipolwg beunyddiol ar y wlad well, ac yn arbennig ar yr Oen sydd yng nghanol yr orseddfainc. Erbyn hyn, y maent wedi gorfod disgyn i ymladd brwydrau bywyd, ond y mae atgof am wleddoedd ysbrydol 1904–5 yn parhau o hyd, ac yn rhoddi ysbrydoliaeth a nerth i fod yn egnïol yng ngwaith yr Arglwydd.

Gobeithiaf y bydd yr atgofion hyn yn gynhorthwy i lawer: i'r rhai hynny sydd eto heb Dduw ac heb obaith, i'r rhai hynny sydd yn tybied eu bod yn rhyddion, ac eto yn gaeth, ac i'r rheiny sydd wedi derbyn yr eneiniad, fel yr 'arhosant ynddo'.

Yr eiddoch yn wir,

S. M. SAUNDERS

Llithiau o Bentre Alun (1908)

Unwaith eto, yr wyf yn dod o flaen y cyhoedd gyda chyfres fechan o ystorïau. Nid wyf yn honni fod yr oll ohonynt yn ffeithiau, ond ar yr un pryd, tystiaf fod llawer ohonynt yn wir.

Ychydig yn ôl, dywedodd cyfaill wrthyf am chwedl oeddwn wedi ysgrifennu: 'Mae hyn a hyn ynddi yn berffaith naturiol; ond am y peth yma,' – gan gyfeirio at un ffaith neilltuol, – 'y mae hwnna yn hollol anghywir ac yn gwbl groes i natur.' Y ffaith honno gondemiwyd oedd yr unig beth gwir yn yr ystori! Felly, gofynnaf am eich amynedd.

Hyderaf y bydd rhywbeth yn y llyfr bach yma fydd o lesâd i ambell un sydd yn unig neu yn glaf. I'r cyfryw rai yr wyf yn ei gyflwyno.

Yr eiddoch yn bur,

S. M. Saunders.

NODYN GOLYGYDDOL

Er mwyn darparu testun clir a hygyrch i ddarllenwyr cyfoes, moderneiddiwyd a chysonwyd orgraff ac atalnodi y straeon hŷn, e.e. 'adgof' (atgof), 'anmhosibl' (amhosibl), 'cymydogaeth' (cymdogaeth), 'diflanu' (diflannu), 'dyledswyddau' (dyletswyddau), 'dyweyd' (dweud), 'ebai' (ebe; meddai), 'ebwn' (ebe; meddwn i), 'goreu' (gorau), 'gwneyd' (gwneud), 'gwrandaw' (gwrando), 'megys' (megis), 'ymddyddanion' (ymddiddanion). Cywirwyd gwallau argraffu amlwg yn dawel lle barnwyd hynny'n briodol. Nodir geiriau ac ymadroddion Saesneg mewn print italig. Fodd bynnag, ni foderneiddiwyd y testun ar draul amrywiadau hanesyddol a thafodieithol sy'n ymddangos yn Geiriadur Prifysgol Cymru, e.e. 'amboidus' (enbydus), 'feallai' (efallai), 'Saesoneg' (Saesneg), 'strifus' (streifus; diwyd, bywiog). Cedwir hefyd ffurfiau tafodieithol unigryw, e.e. 'euthwn' (euthum), 'obeutu' (o amgylch). Diddorol yw nodi bod orgraff wreiddiol *Llon a Lleddf* (1897), a gyhoeddwyd am y tro cyntaf yn *Y Drysorfa*, yn fwy hynafol o lawer nag eiddo *Y Diwygiad ym Mhentre Alun* (1907) a *Llithiau o Bentre Alun* (1908) a gyhoeddwyd am y tro cyntaf ar dudalennau *Yr Ymwelydd Misol*.

Llon a Lleddf (1897)

Crydd Duwiol Tŷ Siôn

Y mae llawer blwyddyn wedi mynd a dod er yr amser pan yr oedd Huw Tomos yn athro ar ein dosbarth ni yn ysgol Sabothol Llanestyn. Dyn tal, digon annymunol yr olwg arno oedd Huw; edrychai bob amser fel pe buasai natur wedi ei gyfansoddi o olion y greadigaeth ac, mewn canlyniad, bod pob cymal yn rhydd ac yn pallu ffitio yn iawn. Mae dillad gweddus yn gyffredin yn gymorth i greadur hyll edrych yn llai felly, ond yr oedd dillad Huw bob amser yn rhy fach neu yn rhy fawr iddo. Yr oedd natur wedi bod yn greulon ac yn gybyddlyd dros ben wrth Huw druan! Ond y mae deddf *compensation* yn gofalu cywiro llawer o gamddigwyddiadau; os oedd Huw yn hyll a hagr o ran gwedd, yr oedd wedi derbyn y galon dyneraf a mwyaf caruaidd yn y byd, a phan y gwenai, byddai pawb yn anghofio nad oedd yn ddyn glân. Yn wir, bu Megan, merch fach William y Gof, yn pallu dweud ei phader dair wythnos gron oherwydd i'w mam ddweud fod Iesu Grist yn annhebyg iawn i Huw Tomos. 'Ac yr oeddwn i,' meddai'r fechan, 'yn dechrau caru'r Iesu am ei fod fel Huw.'

Ychydig iawn a wyddai Huw am ddiwinyddiaeth fel y cyfryw. Hwyrach mai *Rhodd Mam* oedd y llyfr dyfnaf, tu allan i'r Beibl, a ddarllenodd erioed. Yr oedd ganddo barch mawr i'r *Hyfforddwr*, ond yr wyf yn credu mai trwy ffydd yn unig y gwyddai beth oedd ynddo. Llawer gwaith y clywais ef ar weddi yn diolch i'r Arglwydd am Mathew, Marc a Luc. 'Mae Paul,' meddai, 'wedi bod yn rhy hir wrth draed Gamaliel i ddweud stori'r Groes yn ddigon syml i'n sort ni.'

Ac ar yr Efengylau y byddai Huw yn byw. Yr oedd holl hanes gwaredwr y byd ar flaen ei fysedd a phob man y bu yr Iesu yn tramwy drwyddo mor real iddo â'i bentref genedigol. Nid yn Palestina bell yr oedd Bethlehem, a Jerwsalem a Bethania, ond mewn rhyw gae cyfagos; a rhyfedd y pleser a gafodd Huw wrth ddilyn teithiau'r Iesu o faes i faes. Yr oedd un man yn yr ardal yn gysegredig iawn i galon Huw: Pen Bryn Bychan, o ba le y ceid golygfa ogoneddus ar y dyffryn islaw. Fan yma y byddai Huw yn medru sylweddoli orau 'y goncwest gaed ar Galfari.' Tynnai ei het bob amser gyferbyn â'r man hwnnw ac, hyd y dydd heddiw, mae'r plant fu yn nosbarth Huw yn teimlo, os colledig fyddant yn y dydd mawr a ddaw, y bydd y sbotyn gwyrddlas hwnnw yn pasio fel rhyw banorama dragwyddol o flaen eu llygaid i'w condemnio; oherwydd o'r fan honno yr esgynnodd llawer gweddi daer ar ein rhan (gweddïau y mae Duw wedi eu hateb), ac yr wyf yn llawn gredu y caiff Huw eto ryw ddiwrnod ein presentio ni i'w Feistr fel 'y plant a roddodd Efe iddo'.

Trwy ffawd y daeth Huw yn athro ar ein dosbarth ni. Yr oedd hen ŵr yn yr ardal a elwid John Prys. Yr oedd yn dilyn y moddion yn gyson iawn a bu am flynyddoedd yn ceisio cadw trefn ar ein dosbarth afreolaidd ni. Beth bynnag am ei ymdrechion yn y ffordd hynny, cysgu y byddai yr hen ŵr trwy'r prynhawn ac, o'r diwedd, aeth pethau mor ddifrifol oherwydd ein drygioni ni fel y penderfynwyd yn y cwrdd athrawon rhoi Huw'r Crydd fel cyd-athro gyda John Prys; a gofalodd Benja Jones ddweud wrth Huw mai yr unig waith a ddisgwylid oddi wrtho ef, fyddai cadw Mr Prys ar ddihun (nid *sinecure* o *office* chwaith). Ond cysgu gafodd yr hen ŵr, Saboth ar ôl Saboth, a dechreuodd Huw ddweud wrthym 'hanes rhyfedd y dyn Crist Iesu.' O'r braidd yr wyf yn tybio y byddai'r Efengylwyr yn hoffi darluniad Huw o bobl a gwlad Palestina. Dyn bach o gorfforaeth ydoedd Iesu Grist, yr wyf yn cofio, yn ôl barn Huw, am y rheswm, tebygwn, fod ein hathro yn ceisio sylweddoli yr Iachawdwr mor annhebyg iddo ef ei hun ag oedd bosibl. Dyn tal oedd Jwdas Iscariot, ac yr oedd yr anghredadun Thomas bron cyn daled.

Bu Benja Jones yn dweud pethau hallt iawn wrth Huw

druan am fod mor babyddol, ond pa un ai da ai drwg oedd dull Huw o ddysgu dosbarth, hyn a wn: fe lwyddodd Huw i bortreadu Iesu Grist mor fyw o flaen ein llygaid nes i'r Gwrthrych Mawr ennill ein serch ni oll. Nid rhywun yn y nefoedd yng nghanol angylion oedd Iesu Grist Huw Tomos, ond cyfaill yn byw yn ein plith, yn hoffi clywed am ein pleserau a'n gofidiau, ac yn cymeryd diddordeb anghyffredin yn y cwbl a berthynai i ni.

Ein barn ni fel dosbarth oedd mai'r unig le yn Llanestyn y byddai Iesu Grist yn hapus ynddo fyddai Penucha, tŷ Huw. Yn y fan honno y byddai Huw yn dilyn ei grefft fel crydd, a fedra i byth feddwl am yr ystafell fach anghysurus honno ond fel trigle Brenin y Nefoedd. Dywedai Huw mai Iesu Grist oedd wedi gwneud *cobbler respectable* ohono ef, ac yr oedd y cymdogion yn barod i'w gredu, oherwydd cyn ei argyhoeddiad, gwaith pur dlawd arferai Huw roi ar yr esgidiau a ddeuent o dan ei ddwylo. Ond newidiodd pethau wedi i Iesu Grist ddod yn ben y tŷ. Aeth Tŷ Siôn yn lle hynod iawn yn yr ardal. Byddai Huw yn gweddïo dros berchen pob esgid a fyddai yn ei fendio ac yr oedd yr holl ardal yn credu yn gryf yn effeithioldeb gweddïau crydd Tŷ Siôn; ac yr wyf yn gwybod fod llawer mam ofidus wedi anfon hen esgidiau ei mab afradlon at Huw, yn unig er mwyn sicrhau ei weddïau. Wedi cael ein dosbarth ni o dan ei ofal, llonnai yn fawr, a phenderfynodd ddod â ni i gyd yn eiddo i'w Grist, a gweddïai dros un ohonom bod dydd o'r wythnos. Codai yn fore iawn er mwyn cael hamdden i dreulio ychydig oriau yn ymbil ar ein rhan ar Ben y Bryn Bach y cyfeiriais ato eisoes.

Yr oedd gan Huw un ferch fach, yr hon oedd fel cannwyll llygad ei thad. Ond bu farw Mag yn bymtheg mlwydd oed a bu Huw bron torri ei galon. Ond daethai yn gyson iawn i'r ysgol ac yr oedd rhyw eneiniad neilltuol arno y Sabothau hynny. Rhai misoedd wedyn daeth tri ohonom yn aelodau cyflawn, a mawr fel y llawenychai Huw. 'O, un ffein yw Iesu Grist,' meddai, 'mae e'n rhoi rhyw falm rhyfedd i'n gwella ni, ar ôl ein briwio; dweud wrthw i, "Paid aros yn y tŷ, Huw, i lefain, ond dos i'r dosbarth a dywed wrth y cryts am dy Geidwad, ac yna fe gai di y fraint o arwain y bechgyn at y Groes." Wyddoch chi beth? Rwy i wedi dotio ar Iesu Grist!'

Yn y seiat y noson honno bu Huw yn dweud ei brofiad am y tro cyntaf ar ôl claddu y ferch fach. Noswaith ryfedd iawn oedd honno, noswaith fydd byw (credaf i) yng nghof y rhai oedd yn bresennol ymhen oesoedd rif y gwlith. 'Wel,' ebe fe, "'rych chi i gyd yn gwybod sut mae pethau wedi bod arna i yn ddiweddar. Mae rhai ohonoch yn dweud 'y mod i wedi galaru gormod, na ddylswn i ddim llefain cymaint; ond mae'r Iesu wedi bod yn dyner iawn i mi os drwg a wnes. O! un rhyfedd yw E i gydymdeimlo â dyn! Yn wir, buais i bron â myned i'r hwyl ambell dro, a gweiddi "Diolch i ti, Arglwydd mawr, am gymeryd Mag fach. Rwy i wedi dod i dy nabod yn well nawr nag erioed o'r blaen." Mae rhai ohonoch yn cofio yr hen wraig, fy mam. Wel, yr wy' i wedi bod yn meddwl tipyn amdani yn ddiweddar. Roedd gen'i hi flodyn yn ffenest y gegin, gartre. Roedd hi yn meddwl y byd ohono. "Basged pysgotwrs" oedd hi yn ei alw. Un diwrnod gwelodd Mrs Price, y Plas, y blodyn trwy'r ffenest, a dyma hi fewn i'r tŷ. Roedd eisiau cael y fflowryn arni (feddyliodd hi ddim bod mam mor ddwl arno). "Cewch, cewch," meddai Mam, "cewch a chroeso, *ma'am*." Mewn hen debot roedd Mam yn cadw'r basged pysgotwrs, ond meddai Mrs Price, "Does dim eisiau i chi anfon y llestr i fyny i'r Plas, Catrin, mae gen i ddigon o *flower pots* yno." Wel, bu hiraeth arswydus ar Mam ar ôl y blodyn, ond welsoch chi erioed shwt beth. Roedd hi'n falch hefyd bod yr hen ledi wedi cymryd ffansi i'w basged pysgotwrs hi! Roedd hi'n siŵr o ddweud wrth bob un ddelai i'r tŷ hanes y fflowryn, a roedd hi ddim yn foddlon towlu'r hen debot, a dyna lle y bu am flynyddoedd. Rwy'n cofio iddi ddweud wrthw i rhyw ddiwrnod, "Huw, fu 'rioed chwant mynd i'r Plas arna i cyn i'r ledi gymryd y blodyn. Rwy bron meddwl yr â i fyny i gael cip arno." Wel, rwy innau wedi bod yn debyg iawn i Mam yn ddiweddar. Roedd yn dda gen i fod Iesu Grist wedi cymryd ffansi at Mag fach, a rwy'n ddigon boddlon iddo ei chael; ond roedd yr hiraeth bron fy lladd. Roedd gweld ei bedd yn mynd trwy 'nghalon i, ond rown i'n ceisio cofio nad oedd dim eisiau yr hen gorff fyny fry. Fûm i 'rioed yn diolch cymaint am atgyfodiad y corff yma hyd nawr. O! mae E'n dyner, mae E'n gwybod byddwn ni yn leicio gweld ein gilydd yn "ein hen lestri", os ydyn nhw'n gomon. A rwy i fel Mam hefyd, a hiraeth mawr am fynd i'r nefoedd i weld yr Iesu a Mag fach. Rown i yn arfer meddwl am y nefoedd fel rhyw le gwyn iawn – rhy wyn lawer iawn i hen grydd fel fi – ond mae'r nefoedd wedi mynd yn gartrefol iawn i mi'n ddiweddar. Rwy'n meddwl os bydd yr angelion yn edrych yn go sarrug arnaf, bydd y Gŵr sydd wedi marw trosof, a'r ferch bach, yn barod i gymryd fy rhan: byddan nhw eu dau yn fy nabod yn ddigon da. Does gen i ddim chwaneg i'w ddweud.' Aeth yn hwyl fawr yn y fan wrth fod Isaac Roberts yn rhoi allan y pennill, 'Diolch iddo, byth am gofio llwch y llawr.' Yn Nydd y Farn, mi gredaf, bydd llawer ar ddeheulaw'r Brenin yn cyfeirio yn ôl at 'Seiat Mag y Crydd' (fel y gelwir hi) fel yr adeg iddynt ddewis Iesu Grist yn geidwad i'w heneidiau!

Un haf cymerwyd Huw yn sâl iawn, ac un Saboth wrth ddod o'r capel, clywsom y newydd fod y meddyg wedi dweud nad oedd yn bosibl i Huw wella! Yr wyf yn meddwl mai Iago Jones a gynigiodd i ni, fechgyn dosbarth Huw, gadw cwrdd gweddi yn yr Allt y prynhawn hwnnw, yn lle mynd i'r ysgol. Rhoddwyd arnom i beidio dweud gair wrth neb am ein bwriad, rhag i'r rhai oedd mewn oed chwerthin arnom. Yr oeddym i gyfarfod yn brydlon am ddau o'r gloch yn yr Allt. Yr oedd Huw wedi dweud llawer wrthym am barodrwydd Duw i wrando gweddi, ac yr oeddym i gyd yn credu y byddai i'r Tad nefol wrando ein cais, a rhoi Huw yn ôl i ni eto. Bu Iago yn haelionus iawn yn cynnig ar i'r Arlgwydd gymeryd dau o'r blaenoriaid yn lle Huw – fod y bobl yn Salem i gyd wedi blino arnynt, ac am hynny roedd *welcome* i'r Nefoedd gael yr *whole lot* o'r sêt fawr, ond i Huw gael ei adael! Rhai misoedd cyn hyn daethai Gwyddel bach fel gwas i fferm yn y gymdogaeth. Doedd Mike yn deall yr un gair o Gymraeg, a chan na fedrai Huw un sill o Saesoneg tybiai ei feistr mai ffolineb oedd anfon Mike i'r ysgol Sul. Ond daeth y crwydryn bach i gyffyrddiad rhyw dro â Huw, ac enillodd galon y Gwyddel ar unwaith.

'Fedra i ddweud gair wrthyt yn Saesoneg,' ebe Huw yn Gymraeg, 'ond mi dreia i edrych arnat mor debyg i Iesu Grist ag a fedra i.' Ac yr oedd cymaint *eloquence* yn ei wên, fel o'r diwedd y daeth Mike i garu'r Iesu am fod Huw yn ei garu!

Ond yr wyf yn crwydro. Yr oedd Mike gyda ni yn yr Allt y prynhawn hwnnw, ac yn crïo yn dost. '*Tell Him in Welsh*,' meddai, '*if He'll jest leave Hugh for a bit, he'll bring a moighty lot wid'im*!' Credai Mike fod Duw yn deall Cymraeg yn well na Saesoneg! Gwellhaodd Huw, er y Doctor a'r cwbl, ac un diwrnod buom yn ei weld. Yr oeddym yn teimlo ein bod ni wedi gwneud gorchest: cael Huw yn ôl o safn marwolaeth; ac, wrth gwrs, yr oedd chwant mawr arnom i Huw gael clywed am y cwrdd gweddi yn yr Allt. Iago oedd y *spokesman*, a rhoddodd yr hanes yn daclus iawn. Ond yn lle diolch i ni, dechreuodd Huw, er ein syndod, wylo yn hidl. O'r diwedd dywedodd yn doredig, 'ro'n i'n methu deall sut y des nôl yma. Roeddwn i yn mynd gartre, roeddynt i gyd yn fy nisgwyl i fyny, ond yr wyf yn deall nawr; dim leicio eich siomi chi oedd E, 'mhlant i.'

Ac y mae yn bur debyg fod Huw yn iawn, oherwydd am ychydig o amser yn unig y gwellhaodd. Erfyniodd arnom i beidio gofyn i'r Arglwydd ei wella drachefn ac, wrth weld mor awyddus yr oedd i fynd, yr oedd yn amhosibl i ni anufuddhau. 'Mae rhyw job fry,' meddai, 'nas gall yr un angel ei gwneud cystal â chrydd Tŷ Siôn, ac y mae'n biti i mi ymdroi ffordd yma yn lle mynd. Nid wedi blino ar fyw yr ydw i, ond eisiau gwneud rhywbeth i helpu'r Iesu 'mlaen.' Bu farw fel y bu fyw, yn hollol dawel ac yn berffaith hapus. Ac yr oeddym ni, y rhai oedd yn sefyll wrth erchwyn ei wely marw ac yn sylwi ar ei wyneb yn disgleirio, yn gorfod meddwl fod crydd duwiol Tŷ Siôn yn cael gwir groeso brenhinol i ganol gogoniant y nef.

Benja Jones y Teiliwr

Fel rheol y mae ym mhob ardal ryw un dyn sydd, oherwydd rhyw arbenigrwydd neu'i gilydd, yn fath o frenin bach ar yr holl le, ac y mae dylanwad ei fywyd ef i'w ganfod ym mhob congl o'r gymdogaeth, a mawr yw braint yr ardal honno sydd yn gallu ymffrostio mewn brenin da. Benja Jones y teiliwr oedd brenin Llanestyn pan yr wyf fi yn cofio gyntaf. Pa fodd y dringodd i'r orsedd, nis gwn, ond yno yr oedd yn eistedd mewn awdurdod tawel, yn hollol ddifater o'r ffaith fod llawer Absalom cyfrwys yn gwneud ei orau i ladrata calon y bobl. Yn wir, ni ymdrechodd Benja erioed i ennill calonnau ei ddeiliaid, ond yr oedd pawb yn credu fod llawer iawn o lwyddiant y gymdogaeth i'w briodoli iddo ef ac, er fod rhai yn ddigon parod i weled gwallau yn eu hen arweinydd, yr oeddynt oll yn gorfod cyfaddef ei fod yn onest a'i fod wedi ymladd llawer brwydr ogoneddus ar eu rhan. Am Benja ei hunan, yr oedd yn edrych ar bob aelod o'r capel fel ei eiddo personol, ac nid arno ef oedd y bai os na fyddent yn rhodio yn 'addas i'r alwedigaeth y'u galwyd iddi.' Mewn un ffordd yr oedd Benja yn gydwybod i bobl Llanestyn, ac ar ôl iddo farw clywais lawer un yn cwyno oherwydd ei fod yn awr yn gorfod *gwylio* a gweddïo. Tra y bu Benja byw yr oedd ef yn gwneud y cyntaf dros yr holl gymdogaeth, ac yr oedd yn bur sicr o sylwi os oedd hwn neu hon mewn perygl o ymadael oddi wrth eu cariad cyntaf! Am y rheswm hyn, debygaf, ni fu Benja erioed yn ddyn poblogaidd. Y mae y rhan fwyaf ohonom yn caru meddwl fod pobl eraill yn ddall i'n gwendidau, ond doedd fawr ofn i ni yn Llanestyn gredu yn nallineb Benja Jones: byddai yn sicr, nid yn unig o ddarganfod ein pechodau, ond gwaeth na hynny, byddai yn siŵr o'n rhybuddio ni ac, felly, nid rhyfedd ein bod yn ei ofni yn hytrach na'i garu. Dyn garw, llym oedd Benja, yn gweld y gwirionedd o'i flaen yn eglur iawn, ac yn ceisio llywio tuag ato ac yn disgwyl i bawb arall wneud yr un peth. Nid oedd wedi dysgu cymeryd na rhoddi meddyginiaeth mewn mêl: llyncu y chwerw a dioddef y gyllell heb rwgnach oedd ei ffordd ef ac, y mae yn rhaid cyfaddef, os oedd yn galed ar ffaeleddau pobl eraill, yr oedd yr un mor galed ar ei ffaeleddau ei hunan. Yn yr Hen Destament yr oedd Benja yn byw, a chrefydd yr Hen Destament oedd nodwedd ei grefydd ef: Duw yn casáu anwiredd ac yn cosbi'r annuwiol oedd ei Dduw ef, ac nid wyf yn meddwl ei fod, hyd nes yr oedd yn hen ŵr, yn gyfarwydd iawn â Duw ym mherson ei Fab Iesu. Gwelais ei Feibl unwaith, ac yr oedd bron bob adnod sydd â son am y farn ynddi wedi ei nodi â phin: 'Duw sydd ddigllawn beunyddd wrth yr annuwiol', 'Ar yr annuwiolion y gwlawia Efe faglau, tân a brwmstan, a phoethwynt ystormus' &c. Yr oedd Benja yn ddigon o Biwritan i lawenhau calon hyd yn oed Jonathan Edwards ei hunan. Wrth feddwl am ei fywyd pur a didwyll, a chofio hefyd am ei hunanffieiddiad a'r anhawster a gafodd i gredu y gallai Duw faddau ei gamwedd a'i bechod, yr wyf yn teimlo cywilydd fy mod yn gallu derbyn cysgod yr Iawn mor ddidaro! Yr oedd hanes argyhoeddiad Benja yn un cyffrous. Clywodd bregethwr yn disgrifio cyflwr truenus trigolion uffern, ac yr oedd y darlun mor fyw, fel, er nad oedd Benja ond pymtheg oed ar y pryd, bu am wythnosau yn ofni cysgu, rhag iddo ddeffro yng nghanol tân a brwmstan y pydew diwáelod! Ond o'r diwedd, fel Saul o Tarsis, dechreuodd weddïo a derbyniodd ryw faint o ymwared; ond yr wyf yn meddwl fod ochneidiau carcharorion uffern yn swnio yn ei glustiau a chysgod ofnadwy fflamau y tân anniffoddadwy yn pasio o flaen ei lygaid ar hyd y blynyddoedd. Wedi cael y fath fedydd tanllyd, nid rhyfedd fod Benja yn disgwyl ar i bob dyn, cyn ei gyfiawnhau, fynd trwy oruchwyliaeth debyg, ac anodd iawn oedd ganddo gredu yn effeithioldeb argyhoeddiad neb heb brofiad o ing ofnadwy.

'Mae yna Gethsemane i fod yn hanes pob gwir Gristion,' meddai yn y seiat rhyw noswaith. 'Does dim llawer o grefydd ynot os wyt heb dreulio ambell i noswaith gyfan yn yr Ardd yn wylo yn chwerw.'

Byddai Huw Tomos yn arfer dweud mai aros yn rhy hir yn yr Ardd oedd bai Benja; nad oedd e ddim yn dringo yn ddigon aml i ben Calfaria. 'Mae Calfaria yn fy lladd i,' ebe Benja, 'rwy'n gweld fy mhechod yn hoelio'r Iesu ar y pren.'

'Wel,' medd Huw, 'mae hynna yn ddigon gwir, ond yr wy' i yn ei weld Ef yn dechrau mynd i fyny yno, bachgen, ac yr wy' i yn meddwl diolch iddo yn *uncommon* rhyw ddiwrnod.'

Yr oedd cyfeillgarwch Huw a Benja yn un o'r pethau rhyfeddaf a welais erioed. Nid yw yn bosibl sylweddoli dau ddyn mwy annhebyg i'w gilydd na'r ddau. Plentyn yr haf oedd Huw, yn llawenhau yn y goleuni ac yn edrych i fyny yn siriol i wyneb yr haul heb ymdrafferthu yn y paham na'r pa fodd, ond yn derbyn pob bendith fel rhodd ac yn teimlo yn berffaith hapus am ei fod yn credu fod haul mawr cyfiawnder yn gwenu arno ef. Yn ymyl Sinai y trigai Benja, yn ofni bob moment fod barn ar syrthio arno ef a'i gyfoedion oherwydd anwiredd a thwyll eu bywyd. 'Ffowch am eich einioes, mae'r dialedd *bron* â'ch dal!' oedd gwaedd Benja. 'Edrychwch ar yr Iesu, mae E'n eich caru,' oedd cri Huw.

Byddai Benja yn cyhuddo Huw o wneud ffordd iachawdwriaeth yn rhy hawdd a Huw, o'r tu arall, yn dal fod Benja yn taflu rhwystrau ar lwybrau y rhai a fynnent weld yr Iesu! Ond gwae i'r person hwnnw fyddai yn ddigon ffôl i feio y naill wrth y llall.

'Huw'r Crydd yn ynfyd, ddwedaist ti?', ebe Benja, mewn atebiad i rywun oedd yn meddwl yn fach am alluoedd naturiol Crydd Tŷ Siôn. 'Wyddest ti beth, bydd rhai o'r scolers gorau welodd y byd erioed yn barod iawn i newid lle â Huw yn

Nydd y Farn. Well i ti a finnau wneud ein gorau ohono tra mae e yma, unwaith yr â i'r nefoedd, fydd yn rhy agos i'r orsedd i chi a fi gael cip arno!'

Ac eto byddai Benja yn cynghori llawer ar Huw i chwilio yn fanwl rhag ofn ei fod yn twyllo ei hunan ond, er hynny, nid wyf yn credu fod yr amheuaeth leiaf yn meddwl Benja am gyflwr ei gyfaill.

'Dyna chi ddyn *solid*,' meddai Huw am Benja, 'yn wir, mae e'n gredit i'r Hollalluog. Byw tipyn gormod mae Benja yn mhennod olaf Malachi. Rwy'n dweud wrtho, pe bai fe ond troi'r ddalen, y gwelai y ceidwad yn y preseb: dyna'r fan *noble* i bechadur!'

'Mae'n anodd meddwl,' ebe rhywun wrth Huw rhyw ddiwrnod, 'dy fod ti a Benja yn addoli'r un Duw. Rhaid, goelia i, os wyt ti yn iawn fod Benja yn cyfeiliorni; neu os yw Benja yn ei le, rhaid dy fod di yn camsynio yn fawr.'

'Dim fath beth,' meddai Huw, ar unwaith, 'yr un Duw ydyn ni'n dau yn ei garu, ond fy mod i yn ddigon hyf i siglo llaw a siarad â'r Gŵr Mawr, ond tynnu ei het iddo yn unig y mae Benja. Ond paid ti gofalu, fe ddaw'r cwbl yn *all right* ar y diwedd.'

U Jura, onide, sydd wedi ennill y gair o fod yn *ferret* gorau ar Fryniau Casia. Wel, doedd Benja Jones ddim yn byw yno! Rhyfedd fel yr oedd Benja yn deall y natur ddynol! Fel y bûm yn crybwyll eisoes, yr oedd Benja yn cymeryd gofal o gydwybodau pobl Llanestyn ac yr oedd yn siŵr o sylwi ar arwyddion cyntaf gwrthgiliad. Yn aml iawn byddai gair o gyngor oddi wrtho yn creu tipyn o anesmwythder yng nghalonnau y troseddwyr, ac yr oedd yr anesmwythder hwnnw yn troi yn fendith iddynt, oherwydd byddai Benja yn cael ei gyfrif yn awdurdod ar bethau ysbrydol. Ond ambell waith byddai cynghorion Benja yn syrthio ar glustiau byddar ac, yna, byddai Huw ac yntau yn cyfarfod i osod y mater gerbron Duw. Peth digon cyffredin oedd i Benja weld y demtasiwn gref (fyddai yn siŵr o'i syfrdanu) yn agosáu at ryw ddyn ieuanc, ymhell cyn y byddai'r bachgen ei hunan yn ymwybodol o'r ffaith; ac yna elai Benja a Huw i'r Allt i gyflwyno y llanc difeddwl i ofal yr Hollalluog Dduw, a does dim amheuaeth na chollodd y diafol lawer ysglyfaeth werthfawr trwy rym gweddïau y ddau ŵr duwiol hyn! Bûm unwaith yn wrandawydd distaw yn un o'r cyrddau gweddi yma, ac y mae y coffadwriaeth ohono yn un o'r pethau mwyaf cysegredig feddaf. Gwelaf hwynt yn awr, yn ddau ddyn canol oed, yn llawn nerth a grym, yn sefyll rhwng pechaduriaid â'u Duw! Roedd rhyw ddistawrwydd ofnadwy yn yr Allt: distawrwydd, mi debygwn, tebyg i dywyllwch yr Aifft, yn un oedd i'w deimlo. Mae atgof y noswaith honno yn aros mor fyw yn fy nghof a phe buasai wedi ei ysgrifennu mewn llythrennau o dân. Nid oes gennyf syniad pa faint o amser y bûm yn sefyll yno yn y tawelwch a'r llonyddwch arswydus. Yr wyf yn cofio fy mod yn sylweddoli y distawrwydd, dyna'r cwbl. Ac yna clywn lais Benja yn codi i fyny, a'i weddi fel mwg yr arogldarth, 'Arglwydd, cofia Sïon, cofia Sïon rhag i'r dienwaededig wawdio a gofyn pa le mae eu Duw?' Yna, trodd i ymbil ar ran rhyw druan oedd yn rhedeg yn gyflym tua distryw. 'Arglwydd,' meddai, 'dal ef uwch ben y pydew diwaelod, gad iddo brofi poenau uffern yn ei enaid, gad iddo ddioddef. Ond Arglwydd, paid gollwng dy afael arno, gad iddo deimlo ei gamwedd megis baich trwm – ei anwireddau yn aml dros ben – nes y bydd yn gweiddi am drugaredd a maddeuant; a phan y gweidda, Arglwydd, gad iddo weld baner waedlyd y groes, a dyro iddo ymwared.' 'Gad iddo weld yr Iesu,' meddai Huw, 'O! Dduw, dal dy annwyl fab Iesu o flaen ei lygaid, gad iddo glywed ei lais Ef yn dweud wrtho, "Ha fab, cymer gysur, maddeuwyd i ti dy bechodau."'

Yr wyf yn cofio, pan orffennodd Huw ei weddi, i ryw

aderyn y nos daro allan i ganu ac, i fy meddwl plentynnaidd i, roedd sain cân yr aderyn fel neges oddi wrth Dduw yn addo gwrando y gweddïau er mwyn ei weision ac er mwyn ei Fab Iesu. Yn ddiau, cyflawnwyd y noswaith honno y broffwydoliaeth y caiff caredigion Iesu fod yn 'frenhinoedd ac yn offeiriaid i Dduw a'i Dad ef.'

Ynglŷn â'r cyrddau gweddi yma, digwyddodd un ffaith ryfedd iawn. Daeth dyn ieuanc i'r ardal fel gwas fferm a chyn hir caed ar ddeall fod William Rees yn gwneud ei orau i lygru holl fechgyn y gymdogaeth. Byddai yn eu temtio i'r dafarn i chware *dominoes* ac, mewn canlyniad, yr oedd masnach y Red Boar yn cynyddu a llawer iawn o ddynion ieuainc yn mynd ar garlam tua distryw. Ond un noswaith diflannodd William Rees o'r gymdogaeth mor ddisymwth ag ysbryd ac am ddwy flynedd ni chlywyd dim o'i hanes. Yna derbyniodd Benja Jones lythyr oddi wrtho o'r America. Rhedai un rhan o'r llythyr yn debyg fel y canlyn: 'Roeddwn i yn yfed yn y Red Boar ar ---- o fis ----. Ac yn ddisymwth teimlais fod rhyw allu mwy na fi fy hunan yn fy nghario allan o'r dafarn. Wyddwn i ddim yn iawn i ba le yr oeddwn yn myned, ond cerddais ymlaen tuag at yr Allt Ddu. Clywais sŵn lleisiau, ac euthum yn nes i'r fan o ba le y daetha'r sŵn. Roeddech chi yn gweddïo ac yn gofyn i'r Arglwydd i'm hachub i: roeddech chi am i mi ddioddef cyn cael ymwared, ond sylwais (er nad oeddwn yn hollol sobr ar y pryd) eich bod am i Dduw roddi gollyngdod i mi ar y diwedd. Bu Huw'r Crydd yn gweddïo yn dyner iawn droswyf ar eich hôl a dywedodd ei fod yn *siŵr* fod Duw wedi arfaethu fy nghadw. Wel, teimlais ar y foment honno nas gallwn i byth aros yn Llanestyn. Roedd gormod o ddychryn arna i fod yn yr un ardal â Huw a chwithau ac, ar ôl ymdroi tipyn, des o'r diwedd yma, i'r America, a dechreuodd cydwybod aflonyddu arnaf. Bûm bron â cholli fy synhwyrau, ond cofiais fod dau ddyn da wedi bod yn gweddïo ar fy rhan ac yr oedd y meddwl hynny yn rhoi llawer o galondid i mi. O! Mi ges i brofi poenau uffern! Y mae yn dda gennyf am hynny yn awr ac, oni bai fy mod yn teimlo yn bur siŵr y byddai Duw yn ateb gweddi Huw'r Crydd ar fy rhan hefyd, yr wyf yn meddwl y buaswn wedi gwallgofi. Yr oedd yn arswydus cofio fy mod wedi arwain bechgyn diniwed i'r dafarn ac at bob annuwioldeb. Yn wir, yr oedd fel tân yn fy esgyrn. Roedd ofn arnaf weddïo trostynt, rhag y byddai Duw yn fy lladd am fod mor hyf. Ond, er hynny, allaswn i byth beidio begian ar yr Arglwydd i gadw bechgyn ardal Llanestyn. Mae Duw erbyn hyn hefyd, o'i fawr ras, wedi ateb gweddi Huw drostwyf: yr wy' i wedi gweld yr Iesu ac yr wyf yn penderfynu treulio fy nyddiau i gyd yn ei wasanaeth.' Yr unig beth ddywedodd Benja wrth y cyhoedd oedd ei fod wedi clywed fod William Rees wedi cael crefydd. Ni ddaeth y llythyr i'r golwg hyd ar ôl ei farwolaeth.

Un o'r pethau cyntaf y byddai Benja yn disgwyl ar ddyn i'w wneud ar ôl ei argyhoeddiad fyddai codi allor deuluaidd yn ei gartref ac, os byddai penteulu ag enw o grefydd arno yn esgeuluso y gwaith yma, ni arbedid y wialen yn y sciat; ac yr oedd Benja yn fedrus iawn gyda goruchwyliaeth y wialen! Yn wir, dywedid fod dyletswydd yn cael ei chynnal ym mhob tŷ yn yr ardal ar fore dydd Iau er mwyn i'r gwŷr fod yn abl i ateb yn groyw (os gofynnid iddynt) eu bod hwy yn glir ar y pen hwnnw. Ond cyn hir teimlodd Benja fod crefydd yr ardal heb fod yn hollol foddhaol, ac yr wyf yn cofio yn dda am y nos Iau honno pan y galwyd chwech neu saith o wŷr ieuainc ymlaen, a gofynnodd Benja yr hen gwestiwn arferol 'A wyt ti'n cadw dyletswydd?' Wedi derbyn ateb cadarnhaol oddi wrth bob un gofynnodd eilwaith, 'Pa mor aml yr wyt ti'n ymostwng i gadw dyletswydd?' A deallodd pobl Llanestyn nad oedd yn hawdd twyllo hen Deiliwr Tŷ Fry! Yr oedd rhyfel y degwm heb ddechrau yn y dyddiau hynny, ond ychydig iawn fyddai Benja yn feddwl o grefydd unrhyw un na fyddai yn foddlon melltithio Eglwys Loegr! Yr oedd yn credu â'i holl galon yn athrawiaeth yr Iawn, ond mae arnaf ofn nad oedd yn meddwl fod hyd yn oed gwaed y groes yn ddigon i achub rhywrai oedd yn mynychu'r Llan! Wrth gwrs, os deuent yn aelodau yn y capel, yr oedd *gobaith* am eu cadwedigaeth (yn ôl barn Benja), ond gwae arnynt os arhosent yn Eglwyswyr. Bu un gŵr (aelod yn yr eglwys) farw yn hapus iawn a daeth rhywun â'r hanes at Benja. 'Wel, wel,' meddai, 'roeddwn yn gwybod ers llawer dydd fod yr Arglwydd yn gwneud pethau rhyfedd, ond 'ddylies i erioed y gallai wneud cymaint â hyn. Ond, 'rhoswch chi, hen wraig dduwiol iawn oedd ei fam-gu, Methodist *right* hefyd. Rown i yn meddwl fod yna rywbeth tu ôl "y ffydd ... a drigodd yn gyntaf yn dy nain Lois." Mae Duw yn ateb gweddïau Ei bobl er gwaetha'r eglwys a'r cwbl.'

Edrychai Benja ar Doriaeth fel rhyw offeryn anfoesol ynglŷn â'r eglwys, ac yn amser y lecsiwn byddai yn annog y bobl i fod yn Rhyddfrydwyr oherwydd mai Rhyddfrydwr oedd Iesu Grist. 'Does dim dwywaith am hynny: aeth cyfreithiau a seremonïau'r Hen Destament yn chwilfriw mân o dan Ei ddwylo. O! ie, *Whig* o'r *right sort* oedd Iesu Grist!'

Merch y Brenin

Hen ferch oedd Peggy. 'Nid oherwydd na ches i *ddigon* o gynigion, ond am fy mod i yn leicio bywyd sengl,' fel y byddai hi yn gofalu eglurhau wrth bawb. Yr oedd Peggy yn cael ei hystyried yn weddol gyfoethog, gan fod iddi fferm fechan ar ben y mynydd gwerth chwe swllt yr wythnos. Ond yn Llanestyn mae yn bosibl byw ar dipyn llai na chwe swllt ac, felly, disgwylid ar Peggy fod yn bur haelionus; ac yn wir, byddai hi yn ymffrostio cryn dipyn yn ei haelioni. Byddai y blaenoriaid yn darllen enwau a chyfraniadau yr aelodau unwaith bob blwyddyn, a rhyfedd mor ddirmygus y gallai Peggy edrych ar y rhai oedd yn cyfrannu llai na hi at y llyfr eglwysig! Yr oedd brwydr wastadol rhyngddi hi a Benja Jones; yr olaf yn dal fod Peggy yn hunangyfiawn a'i bod yn twyllo ei hunan. Hwyrach fod cryn lawer o wirionedd yn y syniad ac feallai mai oherwydd hynny y byddai Peggy yn teimlo mor ddig wrth Benja. Mae'n rhaid cyfaddef fod tafod arswydus gan ein chwaer ac nid hawdd oedd osgoi rhai o'r ymosodiadau. Disgwyl ar y corff i ffitio'r wisg, yn hytrach na gwneud y dilledyn i ffitio y corff, oedd nodwedd arbennig y siwts fyddai Benja yn eu gwneud. Yr oedd digon o bobl yn yr ardal yn gweld y diffyg ond nid oedd neb yn ddigon hyf i'w ddangos i Benja ond Peggy.

Ond er ei bod yn bur llym wrth y teiliwr, doedd neb yn y gymdogaeth mor garedig â Peggy; ond yr oedd yn disgwyl ar bawb fod yn ddiolchgar. 'Hen adnod ddigon dryslyd yw honna,' meddai hi rhyw ddiwrnod, '"Pan wnelych di elusen, na wyped dy law aswy pa beth a wna dy law ddehau." Peth digon diflas yw sefyll uwchben y twba golchi trwy'r dydd yn nhŷ rhywun arall a pheidio cael gair o ddiolch. Mae Benja Jones yn meddwl y gallwch chi dwyllo eich hunan a meddwl na wnaethoch ddim dros eich cymydog, ond pan wela i y clawdd yn llawn o ddillad rwy wedi eu golchi dros Mari, Ffynnonfach dyw e ddim iws i fi dreio meddwl na wnes i ddim drosti hi. Mae synnwyr yn dweud yn wahanol ac os na ddywedith hi "*Thenkye*" wrthw i, dyna'r tro diwetha i fi fynd yno i ladd f'hunan.'

Ond druan ar Peggy! Gweini ar bobl eraill y bu hi ar hyd y blynyddoedd, ac ni dderbyniodd fawr ddiolch oddi wrth ddynion. Daeth yr ardal o dipyn i beth i edrych arni fel ei heiddo a bu Peggy am flynyddoedd lawer yn actio fel *general factotum* i'r holl gymdogaeth. Anaml iawn y byddai hi gartref ac, os oedd rhywbeth allan o le yn rhyw dŷ, gallasech fod yn bur siŵr fod Peggy yno yn gweithio â'i holl egni. Doedd neb yn yr ardal yn medru gwneud teisen briodas cystal â Pheggy ac iddi hi y byddai y gorchwyl pruddaidd olaf ar gorff y marw yn cael ei ymddiried.

Yn ystafell y claf y byddai Peggy yn ymddangos orau. Yr oedd rhyw dynerwch anarferol ynddi ar y prydiau hynny; gallu neilltuol i ganfod eisiau y claf, heb i'r claf ei hunan gymeryd y drafferth o siarad. Yr oedd hefyd yn boblogaidd iawn gyda'r plant, a phan fyddai saldra yn y tŷ, byddai y fam drafferthus, wrth anfon am y meddyg, yn siŵr o ychwanegu, 'A chofia ddweud wrth Peggy am redeg drwodd.'

Mae yn debyg mai bywyd digon digysur arweiniwyd gan rieni Peggy ac ynglŷn â hynny clywais un hanesyn tlws iawn. Wedi marw ei thad a'i mam, aeth i fyw gyda modryb iddi ac, un Sul, bu yn treulio ei hamser yn y tŷ capel tra yr oedd ei modryb yn 'cadw'r mis' (yr hyn a ystyrid yn Llanestyn y fraint fwyaf a allasai gwraig rinweddol ymestyn ati). Fel y digwyddodd, yr oedd un o foneddigion pulpud Cymru yn pregethu yn Llanestyn ar y pryd a, thra yr oedd y dyn mawr yn mwynhau ei bibell ar ôl cinio, dechreuodd modryb Peggy adrodd wrtho holl hanes y gymdogaeth ac, heb feddwl am deimladau y plentyn druan, aeth ymlaen i ddweud wrtho stori anhapus rhieni Peggy. Sylwodd y pregethwr fod y ferch bach yn gwrido gan gywilydd. Cododd o'r gadair ac ymaflodd yn dyner yn ei llaw. 'Does dim eisiau i chi fod yn anhapus, 'y ngeneth i,' meddai, 'cofiwch eich bod yn ferch i'r Brenin.' Bu y pregethwr hwnnw yn ysgwyd cynulleidfaoedd Cymru benbwygilydd â'i huawdledd gorchfygol, ond hwyrach na fu erioed yn fwy tebyg i'w Arglwydd na phan yn cysuro 'un o'r rhai bychain hyn!'

O hynny allan ystyriai Peggy fod yr enw 'Merch y Brenin' yn eiddo personol iddi ac y mae yn ddiamau i'r syniad o'i honiad uchel fod yn gymorth mawr iddi trwy ei hoes. Llawer gwaith y clywais hi yn dweud, 'Alla i byth oddef pob math o siarad yn 'y nghlyw i, "Merch y Brenin" ydw i, wel ti;' ac fe wnaeth Peggy lawer iawn o ddaioni yn ardal Llanestyn wrth ballu goddef siarad isel yn ei phresenoldeb. Edrychid arni fel model o gywirdeb ac, er iddi fyw i fod yn hen iawn, cadwodd ei chymeriad fel perl gwerthfawr heb sbotyn arno. Bu un uchelgais rhyfedd ganddi; teimlai mai y peth gorau allasai byth ddisgyn iddi fuasai cael ei henw mewn pregeth. Bu yn ccnfigcnnu yn dost wrth yr hcn wragcdd ar y plwyf ocddynt yn dod i'r golwg fel siamplau o grefydd anrhydeddus ym mhregethau rhai o'r gweinidogion, a chlywais hi yn honni unwaith y gallai hi ddweud pethau 'llawer iawn gwell' nag a ddywedwyd gan ryw hen chwaer yn y bregeth! Anaml iawn y byddai Peggy yn colli cwrdd o unrhyw fath. Doedd hi yn deall dim am gerddoriaeth ac yr oedd yr ysgolfeistr yn hollol foddlon i'w hesgusodi am beidio bod yn y cyrddau canu, ond pwy bynnag fyddai yn absennol, byddai Peggy yno; ac os nad oedd Mr Jones yn cael boddhad wrth ei chlywed yn mynd i fyny y *scale* tra yr oedd pawb arall yn dod i lawr, yr oedd hi ei hunan yn medru mwynhau y cwrdd yn rhagorol iawn. Byddai yn dysgu mwy o adnodau na neb arall yn yr ysgol Sul ac yn barod i roi ei barn ar y pynciau mwyaf dyrys, er y rhaid cyfaddef fod rhai o'i hesboniadau yn fwy gwreiddiol na chywir.

Ond yr angel disgleiriaf a ddaeth i gyffyrddiad â Peggy oedd y *rheumatics*. Oni bai am ei phoenau buasai wedi marw yn ddynes ddigon cyffredin. Ond ar ôl trigain mlynedd o iechyd caethiwyd Peggy i'r tŷ gan y *rheumitz*, ac yn ffwrn boeth cystudd gwelodd ryw Un 'â'i ddull yn debyg i Fab Duw.' Yr oedd ei hapusrwydd yn synnu pawb, a byddai hyd yn oed Benja Jones yn hoffi troi i fewn i edrych pa newydd oedd 'Merch y Brenin' wedi ei dderbyn o balas ei Thad, a llawer seiat gysurlon a gafwyd wrth fyned dros hanes ymddygiadau yr Arglwydd tuag at Peggy. Yn aml iawn byddai wedi derbyn rhyw flodeuyn o gysur a oedd yn eglur iawn wedi tyfu mewn *soil* wahanol iawn i'n daear ni, a byddai'r blodeuyn hwnnw yn cysuro llawer calōn drallodedig arall. Bu Benja Jones yn adrodd ei phrofiad un nos Iau. Roedd cof nodedig iawn gan Benja a gallasai adrodd pregeth gyfan heb ond ychydig o gamsyniadau. 'Buais,' meddai, 'yn edrych sut oedd Peggy'r 'Rheol Goch ar y ffordd i'r capel. Wel, mae hi'n byw'n gyfoethog iawn. Mae'r Arglwydd wedi bod yn hynod rasol iddi; mae hi wedi dŵad yn ostyngedig iawn nawr, ond mae hi yn gwledda ar basgedigion tŷ ei Thad. Dyma beth ddywedodd hi wrthw i am ddweud wrthoch chi yma heno, ei bod hi wedi bod am flynyddoedd yn arfer mynychu gardd y Brenin, bod hi yn hoffi gweld y ffrwythau ac arogli'r blodau, ond na feddyliodd hi erioed am fwyta'r ffrwythau a thynnu'r blodau; ond pan oedd hi bron â cholli ei synhwyrau gyda'r poen, iddi lusgo ei hunan (meddai hi) i ardd y Brenin a bwyta'r ffrwyth, a thynnu'r blodau, a dod â nhw gartre gyda hi, a bod nhw wedi llaesu llawer ar ei phoen. Rown ni'n ofni, falle, bod hi yn twyllo ei hunan: mae'r diafol mor gyfrwys a dwedes wrthi, "Wel, Peggy fach, cofia, eiddo'r plant yw'r addewidion; wyt ti'n siŵr eu bod nhw yn eiddo i ti?" "Fedrwn i byth bwyso arnyn nhw os nad oe'n nhw yn eiddo i mi," meddai hithau; a dyna roedd hi am i chi wneud: bwyta'r ffrwyth a mynd â'r blodau gartre gyda chi. Gofynnes i iddi hefyd leicie hi i ni weddïo drosti; a dyna ddywedodd hi, bod hi yn ddiolchgar iawn am ein gweddïau, bid siŵr, ond bod y Gŵr ei Hunan mor amal gyda hi, na wyddai hi ddim yn iawn am beth i ofyn.'

Yn wir, nid wyf yn gwybod pa beth fuasai wedi dod o Peggy oni bai am Iesu Grist. Yr oedd unigrwydd ei bywyd a'i dioddefiadau mor wahanol i'r hen ddull o dreulio ei dyddiau; ond yr oedd yn berffaith hapus, ar y cyfan, yn dringo llawer i ben mynydd y gweddnewidiad ac, fel y disgyblion gynt ar ôl rhyfeddu a synnu, yn deffro i beidio gweled neb ond yr Iesu yn unig.

Yr wyf yn cofio yn dda un tro pan y daeth dau neu dri i ymweled â Peggy ac yr oedd Isaac Roberts yn cwyno nad oedd efe mor grefyddol ag a hoffai.

'Wel,' ebe Peggy, 'arnat ti mae'r bai. Rwy'n meddwl fod pawb mor grefyddol ag y mae e am fod. Rwy'n cofio ers llawer dydd, pan rown i'n mynd i'r ffynnon i moyn dŵr, roe'n ni'n mynd gyda'n gilydd, tair ohonon ni, a byddai llestri gwahanol gyda phob un. Stên fach ro'n i'n gymryd (doedd dim eisiau rhyw lawer iawn o ddŵr arna i), ond byddai Nancy drws nesa yn cymryd dwy stên fawr gyda hi (mae'r teulu'n fawr), ac ro'dd Mari Edward yn cymryd stên fach, llai na'n un i. Ro'dd digon o ddŵr yn y ffynnon; arnon ni ro'dd y bai am beidio mynd â stên digon mawr os oe'n ni am gael rhagor. Wyddoch chi beth, Isaac, ryfeddwn i ddim tamed, fase chi'n edrych, nad oes rywbeth ar waelod eich stên chi, does dim digon o le ynddo i ddal llond calon o grefydd.'

'Wel, wel,' ebe Isaac Roberts, 'falle dy fod ti'n iawn. Rhaid i fi edrych yn fwy manwl wedi mynd gartre.'

Ac yr oedd llawer yn credu fod Isaac Roberts yn rhoi gwell pwysau wrth werthu te a siwgr ar ôl yr ymddiddan yna â Peggy.

Ond yr oedd yr Arglwydd am buro Peggy yn drwyadl iawn!

Wedi colli ei hiechyd, y peth nesaf i gymeryd adenydd oedd ei harian. Trwy rhyw ddamwain neu'i gilydd collodd ei hawl i'r fferm fach ac aeth yn eiddo i rhywun arall. Mewn canlyniad gorfodwyd Peggy i ofyn am gymorth plwyfol. Derbyniodd ychydig am flwyddyn neu ddwy ac yna penderfynodd y *guardians* mai y tloty oedd y lle gorau i hen wraig o oedran Peggy. Druan arni! Roedd yn anodd ymostwng i'r oruchwyliaeth galed honno!

'Lle rhyfedd i Ferch y Brenin yw y *poorhouse*,' meddai rhywun unwaith wrthi.

'Os oedd y Brenin ei hunan yn gallu gwneud y tro yn y stabal,' ebe Peggy, 'gall Ei ferch wneud yn burion yn y *work'us*.'

Ond yr oedd yn anodd ymdawelu. Bu rhai o'r cymdogion yn edrych i fewn trwy'r ffenestr y noswaith olaf y bu hi yn 'Rheol Goch. Dyna lle roedd yr hen bererin yn wylo yn hidl, heb feddwl fod neb yn ei gweled.

'O! fy Nhad,' meddai, trwy ei dagrau, 'rwy'n gwybod dy fod yn fy ngharu, ond fyse'n well gen i fynd i bob man na'r *poorhouse*. O! fy Nhad, helpa fi fory; byddaf yn siŵr o lefain a dwyn gwarth ar dy Enw os na wnei Di aros yn fy ymyl.' Ac yna clywyd hi yn sibrwd wrthi ei hunan, 'Gwell lle na gafodd fy Arglwydd – gwell lle o ddigon na gafodd Ef.'

Bore drannoeth yr oedd Nancy drws nesa wedi paratoi y boreufwyd gorau fedrai hi, ac aeth i dŷ Peggy i'w chynorthwyo i wisgo, ac i ddod â hi i'w thŷ ei hunan i fwynhau y danteithion oedd wedi costio yn ddrud i logell dlawd Nancy. Agorodd ddrws tŷ Peggy (doedd neb yn Llanestyn yn cloi drysau) ac aeth i fewn i'r ystafell fach. Tynnodd y cwilt yn ôl oddi ar y gwely a safodd am foment yn methu dweud gair.

Yng nghanol distawrwydd y nos, tra yr oedd pawb yn cysgu, daeth rhyw ymwelydd urddasol iawn i'r bwthyn tlawd ac, yn lle'r tloty, palas y Brenin gadd Peggy.

Y Sunamees Honno

Pan yn darllen yn y Testament Newydd y byddai Huw Tomos yn fwyaf wrth ei fodd wrth arwain ei ddosbarth, ond ambell waith yr oedd yn rhaid ufuddhau i'r awdurdodau a myned am 'sbel' i'r 'Beibl,' fel y geilw pobl Llanestyn y rhan hon o'r Gair o Genesis hyd Malachi. Ac un tro, wrth grwydro, daethom o hyd i'r bedwaredd bennod o Ail Lyfr y Brenhinoedd. Yr wyf bron â meddwl fod yr holl hanes yn newydd i Huw ac yr wyf yn cofio ei fod yn agor ei lygaid mewn syndod wrth ddarllen am y wraig o Sunem. Fel rheol, darllen y rhan benodedig o'r Hen Destament mor frysiog ag yr oedd yn bosibl oedd ein ffordd ni yn nosbarth Huw, ac yna dianc yn ôl i'r Efengylau i glywed rhywbeth da iawn i'r 'scolers' ond, 'mae'n gofyn gormod o edrych trwy'r sbectol i'm siwtio i,' meddai. 'Rwy'n leicio gweld yr Iesu fel ffrind y pysgotwrs; rwy'n ei ddeall fan yna.' Ond ar y prynhawn y soniais amdano, cafodd Huw weledigaeth.

'Wel, wel,' meddai, 'ydych chi'n gweld y wraig yma yn debyg i rywun 'rych chi'n nabod, fechgyn?'

'Mae'n debyg iawn i Betsy Jones y Dyffryn,' meddem ninnau, bron i gyd gyda'n gilydd.

'Ydy,' meddai Huw; 'ond pe byse Betsy Jones yn byw y pryd hynny, peidiwch chi gofalu, nid "ystafell ar y mur" fyse'r pregethwr yn gael; os na fyddai digon o le iddo yn y tŷ, mi wn i pwy fyse'n cysgu yn "ystafell y mur": nid y pregethwr, ddala i. Wyddoch chi beth, rwy wedi bod bron llefain weithie (dyna shwt hen un ydw i), wrth feddwl fath biti nad oedd Betsy Jones yn byw yn amser Iesu Grist; dyna dendans fyse Fe wedi gael! Rwy bron meddwl y byse "stafell ar y mur" yn barod iddo ym mhob tref y byddai'n arfer mynd iddi.'

Mam Iago Jones oedd gwraig y Dyffryn. Yr oedd y tad wedi marw ers blynyddoedd ac wedi gadael fferm daclus a swm gweddol iawn yn y banc ar gyfer ei weddw a'i unig blentyn.

Yr oedd Iago a'i fam yn ffrindiau mynwesol a doedd neb yn rhyfeddu; yr oedd pob bachgen yn yr ardal yn hoffi cael neges i'r Dyffryn, nid yn gymaint i weld Iago, ond i weld ei fam. Yr oedd hi bob amser yn barod i wrando arnom ac i'n helpu. Creadures annwyl oedd hi a'i chalon fawr yn llawn o gariad a serch tuag at bawb. Yr oedd yn gymharol hen pan y priododd ac, felly, fel dynes â'i gwallt yn wyn fel eira yr wyf fi yn ei chofio gyntaf. Ac eto doedd neb ohonom yn edrych arni fel hen wraig; yr oedd rhyw ieuenctid diddarfod o'i chwmpas ac yr oedd yn taflu ei hunan i mewn i fywyd y bechgyn a'r genethod, yn chwerthin mor iachus â hwythau ac yn cymeryd cymaint o ddiddordeb yn eu hamgylchiadau a phe buasent yn eiddo iddi hi. Ychydig iawn fyddai Betsy Jones yn sôn am grefydd; ond yr oeddym yn gorfod teimlo ei bod yn meddwl llawer am Iesu Grist. Yr oedd delw y Brenin i'w ganfod arni bob amser ac nid oedd eisiau iddi ddweud llawer am ei chyffes. Hwyrach, er hynny, pe buasai wedi dweud rhagor am grefydd y buasai wedi gadael mwy o ddylanwad ysbrydol ar yr ardal. Mi wn am lawer bachgen a aeth i'r Dyffryn o dan bwys argyhoeddiad – gan obeithio y byddai i'r Sunamees siriol ddweud rhyw air wrtho am ei enaid – a orfu adael y tŷ mor amddifad o oleuni a gobaith ag oedd pan aeth i fewn; ac eto, yr oeddym i gyd yn myned o'i phresenoldeb gan deimlo ein bod wedi bod yn agos iawn i'r Person Dwyfol ei hunan!

Yr oedd rhyw *fascination* ynglŷn â hi oedd yn ennill serch pawb, ac yr oeddym yn barod i gyflawni bron unrhyw orchwyl cas er mwyn cael y pleser o dreulio rhai oriau yn ei chwmni. Bu llawer ohonom ni yn Llanestyn yn breuddwydio breuddwydion ac yn gweled gweledigaethau rhamantus a digon ffôl am ein dyfodol, ac yr wyf yn gwrido wrth gofio am rai o'm gobeithion i! At Betsy Jones y byddem yn tyrru y pryd hynny. Gwrandawydd heb ei bath oedd hi ac, wrth edrych arni, gallasech feddwl fod pob gair oedd yn diferu dros ei gwefusau yn rhoddi rhyw bleser neilltuol iddi. Yr oedd llu o feirdd yn Llanestyn o flaen pob Eisteddfod Nadolig a byddai pob un ohonynt yn gweled ei hunan yn fardd cadeiriol yn y dyfodol euraidd. Byddai Betsy Jones yn cael y 'fraint' o glywed pob englyn ryw hanner dwsin o weithiau: bob tro, mae'n ddigon siŵr, y byddai yn taro i ben y bardd i newid gair ynddo ac, wrth gwrs, byddai yn rhaid iddi fod yn yr eisteddfod! Byddai y merched yn dod â'u sanau i'w dangos iddi hi a'r crefftwyr yn dod â'r llwyau pren. Nid wyf yn meddwl bod llawer o *discrimination* ym marn Betsy Jones, oherwydd yr oedd yn siŵr o ganmol y cwbl, ac yr oedd yn ein plesio i gyd trwy ddweud, 'Wel, 'mhlant bach i, mae'n dda gennyf nad fi sydd yn barnu eich gwaith, allswn i byth ddweud p'un oedd y gorau, maen' nhw i gyd mor dda.' Ac ar ôl yr eisteddfod, ati hi y byddai cynulleidfa y cystadleuwyr aflwyddiannus yn tyrru, a rhyfedd mor fedrus y byddai yn gwella'r archollion! Os gwelai fachgen yn siomedig iawn, byddai yn gofyn iddo roddi yr englyn yn rhodd iddi hi a byddai yn rhaid iddo ysgrifennu ei henw ynglŷn ag ef; a rhyw ffordd neu'i gilydd yr oedd ysgrifennu mewn llaw fras uwch ben y gân, 'Betsy Jones, oddi wrth yr awdwr,' yn actio fel balm ar lawer clwyf!

Er na chafodd fanteision addysg yr oedd Betsy Jones yn foneddiges berffaith yn ystyr orau y gair. Yr oedd briwio teimladau pobl wrth estyn caredigrwydd iddynt yn bechod yn ei golwg hi. Bûm yn rhyfeddu lawer gwaith wrth sylwi arni yn rhoi elusen. Llawer gwaith y gwelais hi yn galw bachgen i'r llaethdy i roddi iddo rhyw ddilledyn oedd yn eisiau arno ac yn gofalu bob amser wrth ei roi i anfon y bachgen ar ryw neges drosti hi, er mwyn iddo deimlo mewn un ffordd ei fod wedi ennill y rhodd. Byddai llawer iawn o drwsio a glanhau a newid dillad cyn mynd i'r Dyffryn i dreulio noswaith a hynny, nid oherwydd ein bod yn ofni Betsy Jones, ond oherwydd fod ein parch tuag ati hi yn gwneud i ni barchu ein hunain. Ond nid yn unig i fechgyn yr ardal yr oedd ein Sunamees ni yn estyn caredigrwydd: yr oedd ei lletygarwch a'i haelioni yn ddi-ben-draw. Byddai Dafydd y gwas yn cwyno weithiau nad oedd yn bosibl cael y ceffylau gartref, 'bod meistres wedi eu haddo rownd y gymdogaeth'; ac yr oedd pob tramp yn y sir, gallasem feddwl, wrth eu rhifedi yn galw heibio i gegin y Dyffryn ac yn cael caniatâd i gysgu yn yr ysgubor. Daeth Dafydd â chi mawr acw unwaith, gan feddwl cael gwared o 'frawdoliaeth yr hewl,' ond gwelodd Betsy Jones y ci yn rhedeg ar ôl rhyw gardotyn a bu diwedd ar oruchwyliaeth y cŵn!

'Dafydd bach,' meddai, 'meddylia sut fyset ti'n teimlo pe byset ti'n byw yng ngwlad Canaan yn amser y Ceidwad? Roedd Ef mor dlawd â hwythau, "heb le i roi ei ben i lawr;" faset ti ddim yn leicio pallu tipyn o fwyd a man i orwedd iddo Ef?'

'Fyddai Fe ddim yn smocio, meistres fach, a bron rhoi'r lle ar dân?' ebe Dafydd.

Ond y pregethwyr oedd pobl fawr Betsy Jones. Nid oedd bosibl rhoi mwy o bleser iddi na gofyn iddi gymeryd pregethwr i'w thŷ. Yn wir, yr oedd yn gweled Iesu Grist ym mhob pregethwr, er fod yn rhaid cyfaddef am rai ohonynt, na welodd neb ond hi y tebygolrwydd lleiaf ynddynt i'r cymeriad perffaith hwnnw. Bu rhai ohonynt yn ymddwyn yn ddigon annheilwng o dan gronglwyd garedig y Dyffryn ond, os oedd y Sunamees annwyl yn teimlo yn siomedig yn eu cylch, yr oedd ei chroeso i'w frodyr yr un mor siriol. Ac fel y dywedodd unwaith, 'Fyswn i yn eitha boddlon i roi llawer pryd o fwyd i Jwdas Iscariot yng nghysgod ei Feistr.'

Ond, fel rheol, yr oedd y pregethwyr a ddeuent dan ei chronglwyd yn dangos eu hochr orau. Yr oedd eisiau dyn drwg iawn i gymeryd mantais o garedigrwydd di-ben-draw Betsy Jones. Clywais un pregethwr ieuanc yn dweud fod y parch mawr a dalwyd iddo yn y Dyffryn wedi ei lanw â gostyngeiddrwydd ac iddo ymostwng o flaen Duw yn ei ystafell y noswaith honno i erfyn arno i'w gynorthwyo i beidio dwyn gwarth ar ei swydd bwysig. Pan ddechreuodd Iago bregethu yr oedd llawenydd ei fam yn fawr iawn. Yr oedd rhai o'i pherthnasau yn ei gweled yn ffôl iawn i wrando ar y bachgen. Fferm daclus yn barod iddo a'r crwt difeddwl yn ceisio pregethu! Byddai yn well o lawer iddo dreio bod yn ffarmwr cyfrifol. Hwyrach y gallai ddyfod yn flaenor cyn ei fedd, a dyna ddigon o swydd i unrhyw un â synnwyr yn ei ben.

'Na, na,' meddai Mrs Jones, 'beth fyset ti'n meddwl o fam meibion Sebedeus, pe byse hi wedi treio atal y bechgyn i ddilyn yr Iesu, am fod y gwaith o bysgota yn talu yn well? Fuase gweld ei meibion yn aelodau o'r Sanhedrin ddim i'w gymharu â'r anrhydedd o wybod y byddai un ohonynt yn ddigon o ffafret gyda'r Iesu, fel y cadd ofalu am ei fam Ef; a'r llall mor ffyddlon i'w Arglwydd nes cael yr anrhydedd o farw drosto. Na, na, rhwng y ffarm a'i busnes, os yw Duw yn galw am Iago i fod yn bregethwr, mae'n rhaid iddo ufuddhau.'

Pregethwr addawol iawn oedd Iago ac yr oeddym ni, fel cymdogaeth, yn teimlo yn falch ohono. Yr oedd hyd yn oed sôn am roddi galwad iddo i fod yn fugail ar ein heglwys ni; pan, er syndod i bawb, eglurodd Iago ei bwrpas o fynd allan fel cenhadwr! Druan o Iago! Yr oedd yn ddigon amlwg fod Duw yn ei yrru ef o'i wlad; gwyddai, os nad elai, y byddai yn ymladd yn erbyn Duw. ''Dwn i ddim sut mae mynd,' meddai wrthyf, 'ond mae'n rhaid i mi fynd. A ydych yn cofio Joseph Parri yn gofyn yn y seiat y noswaith honno, flynyddoedd yn ôl yn awr: "Beth ddaethai o'r paganiaid oeddynt erioed heb glywed am angau'r Groes?" Wel, mi es i gartre y nos honno ac ro'n i yn clywed y paganiaid yn fy ngalw i i ddangos iddynt ras Duw. Maen' nhw yn gweiddi arnaf trwy y blynyddoedd. Yr wyf finnau wedi bod yn ceisio gwneud gwaith Duw heb fynd mor bell o gartre. Mae'n anodd iawn gadael Mam yma wrth ei hunan, a hithau'n hen, ond mae yn rhaid i mi fynd; ond sut mae dweud wrth Mam, wn i ddim.' Bu Iago yn treio lawer gwaith ac yn ffaelu bob tro ond, ar y diwedd, llwyddodd yn ei ymgais, ac un bore Sul daeth ataf â dagrau hapusrwydd yn ei lygaid. 'Rwyf wedi dweud wrth Mam,' ebe, 'a mae hi yn ei gymeryd yn well o lawer nag y meddyliais. Ro'n i yn meddwl fod yn biti dweud wrthi neithiwr rhag y base hi yn ffaelu cysgu, druan fach, ond bore heddiw dywedais wrthi heb ymdroi fy mod i wedi clywed llais Duw yn fy ngalw i i waith y Genhadaeth Dramor.

"Gobeithio i ti ateb fel Eseia," ebe hithau yn berffaith dawel, "Wele fi, anfon fi."

'"A ydych yn foddlon i mi fynd, Mam fach?" meddwn innau.

"Ydwyf, yn eithaf boddlon," meddai, a ffwrdd â hi i'r gegin i ddweud rhywbeth wrth Martha. Dydw i ddim yn credu y bydd hi yn gweld cymaint o'm heisiau wedi y cwbl.'

O, Iago ddall!

Stori wahanol iawn oedd gan Martha, y forwyn. 'Mae meistres,' meddai, 'bron torri ei chalon, ond mae hi wedi siarsio arnom i beidio dweud wrth Iago. Gallsech feddwl, wrth edrych arni'n chwerthin, nad yw hi yn teimlo dim. Un fel yna yw meistres: pan y mae hi yn rhoi rhodd i rywun mae'n treio gwneud iddyn nhw gredu eu bod hwy yn gwneud ffafr â hi wrth ei gymeryd; a phan y mae hi yn rhoi ei mab i'r Arglwydd fel cenhadwr, mae yn treio cael gan y Bod Mawr gredu nad yw y rhodd yn costio fawr ddim iddi hi.'

Ond os nad oedd Iago yn gweled yr ymdrechfa fawr oedd yn myned ymlaen ym mynwes ei fam, yr oedd eraill yn gweled ei gwyneb hawddgar yn crychu a'i cherddediad bywiog yn arafu, ac yr oedd llawer yn meddwl fod y Sunamees annwyl yn cyflym baratoi i fyned ar daith i wlad bellach na'r India. Ond yn ddisymwth adnewyddodd ei nerth ac fe ddaeth rhyw oleuni nefol i'w henaid. Ychydig a ddywedodd hi, ond yr oeddym ni i gyd yn deall ei bod hi wedi myned trwy ei Pheniel ac wedi gorchfygu! Bu Betsy Jones fyw am rai blynyddoedd wedi hyn. Weithiau byddai yn cyfeirio yn ôl at yr adeg pan yr aeth Iago i'r India fel yr amser pan y collodd ei mab, i'w gael drachefn 'yn Iesu Grist'.

Yr oedd yn awyddus iawn am gael byw, 'yn un peth, rhag ofn i bobl feddwl i mi dorri fy nghalon; nad oeddwn i ddim yn foddlon i'r Arglwydd gael y bachgen. Leiciwn i ddim i neb ddweud fod Duw wedi bod yn greulon i mi. A pheth arall, yr wy' i am fyw er mwyn helpu tipyn ar y bachgen. Gwaith digon torcalonnus sydd draw ac yr wy' i'n meddwl fod e'n dipyn o gymorth i Iago wybod fod ei fam yn gweddïo dros y rhai y mae ef yn bryderus yn eu cylch, wrth eu henwau.'

Fel yr heneiddiodd aeth Betsy Jones yn drwm iawn ei chlywed, ond parhaodd i ddyfod yn gyson iawn i foddion gras. 'Os na fedra i glywed y pregethwr,' meddai, 'mi alla' helpu tipyn arno wrth edrych yn *fine* yn ei wyneb;' ac yr wyf yn meddwl y cafodd llawer pregethwr oedfa hapus aml waith trwy rym gwên y Sunamees honno!

Ar ôl i Iago fyned i'r India yr oedd ei hen gyfoedion yn galw heibio i'r Dyffryn nawr ac yn y man er mwyn dangos parch i'w fam, a pheth hollol naturiol oedd esgyn oddi wrth Iago at Dduw Iago ac, yr wyf yn sicr, i lawer un ohonom ni ddyfod i adnabod Iesu Grist fel *reality* wrth gwrdd ag Ef o dan gronglwyd mam y cenhadwr yn y Dyffryn.

Chafodd hi byth weled ei mab ar y ddaear hon ar ôl iddo

fyned i'r India, oherwydd cyn iddo ddychwelyd gartref am dymor yr oedd 'y Sunamees' annwyl wedi myned drosodd at ysbrydoedd y rhai cyfiawn. Ac os nad oedd ei mab wrth ei hymyl pan yr aeth i lawr i'r afon, yr oedd yn ddigon amlwg fod ei llaw wedi ymblethu yn dynn am y llaw 'sydd ag ôl yr hoelion ynddi'. Yn y dydd mawr, pan y daw Iago i fyny o'i fedd a phlant duon India yn berlau disglair yn ei goron dragwyddol, credaf y bydd y Brenin yn edrych yn serchus iawn yn wyneb y Sunamees honno ac yn dweud amdani, 'Ond hon o'i heisiau a fwriodd i mewn yr hyn oll a feddai, sef ei holl fywyd.'

Cennad Dros Dduw

Y mae tŷ bychan yn agos i bentref Llanestyn; bwthyn bach digon tlawd yr olwg arno, ond mae pawb yn sylwi arno oherwydd anaml iawn y gwelwch dŷ mor lân â hwn. Letitia Pugh sydd yn byw yno, dynes fach ddigon cyffredin i edrych arni: gwyneb hir, tenau, a dau lygad mor ddued ag eirin. Y mae Let erbyn hyn yn hen, ond y mae mor 'strifus' ag erioed; yn gwau mor selog a phe buasai ei bywyd yn dibynnu ar nifer y sanau fydd yn pasio trwy ei dwylo. Does un pechod mor anfaddeuol yng ngolwg Let â segurdra: gweithio yn ddi-baid yw trefn ei dyddiau hi. Os ewch i fewn i'w chegin yr ydych yn siŵr o ddweud gair mewn syndod am y llawr sydd wedi ei galchu mor wyn ac am y padellau pres, y rhai sydd mor loyw fel nad oes eisiau drych o gwbl! Ac os dywedwch rywbeth, digon tebyg y bydd y wraig fach yn siglo ei phen, ac yn ateb yn wylofus, 'Does neb yma i ddiwyno ar ôl glanhau, fel gwaetha'r modd' ac, yn y fan, mae allwedd i fywyd Letitia Pugh yn eich dwylo.

Gadawyd Let a Betsy Jones yn weddwon oddeutu'r un adeg ac yr oedd i'r ddwy un mab. Dangosodd Edward Pugh, pan yn ifanc iawn, fod 'rhywbeth ynddo' a phan yr anfonodd Betsy Jones ei mab i Loegr am ychydig mwy o ysgol, yn ôl ei harfer, talodd am 'gwarter' dros Edward hefyd yn yr un lle. 'Bachgen arswydus am ei gartre yw Iago ni,' meddai, 'ac os nad aiff Edward gydag ef, fe dorith ei galon ymysg y Saeson.' Ac felly gadawodd y ddau fachgen eu cartrefi a daeth Edward byth yn ôl wedyn ond fel ymwelydd. Yn fuan iawn darfu i'r 'Saeson' ddarganfod talentau yn y bachgen ac, yn ôl pob tebyg, yr oedd dyfodol disglair yn ymagor o'i flaen.

Nawr ac yn y man y byddai hanes Edward yn treiddio i'r pentref: sut yr oedd yn cario y cwbl o'i flaen, yn ennill gradd ar ôl gradd ac yn esgyn yn gyflym iawn i ben ysgol dysgeidiaeth. Unwaith bob blwyddyn byddai yn talu ymweliad â Llanestyn, ond nid oedd yn rhyw hoff iawn o gymysgu gyda'i hen gyfoedion. Yr oedd yn berffaith foneddigaidd, ond dangosodd yn amlwg iawn mai gartref gyda'i fam yr oedd am dreulio ei wyliau; ac er fod hyd yn oed Mrs Price y Plas wedi rhoddi gwahoddiad iddo fyned acw i de ryw brynhawn, gofynnodd iddi ei esgusodi ac enillodd trwy hyn ddirmyg y wraig barchus honno. Y mae dyn ieuanc sydd yn pallu derbyn *patronage* yn dangos fod rhywbeth o chwith yn ei fywyd! Un diwrnod gofynnodd Edward i mi (am fy mod yn hen, debygaf), i ddyfod i lawr gydag ef i'r cae sydd yn ymyl yr afon a dechreuodd ofyn i mi holl hanes y pentref. Rhyfedd y diddordeb yr oedd yn gymeryd yn y lle! Yr oeddym wedi eistedd fan yna am awr, mi wn, myfi yn siarad ac yntau yn gwrando, pan yn ddisymwth clywsom leisiau yn agosáu. Dwy ferch y Plas oeddynt yn cerdded yn gyflym tua'r afon. Yr oedd yr hin yn boeth iawn ac, felly, yn lle myned ymlaen, eisteddent yr ochr arall i'r clawdd; ac meddai un yn sarrug, 'Mae'r creadur yna, Pugh, wedi pallu dod i fyny i'n tŷ ni i de nos yfory. Beth yw'r rheswm, wni? Nid ofn na fedrith e ddim ymddwyn yn iawn, oherwydd mae e'n mynd i dai yn Llundain ag y byddai Mama yn barod i roi ei llygaid i ni gael gwahoddiad iddynt.'

'O! nid ofn dim sydd yn ei gadw mor *unapproachable*,' meddai'r llall, 'ond cywilydd o'i fam; byddai yn edrych yn od mewn papur cael y paragraff bod y "llenor gwych Edward Pugh yn mynychu y tai gorau, ond ei fod bob amser yn gadael yr hen fam gartre wrthi ei hunan." Mae'n rhaid i ddynion pwysig ofalu rhag tafod Mrs. Grundy.'

Cododd Edward o'i le a dechreuodd gerdded yn gyflym tua'r pentref. Pan y cyrhaeddes i y tŷ yr oedd Let yn sefyll wrth y drws â'i ffedog wrth ei llygaid.

'Ifan,' meddai yn bryderus, 'beth wna i? Mae Edward yn

fy ngorfodi i fyned gydag ef i Lundain yfory. Does gen i yr un pilyn ffit i fynd o gartre ynddi, ond chymerith y crwt yr un nage.'

Bûm innau yn treio perswadio Edward i beidio tynnu ei fam mor bell o gartref, ond nid oedd modd ei siglo.

'Chaiff neb ddweud fod cywilydd arna i o'm mam,' meddai, 'ac os na fydd fy ffrindiau yn Llundain yn barod i'w derbyn hi, dderbynia nhw ddim ohono i chwaith.'

Ar ôl tipyn o ymdroi caed gan Let addo myned gyda'i mab y dydd nesaf ac yr wyf yn meddwl fod bron bob gwraig yn y pentref wedi rhoddi benthyg rhyw ddilledyn neu'i gilydd iddi. Derbyniodd hefyd lawer iawn o *hints* oddi wrth hwn a'r llall sut i ymddwyn, a sut i beidio ymddwyn, mewn cymdeithas. Rhyngom ni oll yr wyf yn meddwl i ni lwyddo i dywyllu mwy na goleuo ei meddwl druan! Ond chware teg yr oeddym oll yn teimlo bod *credit* y gymdogaeth yn y cloriannau! Ymhen wythnos dychwelodd Let gartre. Yr oedd sŵn a drygioni Llundain wedi bod yn ormod iddi.

'Yr oedd Edward eisiau i mi aros yno gydag ef,' meddai, 'Roedd e yn ffeind i mi. Gallsech feddwl mai fi oedd y ledi granda yn Llundain, gan mor ofalus yr oedd e ohono i, ond ni fedrwn i byth aros yno.'

Yr oedd Let yn siarad yn gryf iawn am grefydd Edward. Yr oedd hi yn siŵr ei fod yn Gristion, 'ond bod nhw yn gwneud pethau yn wahanol yn Llundain.' Byddai Betsy Jones a Let yn hoff iawn o gyfarfod â'i gilydd i siarad am eu meibion. Yr oedd yn credu fod Edward yn pregethu tipyn yn Llundain, ond ei fod yn dawel yn ei gylch, a byddai'r ddwy fam yn tynnu pictiwr gwych o ryw Sasiwn Fawr yn Llanestyn pan y byddai Edward a Iago yn pregethu ar y maes! Y pwnc anodd i'w benderfynu oedd pa un o'r ddau oedd i bregethu olaf? Betsy Jones yn dal mai i Edward y perthynai yr anrhydedd, oherwydd ei fod yn chwe mis hynach na Iago; a

Let yn dadlau yn gryf dros hawliau Iago, oherwydd y teithio blin o Fryniau Casia! O! 'r hapusrwydd yr oedd y mamau yn sugno o'u gobeithion euraidd! Ond yn ddisymwth syrthiodd y cestyll gwych i'r llawr!

Daeth pellebriad rhyw ddiwrnod i ddweud wrth Let am ddyfod ar unwaith i Lundain, bod Edward wedi cwrdd â damwain ofidus iawn. Aeth Betsy Jones i fyny gyda'r fam drallodedig, ac arhosodd i'w helpu i fyned trwy ddyffryn galar ac i gyrchu gweddillion marwol ei mab i fynwent lonydd Llanestyn! Yr oedd diwrnod angladd Edward yn un o ddyddiau mwyaf diflas Tachwedd ac, felly, yn gydweddol iawn â'n teimladau ni yn y gwaith o gyflwyno dyn ieuanc gobeithiol yn ôl i'r llwch o ba le y daeth. Ond yn ddisymwth, wrth fod y coffin yn cael ei roi yn ei gartref cul, daeth yr haul allan yn ei holl ogoniant uwchben y bedd a gwelais rywbeth yng ngwyneb Let na welodd neb yno o'r blaen. Yr oedd wedi sylweddoli presenoldeb yr Hwn yw 'yr Atgyfodiad a'r Bywyd.' Yr oedd gan Betsy Jones lawer o bethau i ddweud am Edward oeddynt yn taflu goleuni newydd ar ei gymeriad.

'Eisiau byw oedd arno,' meddai. 'Yr o'n i'n ofni nad oedd e ddim yn barod; ac un diwrnod, pan yr aeth Let o'r golwg, dwedes wrtho, "Edward bach, falle bod Iesu Grist eisiau i ti fynd i fyny ato Ef. Dyna i ti fraint, machgen i." Edrychodd arna i am funud a gwenodd, "Dydw i ddim yn pryderu llawer am y dyfodol," meddai, "mi fydda i yn eitha hapus ond i fi gael gwaith i wneud dros Dduw. Ond dyna sydd yn fy mhoeni i, eisiau gwybod pwy gymerith y gwaith i fyny yn fy lle i. Bechgyn ysgolion Sul Cymru yn mynd i ddistryw yma yn Llundain; dywedwch wrth fechgyn Llanestyn i ddod yma yn fy lle i." Ac yr oedd lot o ddynion ifenc yn dod i'r tŷ i ofyn sut yr oedd a dywedes i wrthyn nhw i gyd am y gwaith yr oedd Edward wedi ymddiried iddynt; ac yr wy' i'n meddwl fod saith, beth bynnag, wedi penderfynu gwneud eu gorau i helpu bechgyn Cymru sydd wedi mynd ar gyfeiliorn yn Llundain i ddod yn ôl at Iesu Grist. A dyna lonni wnaeth e pan y dywedais i wrtho amdanynt! Yr wy' i yn meddwl iddo gael rhyw weledigaeth cyn croesi yr afon; daeth rhyw wên dros ei wyneb a dywedodd yn glir iawn, "Mam, yr wy' i yn *dechrau byw*."'

Yr oedd Let yn cymeryd y cwbl yn dawel iawn ac i Betsy Jones yn unig y byddai yn agor ei chalon. 'Wyddoch chi beth', meddai hi un diwrnod, ''dwy i ddim yn teimlo fod Edward mor bell oddi wrthw i nawr a phan yr oedd yma. Yr oedd e wedi mynd yn ormod o scoler i fi ei ddilyn weithiau. Byddai'n siarad am bethau rhy uchel i mi a phan y byddai yn sylwi nad oeddwn i ddim yn ei ddeall, daethe'n ôl i'm daear i (fel y gallsech ddweud); ond ro'n i'n teimlo, er hynny, ein bod ni yn byw mewn dau fyd gwahanol a'n bod ni yn myned ymhellach oddi wrth ein gilydd o hyd. Ond yn awr, rhywffordd, yr wy'n cael nerth i feddwl amdano fel yr oedd pan yn grwt bach fan yma. "Mam" oedd y cwbl pryd hynny. A phan ma nhw'n dweud fod e'n biti meddwl fod bachgen talentog fel fe wedi marw, yr wy'n ceisio cofio ei eiriau diwethaf', "Rwy'n dechrau byw," ac yr wy'n meddwl falle bod Duw wedi ei anfon i rywle i wneud gwaith neilltuol trosto. Y tro olaf bu Edward gartref galwodd arna i i ddod allan i'r ardd am funud. "Mam," meddai, "wyddoch chi fod pob un o'r sêr yna lawer iawn mwy na'r ddaear yma a falle bod eu llond o ddynion fel ni." Wel, Betsy fach, yr wy'n ceisio meddwl falle fod e yn gennad dros Dduw yn un o'r sêr; a'r noswaith o'r blaen es allan i edrych arnynt a, wyddoch chi, roedd un seren yn disgleirio yn hyfryd dros ben y goeden yna a meddylies falle mai yn y seren yna roedd Edward yn byw. Beth bynnag, mae'n dipyn ffinach meddwl amdano yn pregethu fry na meddwl fod e'n segura yn y nefoedd. Roedd e'n rhy ifanc o dipyn (yn ôl y marn i) i eisiau gorffwys; ac yr wy' i'n cael cysur rhyfedd wrth feddwl fod neb yn y nefoedd yn ddigon ffit i fynd â'r Efengyl i ryw seren, a gorffod i Dduw hela i lawr i mofyn fy machgen i i ymgymeryd â'r gwaith. Diolch i Dduw, dydw i byth yn meddwl am Edward yn y bedd; byddai'r meddwl yna yn fy lladd i.

'Wel,' ebe Betsy Jones, ''wy'n edrych ar y corff fel câs llythyr. Alla'i byth losgi hyd yn oed y câs sydd wedi dod â llythyr Iago i mi o'r India; mae ei sgrifen e arno, ond peth digon diflas yw'r câs heb lythyr ynddo. Y dydd o'r blaen daeth Nancy 'Rheol Fach i'n tŷ ni ar neges a thra o'n i a'i fam yn y llaethdy, cydiodd y crwt bach yn llythyr Iago ro'n i newydd gael a rhoddodd e yn y tân. Arna i oedd y bai i adel y llythyr yng nghyrraedd yr un bach. Roedd y câs yna, ond roedd rhywbeth mor ddiflas o gwmpas câs gwag, twles i e i'r tân. A dyna ddiolchgar o'n i wrth feddwl am yr adnod yna, "Nis gall neb eu dwyn hwynt allan o law fy nhad i;" dim siawns i'r diafol i losgi un o'i lythyrau Ef; dydy E ddim mor ddifeddwl ohonynt ag yr o'n i o lythyr Iago. Ac yr 'wy'n meddwl mai dim ond y câs gwag sy'n mynd i'r bedd. Mae Duw'n gofalu am y llythyrau fyny fry ac yr wy'n siŵr ei fod E'n teimlo'n garedig iawn tuag at yr hen gâs, er ei holl fryntni; mae E'n cofio bod ôl gwaed ei Briod Fab ar bob un. A dyna fydd yr atgyfodiad: Duw yn rhoi pob llythyr yn ei gâs priodol ei hun a'r câs hwnnw wedi ei buro a'i addurno â sêl y gwaed. Let fach, oes dim chwant canu arnat ti? Rwy'n teimlo gallswn i ganu "Henffych i'r dydd!"'

Ar ôl marwolaeth Edward doedd dim sôn am Sasiwn Llanestyn, ond yr oedd y ddwy fam yn hoffi tynnu pictiwr o 'gymanfa a chynulleidfa y rhai cyntafanedig, y rhai a ysgrifennwyd yn y nefoedd,' a thrwy ffydd yr oeddynt yn gweled 'y dyrfa fawr o bob cenedl, llwyth, ac iaith' yn casglu ynghyd yn rhyw fan uchel, o ba le y caed golygfa helaeth 'ar holl daith yr anialwch i gyd.' O'r braidd yr oedd cân y gwaredigion yn seinio eisoes yn eu clustiau, ac yr oeddynt yn anghofio Edward ac Iago, ac yn gweled neb yn y Sasiwn Fawr honno ond 'Iesu, cyfryngwr y Testament Newydd.'

Ym mynwent Llanestyn y mae Let wedi rhoddi carreg uwchben bedd ei mab ac o dan ei enw mae'r geiriau hyn:

'*Wele, byw ydwyf yn oes oesoedd.*'

Er ei Fwyn Ef

Yr oedd casgliad y jiwbili yn agosáu yn Llanestyn. Yr oedd y Parch. William Francis wedi annog y bobl i fod yn haelionus ac yr oedd ei huawdledd, a'i siampl hefyd, wedi agor llawer llogell a ystyrid cyn hyn yn orchwyl rhy anodd i neb dynol fedru ei gyflawni. Yr oedd 'buwch y jiwbili' yn pori yn dawel yng nghae llawer ffermwr cyfrifol ac, os nad oedd yr amgylchiadau yn caniatáu rhoddi buwch, yr oedd yn siŵr o fod gan bob dyn â ffarm wrth ei enw fochyn, o leiaf, oedd rhyw ddydd i helpu ymlaen y gwaith mawr ar Fryniau Casia.

Siarad am gynhyrfiad! Y cynhyrfiad mwyaf a welodd, neu yn hytrach a deimlodd, Llanestyn am hanner can mlynedd oedd y cynhyrfiad hwnnw a lwyddodd i dynnu aur ac arian ei phobl, heb ymrafael ac heb chwerwder. Yn wir, yr oedd gwahaniaeth mawr i'w ganfod yn fuan yn ein cyrddau gweddi. Ar y nos Lun cyntaf yn y mis yn unig y byddem yn cofio fod Bryniau Casia a Llydaw mewn bodolaeth, a hwyrach na fyddem yn cofio pryd hynny oni bai fod Benja Jones bob amser, ar yr achlysur hynny, yn rhoddi allan y pennill, 'Dros y bryniau tywyll, niwlog.' Ac wedi clywed yr emyn, byddai y brodyr yn teimlo fod yn rhwymedigaeth arnynt i ddweud rhyw air neu ddau wrth yr Arglwydd am 'yr ardaloedd maith o dywyllwch' &c. Does dim amheuaeth nad oedd 'ardaloedd maith o dywyllwch' yn ddisgrifiad byw iawn o'r wybodaeth a feddem ni am y mannau hynny lle yr elai ein cenhadon. Ond newidiodd casgliad y jiwbili y pethau hyn. Pan oedd yr ardal yn llawn o 'wartheg y jiwbili,' a 'mochyn y jiwbili,' a 'ieir y jiwbili' ac 'wyau y jiwbili,' yr oedd yn berffaith resymol i'r bobl deimlo fod Casia a Llydaw yn *personal concern*. Daeth Llydaw a'i hoffeiriaid a'i hofergoeledd yn eiddo i'n cymdogaeth ni, ac yr oeddym i gyd yn barod i ymladd â'r Pab a'i holl weision am feiddio gwrthwynebu ein cenhadon ni. Yr oedd ofergoeledd ofnadwy y Casiaid a'u haddoliad o ysbrydion drwg yn tynnu dagrau o'n llygaid ni yn Llanestyn, nid oherwydd fod y stori yn newydd, ond oherwydd fod trigolion Casia wedi dod yn *pensioners* ar ein da ni.

Yr oedd sefyllfa druenus gwragedd a merched Sylhet yn cyffwrdd â chalonnau menywod Llanestyn ac yn peri iddynt weiddi yn uchel ar yr Arglwydd am waredigaeth i'r carcharorion; a'r rheswm am hyn oedd fod casgliad y jiwbili wedi agor llygaid ein gwragedd ni ac, yn nhrueiniaid Sylhet, darfu iddynt adnabod nid estroniaid ond chwiorydd!

Ac, fel y crybwyllais eisoes, daeth cyfnewidiad rhyfedd dros ein cyfarfodydd gweddi. Byddai y genhadaeth yn siŵr o ddod i bob cwrdd, nes o'r diwedd aeth ofn ar Benja Jones ein bod yn gweddïo gormod dros y paganiaid a rhy fach dros ein heglwys gartref! Er hynny bûm yn sylwi mai anaml iawn y byddai hyd yn oed Benja ei hunan yn anghofio cyflwyno Casia a Llydaw i ofal yr Argwlydd ei Dduw! Yr oedd Huw Tomos, yn ôl ei arfer, wedi *locatio* pob man ar y Bryniau ac yr wyf yn cofio fod 'gwlad y Bhoy' yn agos iawn i Tŷ Siôn: 'y cornel pella wel'di o'r cae llafur.' Bu Huw yn awyddus iawn dros i bob teulu yn yr eglwys gymeryd rhyw fan neilltuol o Fryniau Casia i'w gyflwyno fel rhodd i'r Arglwydd ac i edrych arno fel eu gwinllan, i'w aredig â'u harian a'i ddyfrhau â'u gweddïau; ac yr wyf yn siŵr i wlad y Bhoy golli eiriolwr ffyddlon iawn pan y bu farw Huw Tŷ Siôn! Yr oedd bron bob un yn y capel wedi addo rhywbeth at y casgliad a chredaf y bydd llawer o Lanestyn yn Nydd y Farn yn cael ar ddeall eu bod ar achlysur y jiwbili wedi bwydo a dilladu eu Harglwydd pan yr oedd Efe 'yn newynog ac yn noeth.' Ond yr oedd un ferch ieuanc yn yr ardal yn gweled y pleser yr oedd eraill yn ei gael wrth gyfrannu, ond yn methu estyn llaw ei hunan i gynorthwyo y gwaith da! Ac eto doedd yr un galon yn Llanestyn yn teimlo yn fwy cynnes tuag at y genhadaeth na'r eiddo Gwen Williams y Pant. Merch Ifan y Masiwn oedd Gwen ac, er fod ei thad yn ddigon caredig iddi, ni feddyliodd ef erioed fod eisiau rhagor ar ei ferch un ar hugain oed na digon o fwyd a dillad ac ysbel unwaith yn y flwyddyn wrth y môr. Un diwrnod ymwelodd Peggy 'Rheol Goch â'r Pant a gofynnodd i Gwen yn ddisymwth pa faint oedd yn feddwl roi i'r genhadaeth?

'Does gen i ddim i roi,' meddai Gwen a'i dagrau yn ei llygaid.

'Dim i roi!' meddai Peggy. 'Mae dy dad werth tipyn go lew o arian, medden nhw.'

'Hwyrach ei fod,' ebe Gwen, 'ond eiddo 'Nhad yw'r arian, does gen i ddim swllt glas ar fy elw. Mae 'Nhad wedi addo punt i'r jiwbili a does posib i fi gael arian i roi yn ychwaneg. Pe byswn i'n ddigon cry baswn yn treio mynd i geibio tatws yng nghae y Plas, ond fedra i ddim gwneud dim fel'na, fel yr 'ych chi'n gwybod.'

'Na fedrwch, merch fach i,' meddai Peggy yn dyner, 'ond mae *E* yn gwybod yn ddigon siŵr dy fod yn gloff a bod dy gefn mor wan. Paid ti trafferthu am roi at y genhadaeth; dyw Iesu Grist ddim yn disgwyl dim oddi wrthyt ti.'

Siglodd Gwen ei phen. 'O!' meddai ar y diwedd, 'does dim ofn arna i i Iesu Grist beidio deall sut mae pethau, ond dydy hynna ddim yn gwneud i fyny i mi am y pleser o gyfrannu rhywbeth at y genhadaeth. Buais i yn meddwl y byddai'r gwragedd i gyd yn y Testament yn barod i eneinio yr Arglwydd ag enaint, pe byse digon o arian ganddynt i'w brynu, ac yr oedd E yn deall eu hamgylchiadau yn eitha da a digon tebyg Ei fod yn eu caru i gyd yr un fath; ond mi wn i p'un ohonynt faswn i'n leicio bod wedi'r cwbl! Dyna i chi anrhydedd gafodd Mair: cael sychu ei draed Ef â'i gwallt! Pe byswn i yno pryd hynny gallswn i wneud rhywbeth tebyg; mae digon o wallt gen i, pe byse rhywun arall yn dod â'r enaint!'

'Wel,' ebe Peggy, 'yr 'wy'n meddwl bob amser i Mair ddangos ei chariad tuag at y gwaredwr yn fwy trwy sychu ei draed â'i gwallt na thrwy arllwys yr enaint drostynt: arian yn unig oedd cost yr enaint, roedd iwsio ei gwallt fel llian yn rhoi tipyn o boen iddi, ystyriwn i; ond treia dy dad eto. Rhyfeddwn i damed na roddith e rywbeth i ti i roi yn y casgliad. Beth am yr ieir?'

'Dim posib,' meddai Gwen, 'rwy wedi gwneud fy ngorau a, wyddoch chi beth Peggy, mae gen i ormod o barch at Iesu Grist i fegian am gardod iddo. Mae 'Nhad yn towlu asgwrn i'r ci pan mae e'n cyfarth er mwyn cael llonydd ganddo; wnaethe fe ddim llai i fi pe bawn i yn begian ddigon hir, ond rown i ddim diolch am rodd fel yna. Dywedodd 'Nhad wrthw i gallswn i fynd i'r pentref i brynu *gown* newydd ychydig yn ôl.

"Does dim eisiau *gown* arna i y flwyddyn hon," meddwn innau.

"Da, merch i," meddai 'Nhad.

Gofynnais iddo wedyn am arian y *gown* i roi at y genhadaeth, ond y mae 'Nhad yn gweld y bunt yn ddigon trosom ni'n dau.'

'Rhyfeddwn i damed,' meddai Peggy wrth ymadael, 'na chei di arian o rywle. Mae'r Brenin Mawr yn cadw stôr breifat mewn lleoedd rhyfedd iawn: safn y pysgodyn neu rywle tebyg. Paid torri dy galon, Gwen fach, rwy wedi adnabod y Gŵr am dros hanner can mlynedd a welais i erioed mohono yn plannu dymuniad yng nghalon ei blentyn i wneud rhywbeth drosto heb roddi ffordd iddo i gyflawni.'

'Peggy,' meddai Gwen yn sydyn, 'paid a mynd i'r Dyffryn i ddeud wrth Betsy Jones sut mae hi arna i; mae hi wedi hela arian i sawl un eisoes i'w helpu i roi rhywbeth yn y casgliad. Gweddïa di, Peggy, ar i'r Arglwydd fy nghynorthwyo i ennill ychydig rhywffordd neu'i gilydd. Mae E'n siŵr o ateb, rwy'n teimlo yn hyderus iawn heddi wedi siarad gyda thi.'

Addawodd Peggy yn bendant i beidio myned 'yn agos i'r Dyffryn' ac yna ymadawodd â'r Pant, ac eisteddodd Gwen i lawr i wau a'i hymennydd yn brysur iawn yn ceisio dyfeisio ffordd i ennill arian i anfon i Fryniau Casia. Yn ddisymwth fflachiodd goleuni arni. Rhedodd ei chof yn ôl at un noswaith fisoedd cyn hyn. Yr oedd yn y tŷ wrthi ei hunan a, chan fod ei thad yn hwyr yn dychwelyd gartref y nos honno, yr oedd wedi tynnu ei gwallt yn rhydd ac yr oedd yn hongian fel gwisg euraidd dros ei hysgwyddau pan y daeth curiad ar y drws, a chyn i Gwen gael amser i roi ei gwallt i fyny cerddodd un o *young ladies* y Plas a'r forwyn i fewn i'r gegin. Yr oedd ganddynt ryw neges i roi i'r masiwn, ond anghofiodd Miss Price y neges a'r cwbl pan y gwelodd wallt euraidd Gwen.

'Os bydd eisiau arian arnoch rhyw dro,' meddai, yn hanner cellweirus, 'gellwch werthu eich gwallt. Mae gyda chi ddigon i wneud ffortiwn fach ac y mae'r lliw yn un *rare* iawn. Dewch ataf fi pan y mae eisiau ei werthu.'

'Rhaid i mi fynd yn dlawd iawn cyn y gwertha i fy ngwallt,' meddai Gwen, gan wenu, 'yr unig beth gwerthfawr a feddaf.'

Daeth y cwbl yn ôl yn fyw i'w chof y noson honno ar ôl i Peggy fynd ymaith. Unwaith eto tynnodd ei gwallt yn rhydd ac edrychodd arno yn gariadus.

'Yr unig beth gwerthfawr a feddaf,' meddai. 'Wel, rwy'n eithaf boddlon i Iesu Grist ei gael; os na cha i sychu ei draed â'm gwallt, fe gaiff fy ngwallt ei offrymu iddo Ef.'

Edrychodd ar y cloc. Yr oedd digon o amser cyn y deuai ei thad gartref. Gwisgodd ei het a dechreuodd ei ffordd tuag at y Plas ag un llaw ar ei phen, fel pe buasai bron yn ofni colli ei thrysor cyn cyrraedd y tŷ. Dwy waith neu dair trodd yn ôl. Yr oedd sŵn gwarth a dirmyg y gymdogaeth eisoes yn ei chlustiau: 'Dafad wedi ei chneifio,' meddai wrth ei hunan, ond yr oedd wedi cysegru yr unig brydferthwch a feddai i Fab

Duw, a daliodd ymlaen ar ei ffordd. Wrth ddrws y Plas gofynnodd am Miss Alice a chymerwyd hi i fyny i ryw ystafell, ac ymhen ychydig o funudau daeth Miss Alice i fewn a dechreuodd Gwen yn wylaidd.

'Mae eisiau arian arna i, Miss Price, a dywedsoch chi y gallwn i gael rhyw gymaint am y gwallt yma.'

Edrychodd Miss Price arni yn ystyriol am foment, yna gwenodd.

'Doeddwn i ddim wedi deall fod pethau wedi mynd mor bell, Gwen. Mae eisiau arian arno *ef*, oes? Rhy ddrwg, wir. Gofyn benthyg arian cyn eich priodas,' meddai yn siriol.

'Dydw i ddim yn eich deall, Miss,' meddai Gwen druan yn hurt.

'O!' ebe'r foneddiges, 'dywedwch pam mae eisiau yr arian. Mi brynaf eich gwallt wedyn.'

'Yr wy' eisiau arian i roi i Iesu Grist,' meddai Gwen yn syml.

Edrychodd Miss Alice yn syn yn ei gwyneb. 'I Iesu Grist,' meddai. 'Gwen, ydych chi yn iawn yn eich pen?'

'Ydwyf,' cbc Gwcn, 'yn bcrffaith iawn. Macn' nhw'n casglu i wneud swm i fyny ar adeg jiwbili y genhadaeth, Miss Alice, ac rown i am roi rywbeth i Iesu Grist, a doedd gen i ddim arall i roi. Peidiwch dweud na chymerwch chi ddim o'r gwallt, Miss.'

'Na, na, yr wy' i wedi addo. Un od ydw i, ond fûm i erioed yn prynu gwallt o'r blaen,' meddai, dan chwerthin. 'Mi rodda i bunt i chi amdano; digon tebyg ei fod yn werth rhagor. Mi alwaf fi Fanny, y forwyn, i'w dorri ar unwaith os ydych chi'n leicio.'

'Ydw i, Miss Alice,' meddai Gwen.

Daeth Fanny i fewn mewn munud. Yr oedd yn ddigon cyfarwydd ag *eccentricities* Miss Alice i beidio dweud gair ac ufuddhaodd iddi ar unwaith, ac ymhen ychydig yr oedd punt aur y jiwbili ym mhoced Gwen a'i gwallt wedi ei lapio i fyny yn ystafell Miss Alice!

'Mi glywais am ferched yn foddlon gwerthu eu gwallt er mwyn helpu eu cariadau, ond chlywais i erioed am neb yn barod i'w werthu er mwyn Iesu Grist,' meddai Alice wrth ymadael. 'Baswn i'n leicio ei garu gymaint â hynyna.'

'Wel, wel,' meddai Peggy, ar ôl clywed yr uchod, ro'n i'n gwybod fod Duw yn iwsio lleoedd rhyfedd i gadw ei stôr, ond 'ddylies i erioed bod E yn gwneud pwrs o'th wallt di, Gwen fach.'

Ac yr oedd y Brenin ei hunan wedi gweled y drafodaeth i gyd ac yr oedd ei wên hawddgar Ef yn ddigon o dâl i Gwen am ei cholled. Ond yr oedd mwy i ddyfod!

Y Can' Cymaint

> Ac yr oedd Eliseus yn glaf o'r clefyd y bu farw ohono a Joas brenin Israel, a ddaeth i waered ato ef ... Ac Eliseus a ddywedodd wrtho ef ... Cymer fwa a saethau. Ac efe a'u cymerodd. Ac efe a ddywedodd wrth frenin Israel, taro y ddaear. Ac efe a darawodd dair gwaith, ac a beidiodd. A gŵr Duw a ddigiodd wrtho ef, ac a ddywedodd. Dylesit daro bump neu chwech o weithiau, yna y tarawsit Syria nes ei difa; ac yn awr tair gwaith y tarewi Syria.
>
> (2 Brenhinoedd 13: 14-9)

Yr oedd Rachel Williams wedi darllen y geiriau drosodd a throsodd ac, yn ddiddiwedd, yr oedd yn gweled darlun o'i bywyd ei hunan. Barn y cymdogion am Rachel oedd ei bod yn ddynes 'grefyddol iawn, di-sôn-amdani,' wedi dwyn i fyny dwr o blant yn *respectable* iawn ac wedi cael bywyd eitha teg ar ôl y storom fawr honno pan y gadawyd hi yn weddw â saith o blant bach. Sut yr oedd wedi llwyddo i fagu ei phlant, heb bwyso ar neb na dim ond ei hunan, oedd y dirgelwch mawr i bobl ddigrefydd yr ardal. Yr oedd y bobl dduwiol yn gallu esbonio yn hawdd iawn trwy atgofio Duw yr amddifad a'r weddw, a'i hen arfer o helpu Ei blant mewn cyfyngder. Yr oedd Rachel ei hunan yn dipyn o ddirgelwch i bobl Llanestyn. Yr oedd mor anodd ei deall. Yr oedd rhai o'i chymydogion yn atgofio y tro hwnnw pan yr oedd Gruffydd, y bachgen hynaf, mor sâl flynyddoedd yn ôl pan y bu am beth amser yn hongian rhwng bywyd a marwolaeth. Yr oedd gwragedd y gymdogaeth yn llefain wrth ymyl ei wely tra yr oedd ei fam yn hollol hamddenol, yn mynd o un ystafell i'r llall gan feddwl am bob peth, yn union fel pe na buasai cysgod echryslawn angau erioed wedi dod yn agos ati. Ond pan ddywedodd y meddyg fod y gwaethaf wedi pasio, torrodd Rachel i lawr i wylo; yr hyn oedd wahanol iawn i'r ffordd gyffredin o gymeryd newydd da yn ein hardal ni. Agorodd ei chalon ar yr achlysur hwn i Peggy a dywedodd wrthi ei bod mewn stad ryfedd o ran teimlad. 'Rwy'n ffaelu gwybod pa un a ddylwn i ddiolch am fod Gruffydd yn fyw, neu ynte peidio,' meddai. 'Peggy fach, mae'r plant yma *just* â'm lladd i, mae cymaint o ofn arna i rhag iddyn nhw droi allan yn ddrwg. Roedd Benja Jones yn dweud wrthw i, dipyn yn ôl, fod e'n ofni nad own i ddim yn gweddïo digon ar yr Arglwydd i'm gwared rhag balchder. Yn wir, dwedes i wrtho, "Benja bach, pe base gennyt ti saith o blant, a neb i weddïo trostynt ond ti dy hunan, cawset ti weld mai ychydig iawn o amser fyddai gennyt i sbario i weddïo dros dy bechodau dy hunan." A phan yr oedd Gruffydd yn sâl allaswn i lai na meddwl mor *safe* y byddai y nefoedd: dim tafarn na chwmni drwg yno. Gobeithio nad wy'n pechu, ond, Peggy, rwy i wedi gweddïo drostynt weithiau ar yr Arglwydd, naill i gymeryd y plant tra maen' nhw'n ifanc, neu eu cadw o'r drwg sydd yn y byd.'

'Wel,' ebe Peggy, 'Rwy'n meddwl dy fod yn hyf iawn ar y Bod Mawr. Gad rhwngto Ef a'r plant: nid dyma'r teulu amddifad cyntaf iddo Ef ofalu amdanynt. Falle byddi di yn dweud bod yn hawdd i mi siarad, gan nad oes gen i na phlentyn na dim arall i feddwl amdanynt. Ond, yn wir, Rachel, rwy'n dy weld yn debyg iawn i'r gwas hwnnw guddiodd arian ei Arglwydd yn y ddaear.'

'Falle hynny,' ebe Rachel, 'ond sicr i ti, roedd y demtasiwn yn gref, os oedd e yn deall gwerth y bunt. Rwy'n gallu cydymdeimlo ag ef. Yr o'n i yn edrych y dydd o'r blaen ar Samuel, mab Siani, yn dod gartre yn feddw o'r ffair ac yr o'n i'n meddwl, digon tebyg, ugain mlynedd yn ôl roedd Siani yn edrych ar Sam yn debyg iawn fel rwy i yn edrych ar Wil bach; a nawr drychwch arno, ac nis gall neb ddweud nad yw Siani yn ddynes grefyddol.'

'Wel,' meddai Peggy, 'rwy'n cyfaddef fod gennyf ddigon o waith a bod y byd yn fyd drwg, ond os yw Duw yn rhoi bywyd i'r plant, fe all roi gras hefyd; a Rachel fach, mae Mam dduwiol yn gallu gwneud pethau rhyfedd. Ffaelodd Cristion gael gan un o'i blant i ddianc gydag ef o Ddinas Distryw, ond mae'r twr i gyd yn barod i gychwyn gyda eu mam. Mae Huw'r Crydd yn dweud yn bendant na chaiff Satan ddim un o'r bechgyn sydd yn ei ddosbarth; fod e wedi penderfynu mai eiddo'r Arglwydd fyddan nhw i gyd. Mae e'n hoelio ei ffydd ar yr adnod, "Os gofynnwch ddim yn fy enw i, mi a'i gwnaf."'

'Ie,' ebe Rachel, 'ond mae gwahaniaeth. Mae Huw'n ddyn duwiol. Clywais bregethwr yn dweud fod y deg morwyn yn grefyddol, ond fod pump ohonyn nhw yn dduwiol. Rwy i'n grefyddol, ond dydw i ddim yn dduwiol.'

'Rachel,' meddai Peggy, ar ôl peth distawrwydd, 'hen greadur unig iawn ydwyf fi, ond fe elli di fod yn eitha tawel dy feddwl fy mod i yn dy helpu i weddïo dros y plant yma.'

Aeth y blynyddoedd heibio. Yr oedd plant Rachel i gyd wedi tyfu i fyny ac yr oedd pob un ohonynt yn cymeryd tipyn o ddiddordeb yn y cwbl a berthynai i'r capel. Yr oedd mamau y gymdogaeth bron yn cenfigennu wrth Rachel, oherwydd yr oedd ei bechgyn a'i merched hi wedi pasio ar hyd llwybrau dryslyd ieuenctid heb rwygo eu dillad ac, mewn ardal lle yr oedd llawer o anfoesoldeb o bob math, yr oedd y teulu hwn wedi cadw cymeriad glân a disglair. Yr oedd Rachel yn ddiolchgar iawn ac yn edrych gyda rhyw faint o falchder ar ei phlant. Ond nid oedd yn dangos llawer o'i theimladau hyd yn oed iddynt hwy! Yr oedd pob un ohonynt wedi llwyddo mewn ffordd gyffredin a'r oll, ond William yr ieuengaf, wedi priodi. Yr oedd e wedi dewis myned i sir Forgannwg i weithio tan y ddaear.

Un bore dydd Mawrth daeth y newydd i Lanestyn fod damwain ofidus iawn wedi cymeryd lle yn un pwll glo ym

Morgannwg a fod amryw wedi colli eu bywydau ac, yn eu plith, William mab Rachel! Mi fynnodd y fam fynd yr holl ffordd i sir Forgannwg; ychydig iawn oedd gan neb i ddweud am ei mab. Yr oedd yn dwyn cymeriad da ac yn cael ei ystyried yn ŵr ieuanc crefyddol. Yr oedd gwraig y tŷ lle y lletyai yn tybied ei fod yn meddwl priodi cyn bo hir, oherwydd yr oedd hi wedi sylwi ei fod yn llon i'w ryfeddu y dyddiau diwethaf. 'Buodd wrthi yn sgrifennu llythyr ati dydd Sul,' meddai. 'Clywais e yn gofyn i un o'r *lodgers* eraill a oedd gydag e stamp, ac aeth allan i rywle i chwilio am un gan nad oedd un i'w gael yma.'

Daeth Rachel yn ôl i Lanestyn mor fuan ac yr oedd modd ac, am ychydig amser, bu rhai yn ofni fod ei synhwyrau wedi drysu, ac ambell i waith yr oedd hi ei hunan yn meddwl yr un peth. Rhywfodd neu'i gilydd, yr oedd y bachgen hwn wedi clymu ei hunan yn fwy o amgylch ei chalon nag un o'r lleill: yr oedd mor llawn o fywyd, mor ddireidus, ac eto mor garedig. Ac, yn awr, wele ef wedi myned! Hyd yn hyn yr oedd wedi credu bod gwreiddyn y mater ynddi ond, yn ei gofid a'i thristwch, doedd hi yn cael fawr nerth o'i chrefydd. Yr oedd y cestyll prydferth yr oedd wedi eu hadeiladu yn gorwedd yn deilchion ar y llawr: ei gobeithion wedi diflannu, ei breuddwydion wedi eu siomi. Wyddai hi ddim, druan, ei bod mor hoff o'r bachgen nes iddi weled y pridd oer yn syrthio ar ei arch! Un diwrnod daeth brawddeg a glywodd gan bregethwr ar weddi mewn angladd dros ei chof. 'Arglwydd, tyrd dy hunan i'r lle gwag sydd yng nghalonnau'r galarwyr yma, y lle fu yn eiddo i'r hwn sydd wedi cefnu ar y ddaear hon.' 'Lle William i Iesu Grist,' meddai Rachel wrthi ei hunan. Yr oedd tywyllwch wedi gorchuddio ei chwbl: byd, nefoedd, Duw. Ond fe ddaeth fflachiad o oleuni i'w henaid; digon i'w helpu i ganfod y bryn fan draw a'i groes Ef. Ac wele! wrth edrych ar y groes yr oedd y tywyllwch yn ffoi a'r wawr yn codi. Gwelodd wyneb yr Hwn sydd 'yn rhagori ar ddeng mil, oll yn hawddgar'; yr Hwn er ein mwyn ni a fu mewn cymaint cyni, fel y dywedir amdano, 'Mor llygredig oedd ei wedd, yn anad neb, a'i bryd yn anad meibion dynion.' Hi a welodd, hi a synnodd, hi a garodd! Ac yr oedd yn medru dweud gyda seintiau eraill, 'Efe a roddes i mi orffwysfa drwy ei dristwch a bywyd trwy ei angau.'

Bu yn byw am dipyn ar ddanteithion tŷ ei Thad, yn cymdeithasu, fel Moses, gynt, ar ben y mynydd gyda Duw. Ond nid oedd yn bosibl adeiladu pabell fan yna; daeth llais i'w galw i lawr i'r dyffryn i wneud gwaith ei Harglwydd. Yr oedd byw ar ben y mynydd gyda Duw wedi agor ei llygaid, a gwelodd yn eglur iawn y gwahaniaeth rhwng adnabod Crist fel ceidwad addas i'r holl fyd a'i adnabod fel gwaredwr personol. Y plant oedd ei gofal cyntaf ac, yna, daeth yn fyw i'w henaid na allasai byth mwyach weddïo dros William. Am y lleill yr oedd yn meddwl fod yn bosibl iddi, trwy daer ymbil eu dwyn mor agos at berson y Gwaredwr, fel na fyddai eisiau iddynt ond estyn eu bysedd i gyffwrdd ag ymyl ei wisg, a iach fyddent. Ond beth am William? Yr oedd geiriau y proffwyd yn llosgi fel tân anniffoddadwy yn ei mynwes. 'Dylesit daro bump neu chwech o weithiau, yna tarawsit Syria nes ei difa.' Yr oedd hi wedi gweddïo dros ei phlant, ond yr unig beth a ofynnodd hi gan yr Arglwydd oedd iddo eu 'gwared rhag y drwg'. Yr oedd Duw wedi ateb ei gweddi, wedi rhoi iddi y cwbl a ofynnodd, ac yn awr yr oedd yn teimlo hyd eigion ei chalon nad ydoedd wedi gofyn digon.

Un prynhawn yr oedd Rachel yn eistedd â'i Beibl yn agored o'i blaen. Fel arfer, yr oedd yn meddwl am William, yn treio gobeithio y gorau amdano (ac, eto, yn rhyw hanner ofni), pan agorwyd y drws yn sydyn ac y daeth Martha Rees i fewn i'r gegin. Doedd dim llawer o gyfeillgarwch rhwng Rachel a Martha, a deallodd Rachel ar unwaith beth oedd y neges. Does dim *secrets* yn Llanestyn: mae pob un yn gwybod holl hanes ei gymdogion, ac yr oedd pawb yn y pentref yn gwybod fod Rachel wedi mynnu cadw dillad gorau William ei mab, ac yr oedd y gwragedd i gyd yn gwybod fod y dillad yn newydd a'u bod o ryw frethyn tywyll iawn. Ar hyn o bryd yr oedd Jencyn, mab Martha, yn meddwl am bregethu ac yr oedd yn myned trwy y dosbarth. Dynion tlawd, di-ffordd, oedd tad a mam y bachgen ac yr oedd dillad Jencyn wedi mynd i edrych yn llwyd iawn. Yr oedd hyd yn oed ei fam wedi sylwi arnynt a chofiodd maes o law am siwt newydd William, y rhai oedd yn gorwedd yng nghadw yng nghegin ei fam. Wyddai Martha druan fawr ddim am *delicacy of feeling*; os bu y fath rinwedd ynddi rhyw dro, yr oedd ei thlodi wedi ei ladd. Penderfynodd dreio prynu y siwt i'w mab, gwneud bargen, os medrai, gyda Rachel am ddillad ei mab. Methodd y tro cyntaf, ond nid un hawdd i'w gorchfygu oedd Martha. Yr oedd yn arfer mynd yn drech na phob peth – ond baw – yr oedd y drwg hwnnw yn ei gorchfygu yn glir, a daeth i dalu ymweliad drachefn â Rachel ar y prynhawn yr wyf yn sôn amdano. 'Wel,' meddai, 'rwyt ti'n darllen yn araf iawn; yn Ail Brenhinoedd oeddit ti y tro diwetha buais i yma a rwyt ti yn yr un fan heddi eto? Mae Shincyn yn mynd i Aber erbyn dydd Sul, os caiff e ddillad. Wn i ddim beth wna i, mae'n gywilydd gen i weld y crwt yn mynd yn yr hen bâr.' Er ei syndod dechreuodd Rachel wylo. 'Paid gofyn i mi roi dillad William,' meddai, ar ôl tipyn, 'allwn i byth oddef gweld neb yn eu gwisgo. Dyna'r unig beth o eiddo William sydd gen i: rhois i'r cwbl i'w frodyr ond y dillad. Roedd gen i ffansi eu cadw a meddwl sut roedd e'n edrych ynddyn nhw y dydd cyn iddo farw.'

'Wel,' ebe Martha, 'does gen i ddim i ddweud ar ôl hynna, ond os byddi di yn eu gwerthu hwy rhyw dro, gad i fi gael y cynnig cyntaf; digon tebyg yr aiff y pryfed atyn nhw os na ofali di.'

Ddywedodd Rachel yr un gair ond, ar ôl i Martha fynd

ymaith, cododd o'i lle, rhoddodd y pâr ar y drws, agorodd y *linen press*, a rhoddodd ei llaw yn dyner ar y dillad, ond ffaelodd gael nerth i edrych arnynt. Caeodd y drws drachefn ac eisteddodd i lawr. 'Does dim eisiau arna i i'm helpu i gofio William,' meddai wrthi ei hunan, 'fase fe ddim llawer i mi eu rhoi i Shincyn, druan; roedd e a William yn debyg iawn o ran cyrff a does dim eisiau cosbi'r crwt am fod ei fam yn un groes.' Bu bron eisiau rhedeg ar unwaith i ddweud wrth Martha ei bod yn foddlon rhoi'r dillad. Ond, yn ôl ei harfer, penderfynodd feddwl dipyn ar y cwestiwn. Aeth y dyddiau ymlaen. Yr oedd yn ddydd Gwener ac, am y degfed tro (a'r a wyddai hi), aeth Rachel at y *linen press*: agorodd ef a gwnaeth ymgais i dynnu allan y dillad. Ond ffaelu a wnaeth! Syrthiodd ar ei gliniau ac anfonodd gri i fyny at Dduw. 'O! Arglwydd,' meddai, trwy ei dagrau, 'rho gymorth i mi roi'r dillad yma i un sydd yn mynd i ddweud amdanat. Arglwydd, cymer y dillad yma; y pethau mwyaf annwyl feddaf i, cymer nhw, Arglwydd, er mwyn dy Fab Iesu.' Ac yng ngrym y weddi cafodd nerth i dynnu allan un pilyn ar ôl y llall. Gosododd nhw ar y ford a bron yn ddiarwybod rhoddodd ei llaw yn llogell y gôt. Yr oedd rhywbeth yn gorwedd ynddi. Tynnodd allan lythyr. Gwridodd. Dyma'r llythyr y dywedai gwraig y tŷ amdano; y llythyr at y ferch ifanc, 'wel, fydd dim drwg gweld enw y lodes.' Rhoddodd sbectol ar ei llygaid ac edrychodd ar gâs y llythyr:

MRS RACHEL WILLIAMS,
Pendw,
Llanestyn.

Yr oedd y llythyr iddi hi! Yr oedd ei llygaid yn rhy wlyb gan ddagrau i ddarllen y papur gwerthfawr am dipyn ond ar y diwedd llwyddodd i agor y câs, ac i sillebu allan y geiriau canlynol:

Prynhawn Dydd Sul

FY ANNWYL FAM,

Mae gennyf ychydig o amser cyn myned i'r ysgol ac rwy'n credu y bydd yn dda gennych gael y llythyr yma yfory. Buais yn hanner meddwl falle byddech chi yn fy rhybuddio am ysgrifennu ar y Saboth. Ond mae gen i newydd da i hela atoch, Mam fach, y newydd gorau yn y byd. 'Rych chi wedi gweddïo llawer drosom ni ar hyd y blynyddoedd ac, ar y diwedd, yr wy' i wedi cael gafael ar Iesu Grist. Rwy i wedi bod yn teimlo yn anesmwyth am fy nghyflwr am rai misoedd, ond nos Iau dwytha ces ras i dderbyn Iesu Grist fel ceidwad. A Mam, rwy'n gobeithio y ca' i wneud rhywbeth drosto. Bydda i yn meddwl amdanoch am ddau o'r gloch yfory pryd y cewch chi y llythyr yma; dyna lawen fyddwch chi bod William wedi cael ei achub. Gobeithio eich bod yn iach fel yr wyf innau. Hyn yn fyr, oddi wrth eich mab,

WILLIAM

Aeth Martha i weled Rachel nos Wener i dreio unwaith eto am y dillad. Er ei syndod yr oeddyn nhw yn barod iddi, wedi eu clymu mewn napgyn. 'Dwedwch wrth Shincyn i wisgo rhain er cof am William. Mae William yn hapus yn y nefoedd. Na, na, does dim eisiau diolch; mae'r Arglwydd wedi talu i mi. Gobeithio y pregethith e yn rhagorol dydd Sul.'

Yr oedd gormod o syndod ar Martha i ddweud gair. Aeth allan gan edrych yn hurt. Arhosodd tu allan i'r tŷ am ryw ychydig a chlywodd Rachel yn adrodd drosodd a throsodd drachefn, 'Y mae fy enaid yn mawrhau yr Arglwydd, a'm hysbryd a lawenychodd yn Nuw fy iachawdwriaeth. Canys yr hwn sydd alluog a wnaeth i mi fawredd; a sanctaidd yw ei enw Ef.'

Elen Wern-goch

Yr oedd fy mam a minnau yn eistedd gyda'n gilydd un noswaith yn ddiweddar. Yr oedd Gwen wedi myned ar neges i'r pentref ac wedi dweud na fuasai yn dychwelyd am dair awr oherwydd fod ganddi gynifer o leoedd i alw ynddynt. Yr oedd fy mam yn gwau yn ddyfal ac yr oeddwn innau yn treio darllen; ond nid oedd dim hwyl ar y llyfr ac, ar y diwedd, teflais ef o'm llaw a dywedais wrth fy mam fod yn rhaid iddi siarad â mi. Y mae fy mam yn gallu bod yn hynod o ddifyrrus os gallwch gael ganddi anghofio ei hunan. Anaml iawn y cewch ganddi gredu fod yn bosibl iddi hi ddweud dim y byddai yn werth i chi ei glywed a bydd wrthi yn torri ar y sgwrs gyda sylwadau fel hyn: 'Dyna ti, yr wyt wedi clywed digon nawr, gad lonydd i mi,' neu 'Yn wir, dydi'r hen stori ddim yn werth i ti ei chlywed, yr wy' i'n shwt un wael am adrodd hanes,' &c, &c. Ond y noswaith am yr hon yr wyf yn ysgrifennu, yr oedd rhywbeth yn llygaid fy mam oedd yn peri i mi feddwl ei bod yn barod i siarad a bod ganddi rywbeth i'w ddweud hefyd. Rhoddodd yr hosan o'i llaw a phlethodd ei dwylo ar ei ffedog.

'Nawr, Mam, dechreuwch,' meddwn. 'Wel,' meddai, 'mae'n rhaid i mi gyfadde, Ifan, i mi fod yn meddwl gofyn i ti fyddai hanes lodes fach ro'n i'n adnabod ys llawer dydd, o ryw ddefnydd i ti? Wyddost ti, does dim byd yn fy nharo i'n fwy na'r ffordd greulon mae menywod crefyddol yn ymddwyn tuag at eu chwiorydd sydd wedi mynd ar gyfeiliorn. Os gwnaiff lodes gamsyniad, anghofith y menywod byth mo'r hen dro ffôl, a bydd hwnnw yn cael ei ddannod iddi tra bydd hi byw, druan fach.'

'Nawr, Mam,' meddwn, 'dywedwch y stori.'

'Wel,' meddai 'pan ro'n i'n groten ifanc, Piter James, Wern-goch oedd blaenor mawr y Capel yma. Yr oedd hyn cyn amser

Benja Jones, gwyddost; crwt oedd e, pryd hynny. Gwidman oedd Piter James ac roedd gydag e un mab ac un ferch; lodes lân amboidus oedd Elen, Wern-goch ac roedd ei thad a'i brawd Ifan yn dotio arni. Roedd gyda hi ddigon o gariadon i foddloni hanner dwsin o ferched cyffredin. Ro'n nhw yn dweud i Benja Jones ei ffansïo yn fawr ac iddi hi ddweud ei bod hi am dreulio ei dyddiau yn gwneud rhywbeth gwell na godro gwartheg a gwau sanau. Mae rhai yn dweud mai y rheswm am i Benja fyw a marw yn hen lanc oedd ei gariad tuag at Elen. Mynd i Lundain i wasanaethu fel morwyn oedd ei bwriad, ond roedd ei thad yn groes iawn i hynny, bid siŵr. Ar yr amser hynny roedd Mr Price (tad yr un presennol) yn ailfildio y Plas cyn dod â'i wraig gartref. Un digon cybyddlyd oedd yr hen ŵr, a gwelai fod y Saeson yn barod i wneud y gwaith yn tsiepach na'r Cymry, felly daeth twr ohonynt i lawr yma ac, yn eu plith, *gaffer* o'r enw George Crosby. Hen ŵr caredig oedd Piter James. Byddai'n gofyn i bawb i ddod i'r Wern-goch, wrth basio, ac yn gwneud iddyn nhw aros i gael pryd o fwyd ac, yn ôl ei arfer, gofynnodd i'r Crosby yna i ddod heibio, a bron bob nos byddai'n mynd i fyny yno. Mae'r Saeson yn wahanol i ni a roedd Mr Crosby yn fwy moesgar yn ei ffordd na dynion Llanestyn. Roedd e yn ymddwyn at Elen fel pe bai hi y ledi grandia yn yr ardal. Byddai'n siarad wrthi am Lundain a'r trefydd mawr yna ac yn llanw ei phen â rhyw ddwli am y sylw a gawsai pe byse hi yn byw yno, yn lle mewn rhyw dwll o le fel Llanestyn. Roedd gan Piter James dipyn go lew o arian (yn ôl barn y gymdogaeth am gyfoeth) ac rwy'n meddwl i Crosby gael syniad mai peth da iawn fydde iddo ef gael o hyd i'r arian trwy briodi Elen, ond ddwedodd e ddim am hynny am rai misoedd. Un noswaith (clywais Mam yn adrodd), roedd hi yn sefyll wrth ymyl mynwent y capel a dyma Piter James a Crosby yn dod i fyny ati; Piter yn siarad Saesoneg gorau medrai fe a meddai ef, gan bwyntio at y gladdfa, “Mae ’nheulu i bron i gyd yn gorwedd fan yna: y wraig a saith o blant, a ’Nhad a Mam, a dwy chwaer, a brawd. Pobl ddigon tlodion o’n nhw, ond mae pob un ohonyn nhw wedi mynd i lawr i’r bedd heb un sbotyn ar eu cymeriadau; does dim ohonom ni wedi tynnu gwarth arnom ein hunain ac, rwy’n dweud wrth y plant gartre, fyse’n well gen i eu claddu yn y fynwent yma nag iddyn nhw roi sbotyn du ar yr hen enw yma.”’

Wedodd Crosby yr un gair, ond roedd Mam yn sbecto iddo gochi tipyn. Rhyw wythnos ar ôl hyn, un nos Fercher, dyma forwyn Wern-goch yn dŵad i’n tŷ ni i ofyn i Elen ddod gartref ar unwaith. ‘Elen,’ meddai Mam, ‘fuodd hi ddim yma ers dyddiau.’ Wel! Does dim eisiau i fi fynd trwy’r holl hanes, ond caed allan fod Elen wedi dianc gyda Crosby! Yr oedd Piter James wedi bod yn y ffair y dydd Mawrth hynny ac wedi gwerthu lot o anifeiliaid. Rhoddodd yr arian yn rhyw fan diogel, ond pan aeth e i’w mofyn dydd Mercher yr o’n nhw wedi mynd! Yr oedd Elen wedi dweud wrth y forwyn ei bod hi yn dŵad i’n tŷ ni i helpu Mam gyda’r cwilts ac, felly, feddylson nhw ddim byd amdani am oriau. Ar ôl iddo ddeall fod Elen wedi dianc, ddywedodd Piter James yr un gair ymhellach am yr arian. Yr oedd e yn gwybod pwy oedd wedi eu dwyn. Druan ag e! Roedd Mam yn dweud na welodd hi neb yn altro mor gyflym ag y gwnaeth e. Aeth i fyny a chasglodd holl ddillad Elen at ei gilydd. Rhoddodd nhw mewn bocs, a mynnodd glo o’r dre ac fe gadwodd yr allwedd yn ei boced tra bu e byw. Ar ôl i Elen fyned i ffwrdd daeth hanes i’r pentref am Crosby. Creadur drwg, tost oedd e ac, yn ôl pob tebyg, yr oedd gydag e wraig arall yn fyw. Rwy’n cofio Mam yn gweddïo un noswaith ar i’r Arglwydd gadw ‘gwybodaeth am drueni ei ferch oddi wrth yr hen ŵr, Piter James.’

Rhyw chwe mis ar ôl i Elen fynd priododd Ifan ei brawd â Lisa, merch Henry William, Ty’nddol. Yr oedd Lisa yn cael ei hystyried y lodes fwyaf grefyddol yn yr ardal ond, yn wir, hi oedd y greadures gasa weles i 'rioed ac, rwy'n cofio meddwl, os oedd hi yn ffafret gyda'r Iesu, fod rhaid ei fod Ef wedi newid tipyn er yr amser yr oedd Ef ar y ddaear hon! Yn glou iawn ar ôl y briodas yma dechreuodd Piter James waelu; yr oedd e yn beio ei hunan o hyd am nad aeth e ar ôl Elen ar y cynta, 'fyswn i'n siŵr o fod wedi ei chael hi,' meddai. Anaml iawn roedd llythyrau yn dŵad i Lanestyn pryd hynny a'r unig ffordd i'w cael oedd cerdded i Trefeity i'w mofyn; a dim ond tair gwaith yn yr wythnos roedd y post yn dŵad i Trefeity. Byddai'r hen ŵr, Piter James, yn cerdded i'r dre bob dydd Llun, dydd Mercher a dydd Gwener i weled a oedd yno lythyr oddi wrth Elen ac, ar ôl iddo fynd yn rhy wan, roedd yn mynnu cael y car i fynd ag ef. Wel, un dydd Llun wrth ei gweled mor wlyb, dywedodd Lisa, y ferch-yng-nghyfraith, y byse hi yn mynd i'r dre yn lle yr hen ŵr. Pan ddoth hi gartref roedd e'n disgwyl amdani yn ymyl y drws ac, mor glou ag y daeth hi dros y bont, dyma fe yn gweiddi "Ges di lythyr?" "Naddo," meddai Lisa, "doedd dim llythyr i chi, Nhad-yng-nghyfraith." Fu Piter ddim byw yn hir iawn ar ôl hynny; roedd e'n eitha parod i farw, oni bai fod e'n becso am Elen. Y diwrnod buodd e farw, llonnodd yn rhyfedd, cododd ar ei eistedd yn y gwely a dywedodd, "Mae llythyr Elen fach wedi cyrraedd *yno* (gan bwyntio i fyny), rwy'n ei weld e yn llaw Iesu Grist," a buodd farw yn eitha tawel. Ar ôl iddo farw, dywedodd Lisa fod llythyr wedi dŵad oddi wrth Elen y diwrnod aeth hi i Trefeity i edrych, "ond," meddai, "doedd dim diben ei ddangos iddo fe. Dyn da oedd fy nhad-yng-nghyfraith, ond doedd dim iws ei drystio fe bob amser. Fe fyse yn maddau y cwbl i Elen ar unwaith, a dyna siampl ddrwg i'r holl gymdogaeth fyddai hynny ac yntau yn flaenor gyda'r Methodistiaid.

Yr unig un feiddiodd ddweud rhywbeth yn ôl wrth Lisa

oedd Mali'r Plas, hen greadures ddigon caredig oedd wedi bod yn forwyn yn y Wern-goch am flynyddoedd ac wedi magu Elen ar ôl marwolaeth ei mam. Yr oedd Mali yn weddw dlawd y pryd hyn ac yr oedd pawb yn rhyfeddu ei bod yn mentro ateb Lisa, gan mai o'r Wern-goch yr oedd ei bara a chaws yn dyfod. Ond yr oedd yr hen wraig wedi cynhyrfu drwyddi. 'Annwyl y byd!' meddai, 'mae'n gas gen i eich clywed, Lisa James; chi yn mynd i farnu rhwng tad a'i blentyn; chi, na fuodd calon erioed yn eich corff, am a wn i; ac os oes un, calon dryw bach yw hi. Pwy hawl oedd gyda chi i gadw yn ôl lythyr y creadur bach druan? A phwy hawl sydd gyda chi i alw eich hunan yn Gristion, a thorri calon yr hen ŵr a dweud celwydd gwaeth na ddywedodd Ananias erioed?'

'Dweud celwydd?'

'Do, yn wir. Clywais chi â'm clustiau fy hunan yn dweud wrth Piter nad oedd un llythyr wedi dŵad. Credwch chi fi, fydd gweld llythyr Elen yn Nydd y Farn yn fwy o boen i chi na dim byd arall. Os bu Elen yn lodes ddrwg, rwy'n eitha siŵr y caiff hi dröedigaeth. Bu ei mam farw yn gweiddi ar Dduw gofio ei phlentyn a welais i 'rioed mohono Ef yn pallu gwrando gweddïau felly.'

Dywedodd fy mam fod gwyneb Lisa gan wynned â chalchen. Ddywedodd hi yr un gair, ond aeth i'r tŷ a gofynnodd i Ifan, ei gŵr, ddyfod allan a meddai hi,

'Rwy am gael gwybod a wyt ti'n foddlon i fi gael yn insyltio gan un sydd yn byw ar ein da ni? Mae Mali wedi 'nhrin i yn gywilyddus ond, os wyt ti yn meddwl y dylswn i ddioddef oddi wrthi hi, ddyweda i yr un gair ymhellach.'

Beth allsai'r dyn ddweud, ond 'Rhag cywilydd i ti, Mali; paid gadael i fi dy weld oboutu'r tŷ yma yto; cofia di ma'r wraig yma yw'r feistres nawr.'

'Does dim eisiau i chi ddweud eilwaith wrthw i am fynd,' ebe Mali, 'ond cofiwch chi hyn. Peidiwch chi gwneud cam ag

Elen eich chwaer, neu bydd digofaint Duw yn siŵr o syrthio arnoch eich dau.'

Tra bu hi byw cafodd Mali bob caredigrwydd oddi wrth Ifan James, er nad oedd Lisa yn gwybod am hyn. Wel, dyma fi, fel bob amser, yn ymdroi ac yn ffaelu dweud fy stori yn iawn. Ddaeth dim sôn am Elen am flynyddoedd ac, os oedd rhywun yn meddwl amdani, y teimlad cyffredinol oedd nad allasai byth ddioddef mwy nag ydoedd yn haeddu. 'Wel, deng mlynedd ar ôl iddi adael cartref daeth Elen yn ôl i Lanestyn. Byse neb yn ei nabod hi', meddai Mam, 'roedd hi yn edrych yn hen ac yn welw. Oboutu amser Calan Gaea daeth hi yno ac, yr oedd Lisa James, Wern-goch wedi ffaelu yn lân a chael gan forwyn gyflogi gyda hi (hynny yw, morwyn werth ei chael). Yr oedd bron yn amhosibl byw gyda hi, "rhwng ei chrefydd a'i thymer," medden nhw. Felly pan ddaeth Elen gartref, fe feddyliodd Lisa fod rhagluniaeth wedi gofalu amdani a dywedai y gallasai aros yn y Wern-goch fel morwyn. Yr oedd hi, druan, yn eithaf boddlon a bu yno am flynyddoedd yn gweithio fel gwryw. Roedd hi yn gwneud mwy o lawer nag y dylasai ac rwy'n meddwl iddi farw cyn ei hamser oblegid hynny. Ond rhywfodd ni ddywedai neb ddim wrthi am weithio llai. Yr oedd pawb yn teimlo mai gweithio felly oedd yr unig beth allasai hi ddisgwyl; dynes oedd wedi dwyn gwarth arni ei hun, fel yr oedd Lisa yn cymeryd gofal i'w hatgofio. Yr oedd Ifan James yn ddigon caredig i'w chwaer yn ei ffordd ef, ond yr oedd Lisa yn gas iawn ambell waith ac yn gas trwy ei chrefydd, os wyt ti'n deall, Ifan: yn gwneud fflangell o adnodau y Beibl i gosbi Elen, druan. Yr oedd Lisa yn awyddus iawn am gael gwybod yn gysact beth oedd hanes Elen wedi iddi adael Llanestyn, ond yr oedd Elen yn pallu dweud dim.'

'Pa les wna i,' meddai wrth Mam ryw dro, 'i agor allan hen bethau sy'n well o'r golwg?'

'Dim lles o gwbl,' ebe Mam.

'Wel, mi aeth syniad trwy y gymdogaeth fod Elen wedi bod yn euog o bob trosedd yn y byd bron ac yr oedd Lisa yn gwneud ei rhan yn dda i ledu yr hen sôn cas. Un diwrnod yr oeddwn i yn y Wern-goch yn gwnïo; yr oedd Lisa yn helpu gyda'r torri allan ac yr oedd Elen yn golchi padelli tu allan i'r drws. Yn ddisymwth clywsom hi yn canu,

"Mi dafla maich oddi ar fy ngwar,
 Wrth deimlo dwyfol loes;
Euogrwydd fel mynyddau'r byd
 Dry'n ganu wrth y groes."

"Glywsoch chi rhywbeth yn debyg i hynna?" meddai Lisa, "Arswyd y byd, mae'n gas gen i feddwl fod pobol yn mynd mor galed. Dydw i ddim yn credu fod Elen wedi sylweddoli fath un ddrwg yw hi." Daeth Elen i fewn i'r gegin yn o glou wedyn a dechreuodd Lisa: "Roedd yn chwith iawn gyda ni dy glywed di yn canu just nawr; mi ddylset ti fod yn ostyngedig iawn a threio dangos dy edifeirwch trwy fod yn foddlon bod o'r golwg o hyd. Rwy'n dy glywed yn chwerthin weithiau, fel pe byset ti yn lodes ddiniwed. Does dim synnwyr mewn ymddygiad fel yna a dydw i ddim yn credu dy fod ti erioed wedi edifarhau am yr holl amharch yr wyt ti wedi ddwyn ar grefydd. Mae cywilydd arna i drosot ti."

Yr oedd llygaid Elen wedi llanw â dagrau, ac ro'n i'n gweld ei bod hi yn cael gwaith i ateb yn dawel. Ond ymhen munud edrychodd ym myw llygaid Lisa a dywedodd yn fwynaidd iawn.

"Ydw, Lisa, yr wy' i wedi edifarhau am beth sydd wedi mynd heibio. Dydw i ddim yn meddwl fod Duw am i fi gario baich o bechod ar ôl iddo Ef ei ddwyn oddi wrthyf fi. Byse chi ddim yn leicio bod Piter bach yn llefain trwy'r dydd ar ôl i chi faddau iddo am y drwg oedd e wedi wneud. Bysech yn dweud wrtho, 'Sycha dy ddagrau, rwy i wedi anghofio y cwbl am dy ddrygioni. Pam na wnai di fy nghredu?' Ac yr wy' i wedi cymeryd Duw ar ei air. Mae E yn dweud ei fod yn maddau ein holl gamweddau trwy haeddiant Iesu Grist, ac mi gymres i fy holl bechodau ato, a gofynnes iddo eu maddau a'u hanghofio er mwyn ei Fab Iesu; a phan glywais i Ef yn dweud, 'Nid wyf finnau yn dy gondemnio di; dos, ac na phecha mwyach,' a 'Maddeuwyd i ti dy bechodau, cyfod a rhodia', mi gymres i y geiriau fel neges oddi wrth fy Arglwydd, a fedra i ddim bod yn druenus ac yn isel ysbryd os ydw i yn credu hynna."

Yr oedd gwyneb Lisa yn welw gan ddigofaint. "Mae'n gas gen i feddwl fod pobl ddieithr yn dy glywed di," meddai, "mae'n ddigon drwg fy mod i yn gorfod dy glywed di yn siarad, fel pe byset ti yn Gristion, yn lle bod yr hyn gwyddom ni ydwyt. Ond cofia di fod Kitty, y nedyddes, a Sally yma, a bydd yn chwith iawn meddwl am y stori fydd gyda nhw i ddweud." Ni ddywedodd Elen yr un gair, ond gwelais fod ei llygaid yn llawn dagrau. Un noswaith, rhyw wythnos, mwy neu lai, ar ôl hynny, yr o'n ni yn eistedd gyda'n gilydd gartre pan, yn ddisymwth, clywem guriad bach, gwannaidd wrth y drws.

Rhedodd fy mam i agor y drws (un rhyfedd oedd dy fam-gu Ifan, am ddeall pan yr oedd caledi yn agos.) Daeth yn ôl ymhen munud neu ddwy a helodd ni i'r gegin fach. "Mae rhywun eisiau dŵad i fewn, 'roswch chi'n ddistaw yn y gegin arall," meddai, a'r funud nesaf dyma Elen, Wern-goch yn eistedd yn y stôl-gadair wrth dân y gegin a golwg ofnadwy ar ei gwyneb. Dywedodd ei chŵyn yn y fan. "Gwennie," meddai "dydy e ddim iws i fi dreio. Yr wy' i wedi bod yn gwneud 'y ngorau er yr wy' i gartre yn Wern-goch i fod yn ffyddlon yn y cwbl; rwy wedi gweithio gorau gallswn i, ond does dim ffordd i fi blesio neb. Ar ôl bod wrthi yn gweithio o bump o'r gloch yn y bore hyd wedi deg o'r gloch yn y nos, does dim ond beiau a dannod yr hen bethau cas sydd wedi pasio yn dod i'm rhan i. Does dim iws i fi dreio gwneud dim byd dros Dduw. Heno, pan ro'n i'n rhoi Sam bach yn ei wely (mae Lisa yn ffaelu cyffro gan *rheumatism*), mi ddwedais wrtho fe am Iesu yn caru y plant ac yn eu dwyn yn ei freichiau, a dyma Lisa yn dŵad i fyny y staeriau, er gwaetha y *rheumatism* a'r cwbl, 'Beth 'ych chi'n ddweud wrth Sam?' meddai, 'Cofia di, Elen, fynna i ddim i ti ddysgu pethau drwg iddo: rwyt ti'n gwybod sut garictor oedd i ti slawer dydd. Byswn i ddim wedi dy hela gyda'r plentyn, ond y mod i yn teimlo yn rhy sâl i fynd fy hunan.'

"Gwennie, allswn i ddim dioddef hynna, a finnau wedi bod yn gwneud 'y ngore trwy'r blynyddoedd, a dwedais i wrth Lisa 'Rwy i wedi goddef mwy na neb arall oddi wrthyt ti ac rwy'n mynd i dy adael; treia gael rhywun arall i wneud y gwaith yn fy lle,' a dyma fi, Gwennie. Mae'n well i fi dowlu fy hunan i'r afon, dyna ddiwedd arna i wedyn. Ond ro'n i'n meddwl fod yn rhaid i fi ddweud ffarwél wrthoch chi; 'rych chi wedi bod yn hynod o garedig i fi."

'Yr oedd Elen yn eistedd fel pe buasai wedi ei cherfio o garreg; gallsech feddwl nad oedd dim teimlad ynddi o gwbl. Ddywedodd Mam yr un gair, ond aeth i'r pen uchaf, lle roedd dy fodryb Gwennie, croten fach tair blwydd oed, yn cysgu yn y gwely. Yr oedd Gwennie fel pictiwr, gwallt golau, cyrliog a llygaid gleision mawr; hi oedd yn cael y gair o fod y plentyn tlysaf yn y gymdogaeth. Cododd fy mam hi yn ei breichiau ac aeth â hi i'r gegin, a chyn i Elen ddeall yr oedd Gwennie yn gorwedd yn ei chôl.

'"Nawr, Elen," meddai Mam, "cydia yn y plentyn tra yr wy' i yn paratoi swper." Erbyn hyn yr oedd Gwennie wedi hanner deffro ac yn rhwbio ei llygaid â'i llaw. "Da, merch i," meddai fy mam, "rho dy ddwy law fach rownd gwddw Elen a rho gusan iddi." Daeth fy mam i'r gegin fach wedyn, ond o'r braidd y sylwodd arnom ni; ro'n i'n gweld ei gwefusau yn symud tra roedd hi yn paratoi y pethau i swper ac ro'n i'n deall mai gweddïo roedd hi. Pan aeth hi yn ôl i'r gegin ore, yr oedd Elen yn llefain a Gwennie fach yn treio ei chysuro trwy blethu ei dwylo bach o amgylch ei gwddw. Pan roedd swper yn barod aethom ni i fewn i'r gegin ore ac roedd Mam wrthi yn siarad am bob peth diddorol a allsai hi feddwl amdano. Ar ôl swper yr oedd darllen y bennod bob nos a dweud gweddi'r Arglwydd gyda'n gilydd. Yna, wedi gwneud hynny, meddai fy mam wrth Elen, "Yr wyt ti i gysgu fan yma gyda Gwennie fach. Cer i dy wely nawr, da merch i. Mae eisiau cysgu yn ddrwg arnat ti."

'Gwelais Elen yn troi ac yn rhoi edrychiad ar fy mam gwahanol i ddim byd welais i 'rioed o'r blaen; yr oedd serch, a diolchgarwch, a pharch, ynghyd â llawer iawn o ostyngeiddrwydd, yn yr edrychiad yna! Wedi hela y plant i'r gwely, galwodd fy mam fi ati. Yr o'n i'n globen o lodes ddeunaw oed ac yr oedd fy mam a fi yn ffrindiau mawr, mwy tebyg i ddwy chwaer na mam a merch.

'"Sally," meddai, "wyt ti'n cofio yr adnod yna, 'Pwy bynnag a rwystro un o'r rhai bychain hyn a gredant ynof fi, da fyddai iddo pe crogid maen melin am ei wddf, a'i foddi yn eigion y môr?'"

'Ydwyf, Mam, wrth gwrs,' ebe fi.

'"Wel", meddai Mam, "un o'r rhai bychain yw honna," (gan bwyntio at y pen ucha). "Mae'r Bugail wedi ei chael ac wedi ei hachub, ond mae'r defaid eraill yn pallu cymdeithasu â hi: dyna i ti *impudence*, ac roedd dy fam cynddrwg â'r un ohonynt. Yr o'n i'n meddwl nad oedd dim synnwyr fod creadur fel yna yn cael cymaint o bleser yn ei chrefydd; ro'n i'n union fel Jona yn Ninefe, yn cwympo allan gyda'r Arglwydd am fod yn rhy dirion. Nawr, Sally, yr wy' i yn mynd i fyny bore fory i'r Wern-goch i gael gan Ifan wneud rhywbeth dros ei chwaer. Gwaith digon diflas gen i yw rhoi'm llaw ym musnes pobol eraill, ond weithiau mae'n rhaid gwneud." Rhyfeddes yn fawr ei chlywed; gwyddwn fod "busnesa yng ngwaith pobol eraill" yn groes iawn i'w natur hi.

'Wn i ddim yn iawn beth ddywedodd hi wrth Ifan James ond, beth bynnag, daeth yn ôl yn llawen. Yr oedd Ifan yn foddlon i roi tŷ bach i Elen oedd ar y banc pryd hynny ac yr oedd fy mam i'w helpio i roi pethau at ei gilydd. Wyddai Elen ddim am y drafodaeth yma a gofynnodd fy mam iddi aros yn ein tŷ ni i ofalu am y plant tra roedd hi yn "gwneud tipyn o fusnes," a finnau'n gwnïo. Yr wy' i yn meddwl i Lisa gael pregeth bur effeithiol oddi wrth fy mam ac yr oedd Ifan yn gweld ar y diwedd fod ei chwaer wedi cael cam ac, fel yr wyt ti'n gwybod, unwaith y cynhyrfir dyn tawel fel Ifan, fynnith gael ei ffordd ei hunan er gwaetha pawb a phopeth. Mi âth llawer iawn o bethau o'r Wern-goch i'r Bryn, pethau fu yn eiddo i fam Elen, ac fe lanwyd Elen druan â syndod ac hapusrwydd pan y deallodd mai iddi hi yr oedd y tŷ bach cyfforddus. Bu yno yn byw am flynyddoedd rai, hyd nes y bu Lisa farw, pan yr aeth yn ôl i'r Wern-goch i gadw tŷ ei brawd. Edrychai bob amser yn hurt iawn, hyd yn o'd ar ôl iddi fynd yn hen. Theimles i 'rioed gymaint dros neb â throsti hi ac rwy'n credu yn bendant, oni bai i'th fam-gu ei chymeryd mewn llaw, y byse Elen wedi boddi ei hunan neu wedi mynd yn ôl i'r hen fywyd llygredig; a byth ar ôl hynny yr wy' i yn teimlo yn amboidus dros ferched yn yr un cyflwr ag yr oedd Elen, ac yr wy' i yn meddwl y dylasai menywod crefyddol fod yn hynod o garedig a thosturiol tuag at eu chwiorydd sydd mewn trallod o unrhyw fath. Dydan ni ddim felly yn awr, mae rhyw oerni o'n cwmpas ni pan y byddwn yn siarad â lodes druenus, rhyw dynnu ein gwisgoedd at ei gilydd rhag iddynt gyffwrdd â'r creaduriaid anhapus; a chreda i byth mai sêl dros burdeb sydd wrth waelod peth felly. A phan y mae lodes yn treio adferyd ei chymeriad, piti garw ddyweda i, fod neb mor galed a hunan-gyfiawn â meddwl fod hi'n gwneud gwaith Duw wrth ei gwneud mor anodd ag sydd bosibl iddi gario allan ei bwriad...

'Ifan bach, edrych ar y tân! Fydd Gwen yma ymhen munud a gwae ni os na bydd swper yn barod. Dim un gair eto machgen i. Chwytha dipyn o dan y tegell, mae hi'n siŵr o fod yn agos.'

Rheithor y Plwyf

Yn Llanestyn, pan y mae dyn eisiau rhoi cymeriad uchel i Eglwyswr, ei ddull arferol o ganmol fydd trwy ddweud, 'Mae hwn a hwn *bron cystal* â Methodist.' Mae'n rhaid i chi fyw yn Llanestyn cyn deall yn iawn lawn ystyr y fath dystiolaeth. Pan yr oedd y Parch. John Maurice yn rheithor y plwyf, edrychid arno fel hanner Methodist ac anfynych y byddai neb yn cofio mai nid yn Nhrefeca neu'r Bala y cafodd addysg. Hen lanc ydoedd yn byw gyda'i forwyn yn y Persondy mawr. Yr oedd Hannah, y forwyn, yn wraig o bwys yn ein capel ni ac yn gymeriad hynod mewn llawer ystyr. Pan y byddai Hannah yn cael ei galw ymlaen i ddweud ei phrofiad yn y seiat, byddai bob amser yn dweud 'ei bod yn pryderu llawer dros yr Eglwyswrs, ac yn enwedig dros Meistr; mae e cystal dyn â chi, Benja Jones, ac yn meddwl llawer am ei enaid, er mai 'ffeiriad yw e, druan bach.'

'Rwy'n ofni dy fod di yn pryderu mwy am dy feistr nag amdanat dy hunan, Hannah,' fyddai atebiad yr hen flaenor. 'Mae llawer o waith i wneud ar dy galon di cyn y byddi di yn ffit i gyfarfod â Duw.'

'Digon gwir, Benja Jones; 'rych chithau yn teimlo yr un shwt, mi wn. Hen beth twyllodrus iawn yw'r galon yma, mae'n dipyn o gysur i fi'n amal i gofio fod pawb yn y capel yr un fath a fi.'

A byddai Benja Jones yn ochneidio ac yn myned ymlaen i siarad â rhywun oedd ychydig yn fwy gostyngedig na Hannah y Persondy! Pan ddaeth Mr Maurice gyntaf i'r pentref yr oedd yn ŵr ieuanc â golwg henaidd arno, yr hyn a ystyrid gan rai yn brawf o'i ddysgeidiaeth. Ond yr oedd rhywbeth yn ei wyneb yn peri i eraill dybied ei fod wedi profi rhywfaint o chwerwder bywyd, er mai ieuanc ydoedd. Bu rhai o'r gwragedd caredig yn treio cael ganddo ymddiried hanes bore ei oes iddynt hwy, ond ychydig iawn ddywedodd ef am yr amser gynt. Yr oedd ei orffennol yn gysegredig iddo ei hunan ac nid oedd yn foddlon datgloi y drws i neb. Rai blynyddoedd wedyn, daeth Hannah ar draws darlun bychan mewn câs lledr. Darlun merch ieuanc, hardd, balch yr olwg arni; yr oedd y câs wedi syrthio ar lawr y llyfrgell a meddyliodd Hannah ei bod wedi cael gafael ar ddirgelwch bywyd ei meistr. Dyna'r cwbl ddaeth i'r golwg; nid oedd modd cael sicrwydd pa un ai wedi marw, neu wedi profi yn gâr anffyddlon yr oedd y ferch, ond rhywfodd teimlodd Hannah yn siŵr iawn mai o amgylch y foneddiges ieuanc honno yr oedd serchiadau y 'ffeiriad wedi ymglymu.

Yn raddol ymsefydlodd Mr Maurice yn y pentref fel brodor. Bywyd tawel, amhwysig oedd bywyd gŵr y Persondy; dim byd byth yn digwydd i dorri ar undoniad y naill ddiwrnod ar ôl y llall. Yr oedd rhai o'r bobl ieuainc yn teimlo yn fawr dros farweidd-dra bywyd yr Eglwyswr. Hwyrach, i ddynion o'r trefydd mawr, y byddai dull cyffredin hyd yn oed Methodist o dreulio ei oes yn Llanestyn yn edrych yn ddiflas ddigon. Ond yn bur wahanol yr oeddym ni yn ystyried pethau. Yr oedd cael clywed pregethwr dieithr ar y Saboth, a'r pleser o feirniadu ei bregeth ef ar hyd yr wythnos yn awchlymu unrhywdeb ein dyddiau, heb sôn am y lliaws cyrddau ar wahanol nosweithiau; rhai ohonynt â mwy o arogl Cristionogaeth ynglŷn â hwy nag o'i grym hi, mae'n rhaid cyfaddef. Am yr Eglwyswyr, buont hwythau yn gwneud ymgais i ddechrau cwrdd gweddi a seiat, ond dywedwyd mai un dyn yn unig yn eu plith oedd yn abl i weddïo yn gyhoeddus heb ddwyn gwarth arno ei hunan, fel y gwnaeth Henri Tŷ Draw, yr hwn a aeth i'r eglwys (yn ôl chwedl y gymdogaeth) 'oherwydd ei bod yn tsiepach yno.' Un nos Lun, wrth weddïo yn yr eglwys, gofynnodd Henri i'r Arglwydd faddau i 'bawb oedd wedi gwadu eu hargyhoeddiadau' ac, er i Mr Maurice ddweud 'Amen' yn eglur iawn, teimlad yr Eglwyswyr eraill ydoedd mai annoethineb mawr fyddai cadw cwrdd gweddi o'r amser hynny ymlaen! Pregethwr sâl oedd Mr Maurice ac yr oedd rhai o'i blwyfolion yn cwyno nad oedd ganddo hyd yn oed *dôn* eglwysig ac, yn waeth na'r cwbl, yr oedd yn darllen pob gair ac yn siarad gyda'r fath gyflymdra fel nad oedd yn bosibl ei ddilyn na'i ddeall. Er hyn i gyd yr oedd Mr Maurice yn boblogaidd iawn yn yr ardal; a chan nad ydoedd ar y pryd hynny fugail ar yr eglwys Fethodistaidd, i ran y rheithor y syrthiai y gwaith o ymweled â'r cleifion a gwneud y gwahanol orchwylion ynglŷn â hynny. Yr oedd pob dyn yn hoffi gweled y 'ffeiriad wrth ymyl ei wely, os oedd yn ofni marw; ond nid oedd nemor byth yn aflonyddu ar ddyn yn y cyflwr hynny, gan ddwyn i'w gof y cannoedd dyletswyddau yr oedd heb eu cyflawni (yn ôl arfer Benja Jones). Ond er holl garedigrwydd Mr Maurice, byddai dyn claf bron yn sicr o sisial yng nghlust ei wraig, 'Cofia fynnu Mr Jones, Aber-nant, i bregethu yn yr angladd!' Yr oedd y teimlad fod yn well cael Methodist gloyw i gyhoeddi y geiriau olaf uwchben ei fedd yn syniad yr oedd Benja Jones yn ceisio ei argraffu yn ddwfn ar feddyliau ein pobl ni; a chan fod y perthnasau yn gwybod mai yr unig ffordd i sicrhau gair neu ddau o ganmoliaeth i'r ymadawedig yn y seiat nesaf ar ôl y claddu oedd syrthio i fewn â rheolau yr hen flaenor, anfynych iawn y byddai Mr Maurice yn cael y 'fraint' o gladdu neb tu allan i'w eglwys ei hun. Nid oedd y ffaith yma yn cynhyrfu dim arno. Os ydoedd yn teimlo, yr oedd yn bur ofalus i guddio ei siomiant ac yr oedd bron yn siŵr o ddyfod gyda'r claddedigaeth i'r capel, lle yr eisteddai o dan y pulpud, fel rhyw flaenor parchus. Yn raddol dysgodd pobl Llanestyn i ddisgwyl ar y 'ffeiriad i ymweled yn gyson â'u tai ac, os byddai amgylchiadau weithiau yn ei rwystro i fyned i ryw dŷ fferm am rai misoedd, gallasech feddwl fod y rheithor wedi cyflawni trosedd erchyll, gan mor ddiflas yr edrychent arno!

Nid oedd neb yn canmol Mr Maurice am ei waith bugeiliol. Yr oedd y mwyafrif yn teimlo nas gallsai 'ffeiriad byth ddisgwyl cael swydd fwy urddasol na gofalu rhyw gymaint am eneidiau goleuedig y Methodistiaid! Nid oedd y syniad am fugeiliaeth eglwysig wedi gwawrio ar feddyliau neb yn ein hardal ni: pregethu oedd gwaith ein gweinidogion, yn ôl barn Benja Jones a'i gyfoedion, ac nid oedd ymweled â thai y bobl yn rhan o'u dyletswydd y pryd hynny. Yr oedd tuedd yn Benja Jones i edrych i lawr ar fynych ymweliadau Mr Maurice â thai y gymdogaeth.

Bu yn hir iawn cyn credu nad ydoedd y 'ffeiriad yn treio gwneud *proselytes* o'r Ymneilltuwyr, ond o dipyn i beth daeth i ddeall fod Mr Maurice yn ormod o Gristion ac o ŵr bonheddig i wneud peth felly, a newidiodd Benja ei farn yn hollol am y 'ffeiriad ar ôl ei ymddygiad tuag at yr hen Sioni Llwyd. Os bu pagan erioed yr oedd Sioni yn un. Yr oedd yn byw gyda'i ferch, Mari, yn y Red Lion, tŷ tafarn pur isel yn ein pentref ni. Er ei fod wedi dilyn y moddion yn gyson am flynyddoedd, nid oedd ganddo yr un syniad am drefn iachawdwriaeth. Yr oedd yn disgwyl cael nefoedd ar ôl marw oherwydd na wnaeth ddrwg i neb ac hefyd, yn ôl ei eiriau ei hunan, 'am na chwarddes i 'rioed ar ben cripel!' Pan y tarawyd Sioni 'yn glaf o'r clefyd y bu efe farw ohono', aeth Benja Jones i ymweled ag ef ac i'w gynghori yn wyneb y cyfnewidiad mawr oedd o'i flaen. Yr oedd Sioni yn drwm iawn ei glywed ac, er fod Benja yn gweiddi â'i holl egni, nid oedd modd cael sylw yr hen frawd. Un prynhawn daeth Mr Maurice i'r tŷ a dywedodd Benja wrtho am ei helynt.

'Dyw e ddim yn barod, Mr Maurice bach, i gyfarfod â Duw; dyw e ddim wedi sylweddoli eto ei fod yn bechadur a bod rhaid iddo ymddiried yn haeddiant y Mab cyn y gallith e gael bywyd tragwyddol.'

'Sobor iawn, yn wir, Benjamin,' meddai Mr Maurice.

'Mae'n rhaid iddo gael teimlo ei berygl cyn croesi'r afon. Gadwch i fi dreio cwpwl o adnodau.'

Wedi bod wrthi am beth amser yn gweiddi adnodau adnabyddus, a'r hen ŵr yn gorwedd mor farwaidd ag erioed, yn ddisymwth, tynnodd Mr Maurice ei gôt a gorweddodd yn ei hyd ar y gwely yn ymyl y claf.

'Nawr Sioni, rhaid i chi wrando. Ody chi'n clywed yn llais i?'

'Dim, diolch i chi,' meddai'r hen ŵr yn sarrug, ''rych chi'n gweiddi yn 'y nghlustiau i. Llonydd sydd arna i eisiau'n wir, Mr Maurice.'

''Rych chi yn mynd i farw, Sioni,' meddai Mr Maurice yn ddifrifol, 'a do's dim llonydd i fod i chi, nes y byddwn i'n siŵr eich bod yn pwyso ar Iesu Grist.'

'Y dyn,' meddai Sioni, yn gynhyrfus, 'nes i ddrwg i neb erioed; ac am wneud sbri o bobol gloff, dyna bechod na buais i 'rioed yn euog ohono. Nid arna i'n wir mae'r bai fod Mari yn cadw tŷ tafarn. Mae Benja wedi bod yn ei dweud 'i yn arswydus, ond ar Mari mae'r bai, nid arna i. Gadwch i fi'n wir, Mr Maurice, mae blino tost arna i.'

'Yng gore te,' ebe Mr Maurice, 'cymrwch chi yr adnod fach yma gen i; dwedwch hi drosodd a throsodd yn eich cof. Fydda i yma bore fory i weld ydych chi'n ei chofio. Nawr, dyma hi,

'*Halt*, Mr Maurice, peidiwch chi rhoi dim o'r *Common Prayer* i fi nawr; mae Benja'n groes iawn i'r *Common Prayer*,' meddai Sioni yn gyfrwys.

Edrychodd Mr Maurice ar Benja ac yr oedd rhywbeth tebyg iawn i wên ar wyneb garw yr hen flaenor.

'Wel,' meddai Mr Maurice, yn heddychol iawn, 'peidiwch chi ofni, Sioni, feiddiwn i ddim rhoi dim ond y Beibl i hen Fethodist fel chi.' (Yr oedd Benja yn ocheneidio yn uchel). 'Nawr, te, dyma'r adnod. "Gwaed Iesu Grist, ei Fab Ef, sydd yn ein glanhau ni oddi wrth bob pechod." Nawr, mor gynted ag ydych chi yn gwybod yr adnod, dyna fi'n mynd.'

Adroddodd Sioni yr adnod drosodd lawer gwaith ac, ar y diwedd, yr oedd yn amlwg ei fod wedi ei dysgu, ac aeth Mr Maurice a Benja ymaith. Y diwrnod nesaf aeth y 'ffeiriad i'r Red Lion drachefn. Yr oedd Sioni yn esgus cysgu, ond deallodd fod Mr Maurice yn bwriadu aros hyd nes yr oedd yn effro a meddyliodd mai gwell fyddai ymostwng ar unwaith a dibennu gyda'r wers; ac adroddodd ei adnod yn gywir.

Tynnodd Mr Maurice ei gôt, gorweddodd yn ei ymyl a gwnaeth i Sioni ddysgu adnod newydd ac yna ffwrdd ag ef. Y dydd nesaf yr oedd Sioni wedi dyfeisio ffasiwn newydd i dreio ymlid ymaith y Person.

'Dim iws i chi ddŵad ymą, Mr Maurice,' meddai yn gwta, 'dydw i ddim yn deall *quavers* yr eglwys. Methodist ydw i, a dydw i ddim yn gweld yr un ffordd â chi ar bethau. Beth bynnag ddweda nhw amdana i, allan nhw byth ddweud 'y mod i 'rioed wedi gwneud dim *hands* gyda'r Eglwyswrs.'

'Da iawn,' meddai Mr Maurice yn fwynaidd, 'does dim eisiau i chi wneud gyda nhw Sioni, ond mae'n rhaid i chi wneud rhywbeth gyda Iesu Grist: os ydych chi yn penderfynu mynd i uffern, rwy'n penderfynu cwrdd â chi yn Nydd y Farn â chydwybod rydd. Nawr, adnod eto, Sioni.'

'Does dim ffordd i fynd yn drech na chi, Mr Maurice,' ebe Sioni, mewn tôn siomedig.

Am wythnosau lawer bu y 'ffeiriad yn ymweled bob dydd â Sioni a, phob tro yr elai, gadawai adnod rasol i weithio fel surdoes yng nghalon yr hen bechadur. Ar ôl tipyn daeth Sioni i edrych gyda phleser at ymweliadau Mr Maurice ac, yn raddol, daeth allan o'r tywyllwch i rywfaint o oleuni, digon fodd bynnag, i'w gynorthwyo i ymddiried yn haeddiant Iesu Grist.

Yr oedd ymddygiad Mr Maurice yn syndod mawr i Benja Jones. Yr oedd efe bob amser wedi coleddu syniad fod ein

’ffeiriad ni yn well na’r holl ’ffeiriadon eraill yng Nghymru. ‘Ond yn wir,’ meddai wrth Huw’r Crydd, ‘mae Mr Maurice yma yn un o’r plant, does dim dwywaith am hynny. Dyw e ddim yn eitha sownd ar bwnc etholedigaeth (drystiwn i damaid ohono ar hynny), ond mae e’n glir *uncommon* yn athrawiaeth yr Iawn. Shwt mae e’n leicio’r eglwys yna, rwy ddim yn deall; ond rwy’n credu y bydd yr Arglwydd yn madde hynny iddo.’

‘Bues i yn meddwl,’ meddai Huw, ‘fod llai o bwys, feallai, p’un ai Methodist neu Eglwyswr fyswn ni, ar ôl y cwbl; y peth pwysig yw ein bod yn dilyn ôl traed yr Iesu. Wyt ti’n cofio yr hen William Jones, y *driver*? Yr oedd e bob amser yn mynd â’r gwartheg trwy’r gogledd rhywfodd i’r Amwythig ac, oddi yno, ymlaen i Lundain. Yr oedd Styfin Tŷ’r Broga bob amser yn mynd â nhw trwy Gaerfyrddin a Henffordd ac, o fan hynny ymlaen, i Lundain! Yr oedd Styfin a Wil yn cwrdd yn y ddinas er bod nhw wedi cyrraedd yno trwy wahanol ffyrdd. Digon tebyg, Benja bach, fel’na fyddwn ni yn cyrraedd y Gaersalem fry; fydd neb eisiau gwybod pa un ai Eglwyswr, neu Fethodist, ncu Faptis ydyn ni, ond fc fyddan yn gwybod a ydym ni’n caru’r Gŵr fu ar Galfaria.’

‘Digon gwir, Huw,’ ebe Benja, ‘ond rhaid bod yn wyliadwrus iawn rhag ofn i ni fynd yn esgeulus o’r athrawiaeth. Mae eglwys heb gyffes ffydd gref fel peiriant heb ager; does dim grym ynddo i wneud gwaith.’

‘Wel,’ meddai Huw, ‘ro’n i bob amser yn meddwl fod yr ager yna yn debyg rhyfedd i waith Ysbryd Duw yn y galon, ond falle ti sy’n iawn, Benja.’

‘Mae’n rhaid i Ysbryd Duw gael gweithio drwy’r athrawiaethau yn yr eglwys,’ ebe Benja yn llym, ‘cofia, Huw, fod eglwys anwybodus yn siŵr o gwympo; ond mynnwch chi eglwys sydd wedi ei sylfaenu ar arfaethau Duw, mae yna rhywbeth yn barod i’r Ysbryd weithredu arno. Am Mr

Maurice, does dim amheuaeth nad yw yn un o'r teulu; mae delw y Mab arno. Mae e'n debyg iawn i Abeia, mab Jeroboam, yn byw yn dduwiol yng nghanol y llygredd, ond leiciwn i ddim dweud cymint am un Eglwyswr arall.'

Ar ôl y digwyddiad hwn, nid oedd wiw i neb feio Mr Maurice yng nghlyw Benja Jones; yr oedd y teiliwr yn barod i'w amddiffyn â'i fywyd, pe byddai raid.

Aeth si drwy'r gymdogaeth unwaith fod y 'ffeiriad yn gybydd. Hwyrach y mai ei gôt werdd a'i het ddi-siâp a roddodd gychwyniad i'r chwedl. Ar ôl tipyn o amser cyrhaeddodd y stori glustiau Benja Jones. Cymerodd y drafferth i olrhain yr hanes o un person i'r llall nes, ar y diwedd, y daeth o hyd i Beca Powell, yr hon oedd yn 'ffaelu cofio yn iawn pwy ddywedodd y stori wrthi'.

'Wel,' meddai Benja, 'rhaid i ti ddŵad gyda fi i'r Persondy, i adrodd yr hanes wrth Mr Maurice; mae'n rhaid i'r dyn gael siawns i glirio ei hunan. Wyddost ti ddim fod cybyddion yn cael eu rhestru gyda'r cymeriadau gwaethaf yn y Testament? Mae'r Apostol yn dweud yn gryf arswydus yn yr epistol cyntaf at y Corinthiaid, "Oni wyddoch chi na chaiff na lladron, na chybyddion, na meddwon," ac felly yn y blaen, "etifeddu teyrnas Dduw?" a chan dy fod ti wedi adrodd y stori, rhaid i ti gael sicrwydd pa un ai ydyw yn wir neu beidio ac, yna, rhaid i ti gymryd yr un drafferth i wasgaru y stori wir ag a gymrest ti i wasgaru y stori gelwyddog. Cofia di, peth ofnadwy yw dweud dim yn erbyn etholedigion yr Arglwydd.'

Nid oedd ffordd i anufuddhau i Benja ac, felly, aeth Beca druan gydag ef mewn ofn a dychryn i fyny i'r Persondy. Yn ymyl llidiart yr eglwys arhosodd Benja:

'Rwy'n meddwl, Beca, dy fod ti wedi edifarhau yn ddirfawr am dy gelwydd. Mi â i ymlaen i weled Mr Maurice. Cer di yn ôl nawr i dy dŷ a gofyn faddeuant gan yr Arglwydd.'

Nid oedd eisiau ail gynnig. Rhedodd Beca fel hydd tua'r

tŷ, rhoddodd y clo ar y drws ac, os na weddïodd hi y prynhawn hwnnw, mae'n siŵr iddi wylo dagrau edifeiriol iawn.

Byddai Benja yn myned i'r Persondy yn bur aml ym mlynyddoedd olaf ei fywyd. Byddai y ddau hen Gristion, oeddynt mor wahanol i'w gilydd ym mhob peth arall, yn un ar un pwnc: pwnc mawr effeithioldeb Iawn Calfaria. Rhywfodd yr oeddynt yn abl i basio dros y pynciau ar ba rai yr oeddynt yn ffaelu cytuno ac, felly, anfynych iawn y byddent yn anghydsynio. Nid oedd llyfrgell Mr Maurice yn plesio Benja.

'Mae'n gas meddwl,' meddai yn ddifrifol, un diwrnod, 'fod cymaint o ddynion segur wedi bod yn y byd yma. Does gen i fawr olwg ar Solomon ond, dan ddwyfol ysbrydoliaeth, dywedodd bethau call iawn weithie, a ddywedodd e ddim byd callach erioed na, "Nid oes diben ar wneuthur llyfrau lawer." Hwyrach mai bai mawr llyfrgell Mr Maurice, ym marn Benja, oedd y ffaith mai Saesoneg ac nid Cymraeg oedd y mwyafrif o'r llyfrau.

Ar ôl gwasanaethu yn ein plwyf ni am yn agos i ddeugain mlynedd rhoddodd Mr Maurice ei swydd i fyny ac aeth i fyw i Lundain. Bu llawer yn ei annog i ddilyn esiampl y mwyafrif o'r 'ffeiriadon, sef cyflogi curad a thalu iddo ryw swm o gyflog. Ond siglodd yr hen ŵr ei ben.

'Yr wy' i yn rhy hen i ennill cyflog a does dim synnwyr bod curad yn gwneud y gwaith a'r Person yn cymryd y tâl.'

Ar ôl iddo fyned ymaith, dihunodd y gymdogaeth i ddeall gwerth y dyn yr oeddynt wedi ei golli. Ar bob llaw clywech am ei weithredoedd caredig a dirodres. Un wraig weddw ar ôl y llall yn tystio am y cymorth yr oedd wedi ei dderbyn yn ei chaledi oddi wrth y 'ffeiriad. Tra yr oedd ei gyfeillion yn tybied ei fod yn cynilo arian erbyn ei henaint, yr oedd Mr Maurice yn eu defnyddio i leihau tlodi a thrueni yr ardal. Yr oedd wedi byw mor dawel yn ein plith, fel na ddarfu i ni ddeall mai un o dywysogion Duw ydoedd. Pan yr oedd cannoedd o filltiroedd rhyngom ag ef, yr oeddym yn abl i werthfawrogi ei fywyd syml, di-ffrwst ac i weled y gogoniant sydd mewn 'gwneuthur barn, a hoffi trugaredd, ac ymostwng i rodio gyda Duw.'

O bryd i bryd yr oedd hanes amdano yn cyrraedd y pentref (rhyw fân ffeithiau amdano), ond yr oedd yn bur hawdd llanw i fyny y gwagleoedd. Clywsom am gyfaill oedd wedi gadael cymynrodd iddo a'r modd y cofiodd Mr Maurice yn ddioed am nith dlawd yn Llundain oedd wedi ei gadael yn weddw â thwr o blant ganddi. Nid oedd y cymun yn ddigon i'w rannu a deallasom ar y diwedd y rheswm paham y gadawodd ein rheithor y pentref, ym mha le yr oedd wedi treulio cynifer o flynyddoedd hapus. Yr oedd yn dilyn esiampl ei Feistr, yr Hwn a ddaeth 'nid i'w wasanaethu, ond i wasanaethu.'

Clywsom amdano yn treulio prynhawn ei fywyd yng nghanol annhrefn ac aflerwch tŷ ei nith, tra yr oedd cysur a thangnefedd ei ddyddiau blaenorol o fewn ei gyrraedd, pe bai ond estyn ei law i'w cymeryd. Clywsom am ei amynedd yn dioddef anghyfleusterau beunyddiol, y rhai, wedi'r cwbl, ydynt anoddach i'w dioddef na llawer o helbulon trymach. Ond y mae un weithred o'i eiddo yn sefyll allan tu hwnt i bob peth arall ac yn coroni ei fywyd â choronbleth sancteiddrwydd. Daeth o hyd, rywfodd, i ferch Evan Glynfedw, yr hon oedd yn gwasanaethu yn Llundain. Yr oedd rhywbeth yn ei dull o siarad yn peri i'r 'ffeiriad deimlo nad oedd pob peth yn iawn yn ei hymddygiad. Nid oedd dim byd deniadol o gylch yr eneth ond yr oedd yn perchen ar enaid anfarwol a phenderfynodd Mr Maurice i'w hachub, er ei gwaethaf, trwy gymorth Duw. Am fisoedd lawer bu yn ei gwylio yn ddiarwybod iddi ond, pan yr edrychai fel yn syrthio i un brofedigaeth neu'r llall, byddai yr hen ŵr caredig yn ddigon agos ati i estyn llaw o gynhorthwy iddi. Un noswaith, yr oedd Catrin gyda nifer o ferched eraill yn sefyll tu allan i dŷ tafarn o gymeriad isel iawn. Yr oedd un oedd yn hynach yn gwneud ei gorau i ddenu y genethod difeddwl i fewn i'r ffau o annuwioldeb: yr oedd eu traed ar y trothwy; yr oeddynt ar fyned i fewn pan, yn ddisymwth, daeth Mr Maurice i fyny atynt. 'Catrin,' meddai yn dawel, 'peidiwch gwerthu eich genedigaeth-fraint am saig o fwyd; cofiwch eich mam gartre.' A throdd Catrin ymaith â'r dagrau yn ei llygaid; yr oedd wedi ei gorchfygu.

Ruth Tŷ Capel

Y mae Gwen, fy chwaer, yn hoff iawn o chwerthin ar fy mhen! Y mae hi yn meddwl y gallasai ysgrifennu hanes Llanestyn yn llawer gwell na myfi ac yr wyf fi, yn fy ffordd garedig arferol, yn awyddus iawn iddi wneud ymgais. Yr wyf yn gwybod y byddai yn dipyn haws ei boddloni wedyn. Does dim byd yn gwneud un yn fwy tyner fel beirniad na'r gwaith o ysgrifennu ei hunan. Ond pan yr wyf i yn treio cael gan Gwen i geisio ysgrifennu rhywbeth ei hun, y mae yn poeri yn y ffordd fwyaf dirmygus ar fy nghynigiad ac yn dweud yn sarrug, 'fod bywyd yn rhy fyr i'w ddefnyddio mewn ysgrifennu storïon ag y byddai yn llawn cystal bod neb yn gwybod dim amdanyn nhw.' Does gen i ddim i'w ddweud ar ôl hyn. Un diwrnod yn ddiweddar yr oedd Gwen yn edrych trwy focs sydd gennyf yn llawn o bapurau (yn nyddiau fy ieuenctid, yr oeddym yn ceisio cadw clo ar y bocs, ond does dim ffordd i gadw pethau ynghudd oddi wrth Gwen, does dim byd yn gysegredig yn ei golwg hi). 'Ifan,' meddai yn awdurdodol, 'Os wyt ti'n meddwl gwneud rhyw ddefnydd o'r papurau yma am Ruth Tŷ Capel, er mwyn popeth, sgrifenna dipyn erbyn y mis nesa, er mwyn i fi gael clirio yr annibendod yma; mae'r bocs yma yn rhy dda yn 'y ngolwg i, wir, i gael ei lanw gyda hen bapurau wâst fel hyn. Allwn i feddwl na chei di ddim llawer o waith sgrifennu, oherwydd mae digon o swmp yn y bwndel yma i wneud ysgrif hir; mi gostith ddwy geiniog trwy'r post.' (Fel yna y mae Gwen yn pwyso fy ngwaith i!).

'Wel,' meddwn i, 'falle galla i hela rheina at ei gilydd. Does dim eisiau dweud llawer am Ruth, gadael iddi hi.' 'Ie, ie,' meddai Gwen, 'gadael iddi sydd orau. Mi all Ruth ddweud digon drosti ei hunan, dydy hi dda i ddim ond i wneud sylwadau! Annwyl y byd! Y pethau y mae dynion yn barod i sgrifennu ac i ddarllen. O'm rhan i, welais i neb yn Llanestyn y leicsiwn i hela ei hanes i'r papurau ond Mr Williams, Y Garth. Does dim byd hynod wedi digwydd i neb arall. Nawr, cer at dy waith Ifan ac, fel rwyt ti'n dibennu gyda'r papurau, llosga nhw allan o'r ffordd.'

Gyda hyn o ragymadrodd, dyma fi yn dechrau ysgrifennu tipyn am yr hen wraig sydd yn byw yn Nhŷ Capel, Llanestyn. Mae ambell i ddynes i'w gweled nad yw byth yn myned yn hen (mae ei chalon yn rhy ifanc) ac y mae ambell i ddynes arall nas gellwch byth ddychmygu amdani fel gwraig ieuanc. Ac un o'r rheiny yw Ruth Tŷ Capel. Mae hi wedi bod yn rheoli yno am flynyddoedd lawer, er nad ydyw yn gallu symud rhyw lawer o'i chader yn ymyl y ffenest. Ond hi yw meistres y tŷ, er mai Harriet, ei merch, sydd yn gwneud y gwaith. Tebyg i'w thad, debygem, yw Harriet. Nid oes, fodd bynnag, yr un tebygolrwydd rhyngddi a'i mam. Creadures dawel, lonydd yw Harriet, mor ddiniwed â dafad ac mor ddifywyd (os rhaid dweud y gwir) â blocyn o bren! Mae hi yn hynod o lanwedd ac mae'r Tŷ Capel yn syndod o ddisglair; gallasech braidd fwyta eich bwyd oddi ar y llawr. Anaml iawn y mae Harriet yn siarad, ond rhywfodd y mae Ruth yn gwybod hanes y pentref a'r gymdogaeth yn drwyadl. Gellwch deimlo yn weddol siŵr y cewch chi glywed y peth diwethaf a ddigwyddodd oddi wrth yr hen wraig, er nad yw braidd yn symud o'i lle ond i fyned i'r capel ar y Sabboth. Ond y mae gan Ruth lygaid a chlustiau digymar ac y mae y rhai hyn yn gwneud gwaith da iddi. Y mae yn hoff iawn o gwmni ac y mae yn gweled y dydd yn hir iawn os na ddaw rhywun i'w gweled. Ac anfynych iawn y gellwch alw heibio'r tŷ capel heb gwrdd â dwy neu dair o'n gwragedd parchus ni. Lle rhyfeddol o dda ydyw i chi gael y siawns o glywed holl newyddion y gymdogaeth. Gan ei bod wedi treulio cynifer o flynyddoedd yn y Tŷ Capel, y mae Ruth yn cael ei hystyried yn dipyn o awdurdod ar bregethwyr. Pan y mae dyn ieuanc yn dod i Lanestyn ar brawf, mae Ruth yn edrych arno gyda llygad *expert* ac, ar ôl iddo fyned o'i golwg, rhydd ei barn: 'Does dim *jib* pregethwr gydag e,' meddai am un ac aeth y bachgen i lawr ym marn y rhai a'i clywsant ar unwaith.

'Weles i 'rioed shwt beth,' meddai am un arall, 'mae pob peth sydd yn dod yn agos at Watcyn y Glo yn mynd i dasto yr un fath ag e, yn union fel mae cylleth sydd wedi bod yn ymhel ag wniwns yn rhoi tast wniwns ar bob peth: mae blas Watcyn yn gryf ar bob gair sy'n dod o enau y crwt yna.' Ac, rhywfodd, ar ôl iddi hi ddweud hynny yr oedd pawb yn gweled y tebygolrwydd ac fe gollodd y bachgen bleidlais yr eglwys oherwydd hynny.

Un tro yr oedd dau efrydydd yn cysgu yn y Tŷ Capel, un yn pregethu yn Troed-y-rhiw a'r llall yn Llanestyn. Ar nos Sul meddyliodd y dyn ieuanc oedd yn pregethu gyda ni y byddai yn cael gan Ruth roddi ei barn arno fel pregethwr yng nghlyw ei frawd. Gŵr ifanc pur hunanol ydoedd y cyntaf ac nid ydoedd yn pryderu am feirniadaeth yr hen chwaer; yr oedd yn lled sicr y byddai yn ffafriol iawn iddo. 'Shwt gwnes i heddi, Ruth Thomas?' gofynnai yn ei ddull mwyaf mawreddog, gan roddi ei draed ar y pentan yng nghegin Ruth, 'rhoddwch eich barn yn awr i Mr Jones, yma, a pheidiwch ofni briwio fy nheimladau i.'

Edrychodd Ruth arno am funud.Nid oedd yn hoffi gweled dyn ieuanc dieithr mor gartrefol yn ei thŷ. Yr oedd y parlwr yn eiddo i'r pregethwyr, ond yr oedd hi yn ystyried mai ei chastell hi oedd y gegin; a phethau y byddai yn ofni eu dweud mewn lle cysegredig fel y parlwr, yr oedd yn beiddio eu dweud yn hyf yn ei chegin. 'Wel,' meddai yn araf, 'gan eich bod yn gofyn fel'na, rhaid i mi eich ateb fel 'rych chi am. Ro'n i'n gweld eich pregethau yn debyg iawn i'ch sgidiau: maen' nhw'n edrych yn o dda o'r pellter, ond does dim gwadna iddynt nhw; maen' nhw'n gwllwn dŵr yn druenus.'

'Rwy'n meddwl mai gwell i ni fynd i'r parlwr,' ebe y dyn ieuanc mewn tôn ddarostyngol iawn. Ni chlywais i'r brawd hwn ofyn barn Ruth ar un bregeth wedi hyn!

Fel y dywedais eisoes, yr oedd llawer iawn o bobl yn galw heibio i 'sbïo hynt' yr hen wraig. Byddai yn groesawgar iawn i'r mwyafrif ond yr oedd un peth nas gallsai ei oddef, sef meddwl fod rhywun yn dyfod i'r Tŷ Capel i dreio gwneud daioni iddi. Yr oedd Ruth yn barod iawn i roddi cyngor ond nid oedd yn barod i dderbyn cyngor na chyfarwyddyd. Yr oedd un wraig yn ein hardal ni, sef Mrs Edwards, Tŷ Gwyn yn pechu yn aml iawn yn y ffordd yma yn erbyn yr hen chwaer. Byddai yn dyfod i'w gweled ac yn traddodi pregeth iddi ar y ddyletswydd o fod yn ostyngedig ac amyneddgar; ac yr oedd gweled Mrs Edwards yn dyfod yn agos i'r tŷ yn cael yr un effaith ar Ruth ag y mae y brethyn coch yn gael ar darw. Yr oedd mor anodd iddi symud o'i lle, ac yr oedd yn orchwyl mor hir fel nad oedd modd dianc oddi wrth yr ymwelydd; ac yr oedd y ffaith yma yn flinder mawr iddi. 'Mam fach, peidiwch â bod mor annuwiol,' meddai Harriet wrthi rhyw ddiwrnod, 'mae Mrs Edwards yn dŵad i'ch gweld chi o garedigrwydd. Chware teg iddi, mae'n llawn o gydymdeimlad crefyddol.'

'Cydymdeimlad crefyddol, yn wir,' ebe Ruth yn grintachlyd, 'maen' nhw'n enwau sydd yn swnio yn grand iawn, do's dim dwywaith; ond dydy enw ddim yn gwneud gras yn fwy nag ydyw galw plentyn ar ôl rhyw bregethwr mawr yn ei wneud yn bregethwr. Dyna rwy'n deimlo gyda Mrs Edwards. Mae hi yn dŵad i'm gweld i 'o gydymdeimlad' (felly mae hi yn dweud) ac 'am mai Cristion yw hi', ond rwy'n galw peth fel yna yn rhagrith. Mae hi yn mynd gartre, mi wn, ac yn darllen y bumed bennod ar hugain o Fathew, ac yn croesi ei dwylo yn y ffordd sanctaidd yna sydd gyda hi ac yn dweud, "Diolch byth mai un o'r defaid ydw i; nid un o'r geifr, fel Ruth Tŷ Capel;" ac mae hi yn meddwl fod *chalk* yn cael ei roi gyferbyn â'i henw fyny fry am ddod i'm gweld! Wel, os oes, fe ddylsai fod dwy ar gyfer fy enw i am ei dioddef.'

'Mam, Mam,' ebe Harriet, 'dyna bethau cas 'rych chi yn ddweud; o'n i ddim yn meddwl eich bod mor galed.'

'Caled, ydw' i?' Wel fyset tithau yn galed hefyd, byset ti yn gorfod eiste yma trwy'r prynhawn a gwrando ar ddynes yn pregethu i ti am rinweddau nad yw hi yn gwybod dim amdanyn nhw ond eu henwau, a does dim ffordd mynd i gysgu, fel y gellwch chi yn y capel os bydd y pregethwr yn un diflas. Leicwn i weled dynes yn medru gadael i rywun gysgu pan y bydd arni hi eisiau siarad! Ond mae Mistres Edwards yn waeth na'r cyffredin; mae'n ymhél â'ch dwylo, neu eisiau symud y glustog arni, a'r tro cynta yr wy' i'n cael llonydd yw pan y mae hi yn dweud ffarwél.'

'Wel,' meddai Harriet, 'mae Peggy yn dipyn o bregethwr. Mae hi yn siarad am grefydd yr holl amser y bydd hi yma a dydych chi byth yn foddlon ei gweld hi yn mynd. Rwy'n siŵr fod ei thafod hi yn fwy miniog nag un Mrs Edwards.'

'Ody, ody,' ebe Ruth, 'mae hynna yn ddigon gwir, ond os oes eisiau torri brethyn, well gen i gael siswrn â min iddo (os bydd e, falle, yn torri'n llaw) na hen un fo'n treio ei ore i dorri, ond heb awch arno a'r brethyn yn rhyw rwygo otano fe. Mae Peggy yn dweud pethau siarp digynnig, ond 'rych ch'i'n gwybod wrthi mai pethau siarp sydd yn dŵad; ond am Mrs Edwards, mae hi mor smala ac mor dduwiol, allsech feddwl na allai menyn byth doddi yn ei genau, ac mi roddith ergyd i chi fydd yn eich bwrw i'r llawr fel pelen. Ond mae gen i rywbeth iddi hi erbyn y tro nesa.'

'O, Mam, yn wir cymrwch ofal,' meddai Harriet mewn dychryn.

'Does dim eisiau i'r oen ddysgu i'r ddafad sut mae pori,' ebe Ruth yn dawel.

Y tro nesaf y daeth Mrs Edwards i'w gweled yr oedd hen wraig Tŷ Capel yn bur llon ac yn hynod o groesawgar, yn gymaint felly fel y meddyliodd Harriet y gallsai hi fyned i'r pentref ar neges. Pan ddychwelodd yn ôl cafodd ei mam wrth ei hunan a gwên foddhaus ar ei gwyneb.

'Ble mae Mrs Edwards?' gofynnai Harriet mewn syndod, 'hi aeth ymaith yn glou iawn, allswn feddwl.'

'Do, hi aeth yn glou,' ebe Ruth yn dawel, 'Mae hi wedi mynd i Rhosllidiart i ymweled â Sarah.'

'Mam annwyl,' meddai Harriet mewn braw, 'mi aiff dros ei phen yn y ffos; dim ond pobol gyfarwydd â'r lle ddylse fynd ffor'na. Shwt na byse chi'n dweud wrthi fath le oedd yna?'

'Wel, i weud y gwir wrthot ti, fi helodd hi yno', ebe Ruth, 'gan fod arni gymaint eisiau gwneud gwaith cenhadol, ro'n i'n meddwl fod Sarah Rhosllidiart yn un dda iawn iddi dreio ei llaw arni; mi leicwn i yn fy nghalon i weld Sarah a Mrs Edwards gyferbyn a'i gilydd: dyna i ti *off* fydd hi!'

Yr oedd Sarah Rhosllidiart fel yr awgrymais eisoes, yn un o gymeriadau gwaethaf yr ardal: yr oedd yn enwog am ei gallu i drin pobl gyda'i thafod a'i dwylo, yr oedd mor gryfed â gwryw ac yr oedd pawb yn ffoi o'i blaen. Nid oedd Mrs Edwards yn gyfarwydd â hi, gan eu bod yn byw, y naill ym mhen uchaf y gymdogaeth, y llall ym mhen isaf yr ardal; ac yr oedd Ruth yn tybied y byddai awr o gymdeithas y greadures wyllt o Rhosllidiart yn gwella Mrs Edwards o bob tuedd genhadol. Ni chlywais yn iawn sut y bu pethau rhwng y ddwy. Yr oedd llawer o wahanol hanesion yn cael eu gwasgar am yr ymweliad. Fy marn bersonol ydyw, na fu yn hollol foddhaol i ysbryd gwraig y Tŷ Gwyn, oherwydd ni chlywodd neb mohoni yn cyfeirio at yr amser y bu yn Rhosllidiart. Beth bynnag am hynny, fe aeth rhai misoedd heibio cyn iddi dalu ymweliad â'r Tŷ Capel ar ôl y prynhawn hwnnw ac yr oedd Ruth yn edrych yn ôl gyda boddhad mawr at ei gwaith.

Ond y mae yn ddiamheuol mai hoff waith Ruth oedd disgrifio pregethwyr. Yr oedd yn ei helfen pan yn cael cyfleustra i dynnu ei llinyn mesur o amgylch y gweinidogion. 'Oes, oes,' meddai un tro, 'mae pob math o ferched yn dod yma i "gadw'r mis" ac mae pob math o bregethwyr yn dod yma hefyd. Mae rhywbeth digon tebyg i'w gilydd ynddyn nhw. Dyna i chi Betsy Jones, y Dyffryn: mae hi yn dŵad â phedair cymaint o fwyd ag sydd eisiau. Wrth y whilber mae Betsy yn leicio pwyso pethau at iws y Tŷ Cwrdd; bysech chi yn gweld y tatws, a'r bara, a'r menyn, a'r hufen (dydw i yn ddim yn meddwl fod diferyn o laeth yn cael dŵad yma byth o'r Dyffryn) sy'n dŵad bob nos Sadwrn pan mae Betsy yn cadw'r mis; y pethau gorau sydd gyda hi, a chyflawnder o rheiny. A dydd Sul dyna sy yn ei phoeni hi, bod y Tŷ Capel mor fach; mi leica hi yn ei chalon roi bwyd i bob un sydd yn gwrando, a does *dim posib* bwyta digon i'w phlesio hi. Wel, mae rhai pregethwyr fel'na; nid yn y pulpud yn unig maen' nhw'n bwydo y bobol, ond maen' nhw wedi dŵad â shwt stôr fawr gyda nhw, maen' nhw wrthi yn rhoi tamed i bob un ddaw'n agos atyn nhw. Gofyn i'r merched yn ddistaw bach, "Ydych chi'n meddwl rhywbeth am Iesu Grist, 'ngeneth i? Mae Ef yn meddwl llawer amdanoch chi. Raid i chi ddarllen y cwbl a allwch amdano Fe." Dyna i chi fwyd fydd yn aros yng ngenau rheina trwy'r wythnos.

Wedyn dyna Sali, Cae-tanner yn dŵad i gadw'r mis: mewn macyn poced mae hi yn cario pethau fynycha a mae hi yn gwybod i'r daten faint sy eisiau; mae hi yn dŵad â thamed bitw bach o gig, digon i'r pregethwr ac i neb arall. Bysech chi'n gweld ei gwyneb hi pan mae un o'r blaenoriaid yn sefyll ar ôl; mae e'n ddigon i suro llaethdai yr holl ardal a does dim hwyl ar ddim trwy'r dydd. "Rwy'n barod i bar'toi i'r pregethwr, ond nid bwydo cymdogion yw'm gwaith i," meddai. Ac mae ambell i bregethwr, mae e'n eitha yn y pulpud ond gwae chi os gofynnwch iddo am air o gyngor neu o gyfarwyddyd; mae e cystal â dweud wrthoch chi, "Pregethwr ydw i, a rhaid i chi beidio'm distyrbio i â pethau eraill; mi rodda i ddwy bregeth i chi a dyna'r cwbl rwy'n meddwl roi i chi."

Mae Gwen y Pannwr yn dŵad ata i bob dydd Llun, cyn y bydd hi yn dechrau cadw'r mis, i ofyn a ydw i yn cofio beth ma'r pregethwr sydd i fod yma dydd Sul yn leicio orau. Mae rhai ohonyn nhw yn rhai rhyfedd i'w plesio (druain o'u gwragedd, ddweda i!): fytan nhw ddim cig llo na chig moch ac os bydd rhai o rheiny i fod yma yn ystod mis Gwen, mi fydd hi yn barod i hela'r holl ffordd i Trebeynon i geisio tipyn o gig llwdwn, neu rhwybeth cyffelyb; ond go ychydig sydd fel'na.

Dyna Beti Rholant, os na chymrith y pregethwr beth mae hi wedi baratoi, rhyngddo fe a'i fusnes; chynigia hi ddim cwpaned o de iddo, na dim byd arall. Ac mi gewch bregethwyr fel'na; mi ofynnan i fi nos Sadwrn os buodd llawer o gladdu yma yn ddiweddar, neu os daeth rhai at grefydd yn ddiweddar, neu os oes rhai o dan ddisgyblaeth, neu rhai yn sâl; ac mi gofith amdanyn nhw i gyd yn ei weddi bore Sul. Anghofia i byth am Mr Jones, Capel Gwyn yn gweddïo dros "bobl ifanc a ddichon fod yn yr oedfa sydd, fealle, yn dechrau eu bywyd priodasol." Ro'n i wedi dweud wrtho am waith Noa Shincyn yn priodi y ferch yna o Lanfor; rwy'n credu mai'r weddi yna fu yn achlysur ei thröedigaeth hi. Clywais hi yn dweud nad anghofiodd hi byth mohono ac na byse hi ddim wedi bod mor ffyddlon i'r cyfarfodydd oni bai am beth wedodd Mr Jones yn ei weddi; ac i'r Arglwydd gynorthwyo pob pâr ieuanc i fod yn help un i'r llall. Ond mae rhai pregethwyr fel Beti Rholant: newidian nhw ddim o'u pregeth na dim arall, beth bynnag sydd wedi cymeryd lle yn yr ardal.

'Mam fach,' ebe Harriet, 'dyna siarad 'ych chi. Mi fyddwn yma hyd hanner nos, os ewch chi dros bob pregethwr sy'n dod yma.'

'Na fyddwn, mawr yw'r piti,' meddai Ruth mewn atebiad, 'maen' nhw'n rhy debyg i'w gilydd; dyna'r diffyg mawr ydw i yn weld ar y pregethwyr nawr. Os gwelwch chi un, 'rych chi wedi gweld y rhan fwyaf ohonynt. Slawer dydd, prynu rhyw un cwpan a saser ar y tro roedd pobl ac, erbyn cael digon i'r teulu, ro'n nhw i gyd yn wahanol a phob un yn cadw at ei gwpan a saser ei hunan. Nawr mae pob peth yn wahanol; "sets" o lestri te sy mhob man a phob cwpan yn union fel y llall. 'Roswch chi. Beth ma'r bachgen yna, Wil Bryan, yn ddweud yn *Rhys Lewis*, bod y pregethwrs fel *postage stamps*, onide? Wel dydw i ddim yn gyfarwydd â'r stamps (buais i 'rioed yn derbyn llythyrau) ond roedd y bachan yn dweud yn eitha gwir. Maen' nhw'n arswydus o debyg i'w gilydd.'

'I bwy mae 'Zeciel, Aber-nant yn debyg?' gofynnes i mewn difyrrwch, oherwydd tyb gyffredin y sir ydoedd ei fod yn ddyn ar ei ben ei hunan.

'O 'r annwyl!' meddai Ruth, 'Mae hwnna fel y grefi fflŵr mae Kate Simon yn baratoi gyda chino. Does blas dim byd arno, ond mae hi yn rhoi lliw coch arno; does neb yn gwybod yn iawn beth mae hi yn rhoi yn y grefi i wneud y lliw a does neb welais i wedi gweld grefi yn debyg iddo yn unrhyw le. Ond rwy'n dweud wrthyn nhw am beidio treio ei ddeall e; mae e'n rhy ddiflas i neb i'w mofyn a dim ond lliw od sydd iddo yn y diwedd. Dyna shwt un yn gywir yw Edwart 'Zeciel: mae *quavers* nodedig gydag e, ond stwff digon cyffredin sy o dan y *quavers*.'

Daeth boneddiges i fyw i Rhos-y-llan un haf, dynes grefyddol iawn ac yn boblogaidd iawn gyda phawb hefyd. Byddai Mrs Prys yn dyfod ambell i waith i weled Ruth ac yn cael difyrrwch mawr wrth wrando arni yn beirniadu byd ac eglwys.

'Mae ysbryd crefyddol *noble* yn honna,' ebe Ruth am Mrs Prys, 'ond fe fyse'n dda gen i byse hi yn adrodd adnod o'r Beibl weithie, yn lle dweud pethau mewn dull newydd ag y mae yr Ysbryd Glân wedi ddweud o'r blaen gymaint yn well.'

'Mae'r Arglwydd yn dda iawn,' meddai Mrs Prys, un diwrnod, 'yn ein goddef ni, greaduriaid mor wael, ar ei ddaear; mor ychydig yr ydym yn wneud trosto.'

'Ie, ie,' meddai Ruth, 'mae gyda'r Arglwydd liaws o bob math o ganlynwyr, mae'n anodd gweld beth wnaiff E â nhw i gyd. Mae yna rai, chymran nhw ddim *orders*, ond mi wnan' beth mawr o waith er mwyn ei enw Ef ac, er bod llawer ohono yn mynd yn wastraff, mae e'n drugarog iawn ac yn rhoi *credit* iddyn nhw am y tamed bach o ddaioni maen' nhw wedi wneud. Wedyn mae rhai yn ddigon parod i gymryd *orders* oddi wrth yr Arglwydd ac yna yn gwneud i bobol eraill eu cario allan. Ac mae rhai, does dim gwaith ynddyn nhw, ond rhoddwch nhw i eiste lawr rhywle ac mi siaradan yn hwylus am ddaioni yr Arglwydd, ac maen' nhw'n gwneud lles hefyd, ydyn yn siŵr, rwy'n eu nabod yn dda a dynion da ydyn nhw, does dim dwywaith. Ond peidiwch ceisio cael gyda nhw weithio, dyw e ond gwastraff amser i fynd atyn nhw am waith; bysen nhw yn y winllan am fil o flynyddoedd, ddysgen nhw byth shwt i drin arfau; ond mae e'n rhywbeth i gael dyn i siarad yn dda am wlad yr addewid; dyn sydd wedi profi grawnwin Escol ac yn barod i ddweud wrth y byd fod ychydig ohonyn nhw yn well nag afalau Sodom i gyd gyda'i gilydd.'

'I bwy ddosbarth ydw i yn perthyn?' gofynnai Mrs Prys yn sobr.

'Arglwydd y winllan sydd i ddweud hynna wrthych chi *ma'am*, nid un o'r creaduriaid sy'n sefyll wrth ymyl y ffos,' meddai Ruth ar unwaith.

Yr oedd un pregethwr yn hoff iawn o ddod i Lanestyn, flynyddoedd yn ôl, i ddwyn i'r golwg yn ei bregethau anghysonderau y Beibl; byddai wrthi ą'i holl egni yn gwneud ei orau i glirio yr anawsterau, ac yn ddieithriad, yn llwyddo i ddallu ei gynulleidfa yn lle eu goleuo.

'Un da digynnig yw e am gawlio pethau,' meddai Ruth, 'mi dynnith y cwbl o'i le; y peth mawr yw cael rhywun wrth law i roi'r pethau nôl yn iawn. Un drwg tost yw e, druan, i dreio rhoi pethau yn glir; maen' nhw'n mynd yn bob siâp o dan ei ddwylo. Ond cofia, nid pawb sy'n gallu rhoi pethau mewn ffordd i rywun arall eu glanhau; mae e'n gallu gwneud hynny. Gwelais i ambell i groten yn ceisio sgubo, heb symud dim o'u lle, a byddai'r cwbl yn llawn llwch ar ei hôl a dengwaith gymaint o waith â phe byse hi wedi symud y pethau maes o'u lle cyn dechrau. Nawr un campus yw Mistir Tomos i roi'r adnod yn barod i rywun arall ei 'sbonio; un di-ail yw e i weld anawsterau'r Beibl, ond druan ohono pan mae e'n mynd i geisio 'sbonio; mae'r cwbl yn diflannu o'i ddwylo.'

Byddai Ruth yn ddig iawn wrth ambell i bregethwr am fod yn ddiog ac, os gallai ei ddenu i'r gegin, byddai yn siŵr o ddweud ei meddwl wrtho. Bu Andreas Piters yn pallu dyfod i Lanestyn am rhyw ddwy flynedd oherwydd iddo gael ei insyltio gan wraig y Tŷ Capel. Aeth Isaac Robert ati â golwg difrifol ar ei wyneb a gofynnodd:

'Beth yw hyn yr wy' i yn glywed amdanat, Ruth, dy fod wedi bod yn euog o siarad yn ysgafn am un o weision yr Arglwydd? Mae Llanestyn wedi arfer bod yn lle enwog fel cartref i bregethwyr, ond mae Mr Andreas Piters yn tynnu'n ôl ei Sabothau am y flwyddyn.'

'Wel, wel,' ebe Ruth, 'dyna dda sy gen i glywed hynna, Isaac Roberts. Mae gobaith am y crwt yna, oes yn wir, mi roddes i bilsen yn ei fwyd a mi llyncodd e; gewch chi weld y daw e'n rhywbeth eto.'

'Beth wedsoch chi wrtho?' gofynnai Isaac.

'O, gofynnwch chi iddo fe, Isaac Roberts; dyw'r doctoriaid byth yn gweud pwy foddion maen' nhw'n roi i gleifion eraill. Os oes eisiau tipyn o *physic* arnoch chi, dwedwch y gair, mae gen i ddigon yn barod fydd yn eich siwtio i'r dim.'

'Dim, diolch i chi, Ruth Thomas,' meddai Isaac, gan frasgamu at y drws.

'Does dim ots gen i weud wrthyt ti, Ifan, be ddwedes i wrth y bachgen yna, Andreas Piters, os wyt ti'n leicio; ond paid cymeryd arnat o flaen Isaac dy fod yn gwybod. Bachgen a digon yn ei ben yw Andreas, ond fod diogi bron â'i fwyta yn grwn, a'r cwbl ddwedes i wrtho oedd fod pregethau rhai pobol fel y te mae Mali'r Croncfach yn wneud: mae hi yn gweud y gallith hi wneud digon o de i saith o bobol ag un llwyed o de, ond hi yw'r unig un sydd yn meddwl mai te yw e. Dyna'r cwbl ddwedes i. Yn wir, i ti Ifan, allwn i ddim help os gwnaeth y bachgen gochi. Doedd dim ryw lawer o ddrwg gwneud rhyw sylw bach diniwed fel'na; arno fe ei hunan oedd y bai os oedd e'n gweld ei fod yn ei siwtio.'

'Ifan,' ebe Gwen wrth fy ymyl, 'rwyt ti wedi llanw digon o bapur, fe gostith dipyn i hela'r holl beth hyn trwy'r post; ac mae'n bryd i ti siarad a meddwl am rhywbeth mwy adeiladol, yn ôl fy marn i, na Ruth Tŷ Capel.'

Felly, am fy mod yn ddyn gostyngedig, ac hefyd am fy mod o dan awdurdod, rhaid i mi adael yr hen chwaer Ruth yn y fan yma.

Y Diwygiad ym Mhentre Alun (1907)

Gwen fy Chwaer

Mis yn ôl, dywedodd Gwen wrth Mam a finnau ei bod yn bwriadu myned i Lundain am dro i aros gyda Sarah Ann Price, yr hon a erfyniai arni ddyfod i'w gweled.

'Mi rof fi'r cwbl mewn trefn i chi fynd ymlaen,' meddai, 'cyn ymadael ac rwy i am i Ifan ysgrifennu i lawr ar bapur, a'i osod ar mantlpis y gegin, y pethau sydd raid eu cofio bob dydd tra bydda i i ffwrdd.'

Chwarddodd Mam a dywedodd wrth Gwen ei bod hi, 'wedi cadw tŷ cyn ei geni hi.'

'Mae hynna yn ddigon gwir,' meddai Gwen yn sobr, 'ond chadwoch chi ddim llawer o dŷ ar ôl hynny, ac mae tipyn o oedran arna i nawr, gwaetha'r modd, fel 'rych chi'n gwybod.'

Felly, cafodd Gwen ei ffordd ac ysgrifennais bapur hirfaith yn cynnwys rhestr o'r dyletswyddau oedd i syrthio i ran Mam a finnau. Gallech feddwl, wrth wrando ar Gwen, y byddai ein byd yn ffaelu troi os byddai gorchwyl pwysig fel golchi yn cael ei ohirio hyd ddydd Mawrth!

'Dydd Llun yw'r diwrnod i olchi,' meddai Gwen yn awdurdodol, 'a chofia roi i lawr ar y papur fod y tân i gael ei osod o dan y pair yn y bore bach, neu bydd popeth o chwith.'

'Ifan bach,' meddai Mam, pan yr oedd cefn Gwen arnom, 'does dim eisiau i ti ffwdanu rhyw lawer, bydd Gwen yn ôl 'mhen wythnos. Cei di weld nad erys hi ddim yn Llundain dros un dydd Sul. Bydd yn meddwl fod y cwbl yn mynd yn yfflon yma hebddi; mae'n siŵr o ddod yn ôl ar unwaith.'

'Dydw i ddim yn deall sut mae hi yn foddlon mynd mor bell,' ebwn innau, 'rhywbeth sydyn iawn yw hwn sydd wedi taro yn ei phen, allaswn i feddwl; wyddwn i ddim o'r blaen fod rhyw gyfeillgarwch mawr iawn rhwng Gwen a Sarah Ann Price, ond tebyg fod.'

'Mae rhywbeth wedi bod yn blino Gwen ers amser bellach.

Wn i yn y byd beth, un dawel iawn yw'r groten. Does ffordd cael gair ohoni os na fydd hi yn gweld yn dda i ymddiried ynoch. Mi wnaiff newid aer les iddi, mae'n gweithio mor galed.'

'Wel,' ebe fi, 'arni hi mae'r bai. Does neb eisiau iddi hi ladd ei hunan, ond mae Gwen yn ystyried fod rhyw rinwedd mewn treio gwneud gwaith hanner dwsin.'

'Mae hi yn dda iawn i ti a finnau ac yn gwneud llawer o waith ddylsem ni ei wneud,' meddai Mam yn llym, 'fu erioed well merch na Gwen yn y byd.'

Y bore y cychwynnodd Gwen i Lundain cododd yn gynnar iawn. Rhywfodd yr o'n i'n ffaelu cysgu y bore hwnnw ac, felly, mewn rhyw awr ar ôl i Gwen godi, codais innau. Nid oedd fy chwaer yn y gegin, nac ychwaith yn y parlwr, a sylwais fod drws y tŷ yn agored. Euthum allan i'r cyntedd cyfagos ac edrychais o'm cwmpas. Nid oedd neb i'w weled yn un lle. Yr oedd drws y beudy heb ei gau ac, heb fod gennyf reswm neilltuol am wneud hynny, euthum at y lle ac yn ddisymwth clywais sŵn tebyg, yr oeddwn i yn tybied, i gri rhyw anifail mewn poen. Edrychais i fewn ac yno, yn y bing tu ôl i'r beudy, gwelais Gwen yn gorwedd yn y gwellt, ei gwyneb yn ei ffedog, yn wylo, fel pe buasai ei chalon bron â thorri! Sefais am funud, heb wybod pa beth i'w wneud. Yr oeddym yn siŵr y buasai yn well gan Gwen farw (bron) na meddwl fod rhywun wedi ei gweled yn crio! Felly, penderfynais beidio cymeryd arnaf fy mod wedi sylwi arni. Euthum yn fy ôl i'r tŷ a dechreuais baratoi brecwast gore gallwn i ac, yng nghanol y gorchwyl, daeth Gwen i fewn. Yr oedd wedi sychu ymaith olion y dagrau ac edrychodd yn syn iawn arnaf yn gosod y llian ar y bwrdd.

'Gad lonydd i beth fel yna,' ebe yn gynhyrfus. 'Os oes rhywbeth yr wyf yn gasáu yn fwy na pheth arall, gweld gwryw yn treio gwneud gwaith menyw yw hynny. Dyna lian i'w roi ar y ford! Rwy'n cadw hwnna at roi dros y badell pan mae'r toes yn codi.'

Gwelais fod Gwen yn eithaf hapus yng nghanol y ffwdan o baratoi bwyd ac, felly, gadewais hi ac euthum i'r ystafell arall. Am wyth o'r gloch cychwynnodd Gwen ar ei thaith i Lundain. Yr oedd Morgan William yn mynd i Drefeity y bore hwnnw ac wedi addo cyrchu fy chwaer tua'r orsaf.

Yr oedd y tŷ yn edrych yn rhyfedd iawn heb Gwen ond, ar y cyntaf, yr wyf bron â meddwl fod tuedd yn Mam a finnau i deimlo fel plant wedi eu gollwng allan o'r ysgol! Doedd dim deddfau i fod yn ein tŷ ni tra y byddai Gwen o gartref; dyna'r penderfyniad cyntaf! Er yr amser yr wyf yn cofio gyntaf, Mam oedd fy ffrind a'm cyfeilles. Nid oes cof gennyf amdanaf fy hun yn iach; creadur gwannaidd, hanner marw wyf wedi bod ar hyd fy oes ac y mae Mam wedi bod yn bopeth i mi. Bu farw fy nhad pan yr oeddwn i yn rhy ieuanc i'w gofio. Gadawodd y fferm fechan yma i Mam, ac arni yr ydym ni wedi byw er hynny. Clywais y cymdogion yn adrodd y darfu fy nhad alw Gwen at erchwyn ei wely marw a dweud wrthi, 'Cofia ofalu amdanyn nhw, mae dy fam yn rhy wannaidd i weithio; ti yw'r *mab* henaf.' Ac yn lle crio fel merched eraill, dywedodd Gwen yn glir, 'Peidiwch ofni, 'Nhad, mi ofalaf amdanyn nhw *hyd angau.*'

Yr oedd Gwen flynyddoedd yn hŷn na myfi a buais i am amser maith yn tybied ei bod yn hŷn na Mam! (Yr oedd hi felly ym mhob peth ond blynyddoedd.) Gyda phobl ieuanc yr oedd Mam yn hoffi bod. Yr oedd hi yn cymeryd diddordeb anghyffredin yng ngharwriaeth pob pâr ieuanc yn y gymdogaeth, a ryfeddwn i ddim nad ydoedd hi yn gwybod mwy na neb arall am helbulon caru bechgyn a genethod Llanestyn. Peth hawdd iawn oedd ymddiried yn Mam. Yn un peth yr oeddych yn gwybod, cyn dechrau eich stori, ei bod hi yn llawn cydymdeimlad a thosturi. Myned trwy y byd i ysgafnhau rhywfaint o faich dynolryw, i dywallt balm i glwyfau y trueiniaid oeddynt yn dioddef oedd rhan etholedig Mam mewn bywyd. Am Gwen, ei rhan etholedig hi oedd gweled dyletswyddau pobl yn glir iawn o'i blaen. Ac yr oedd yn gwneud iddynt hwy eu gweled hefyd! Yr oedd Dic Tŷ Hen yn hoff o'i galw 'Y Deg Gorchymyn,' tra yr oedd Mam yn cael ei hadnabod ganddo fel 'Pennod y Gwynfydau.' Ond nid oedd Gwen yn gweled dyletswydd unrhyw un yn gliriach na'i dyletswydd ei hunan. Os bu rhywun erioed yn gaethferch i'w chydwybod, Gwen oedd honno. Bûm yn meddwl lawer gwaith fod gweled peth yn anodd ac yn gas i'w wneud yn rheswm digonol gan Gwen dros ei wneud! Yr oedd hi yn dueddol iawn i gredu fod yr Arglwydd yn hoffi cael gan ei blant groeshoelio eu hunain ym mhob gorchwyl; a llawer gwaith bu dadl gref rhyngddi hi a Mam ar y pwnc hwn.

Un tro, yr wyf yn cofio, yr oedd eisiau athro yn ysgol y plant yng nghapel Llanestyn. Nid oedd neb yn rhyw barod iawn i ymgymeryd â'r gwaith oherwydd yr oedd ieuenctid ein pentref ni, mae'n ddrwg gennyf ddweud, yn enwog am eu drygioni ac anodd iawn oedd cadw trefn arnynt. Os oedd rhywun yn y capel yn fwy analluog na neb arall i ymgymeryd â'r gwaith o fod yn athrawes ar blant, Gwen, fy chwaer, oedd honno. Yr oedd hi yn gwybod cystal â neb nad ydoedd yn deall plant. Nid ydoedd yn perchen un cymhwyster at y gwaith oherwydd, yn un peth, nid oedd yn hoff o blant; edrychai arnynt yn unig fel rhyw greaduriaid bach anniddig iawn ag yr oedd yn rhaid eu dioddef, oherwydd yn y dyfodol buasent, hwyrach, o ryw ddefnydd yn y byd a'r eglwys. Nid oedd y syniad o brydferthwch plentyn erioed wedi gwawrio ar Gwen. Plentyn hen ffasiwn, fuasai yn dynwared pobl mewn oed, oedd dychymyg Gwen o 'greadur bach annwyl'. Ac eto, pan yr oedd pawb yn pallu myned i ddysgu y plant ar yr adeg yr wyf yn sôn amdano, cynigiodd Gwen ar unwaith fyned; ac am fisoedd lawer, bu yno yn chwysu yn eu plith ac, er ei holl ymdrech, yn ffaelu cael ganddynt wrando am funud arni! Yn awr, yr oedd Miriam Dafis, merch y crydd, yn un nodedig gyda phlant; gallasai adrodd hanesyn o'r Beibl wrthynt gyda'r fath fywiogrwydd nes peri i'r rhai mwyaf drygionus anghofio chware ac eistedd yn llonydd â'u llygaid ar y llefarydd. Ond yr oedd Miriam yn rhy ddiog i fyned at y plant bob Saboth; yr oedd yn dipyn hawddach iddi fod yn ddisgybl yn nosbarth Joseph Parri, ym mha le, yn wir, yr oedd calon Gwen. Bûm yn treio perswadio fy chwaer i roddi i fyny ddosbarth y plant ac erfyn ar Miriam fyned atynt yn ei lle. Ceisiais alw ei sylw at y ffaith nad ydoedd cadw plentyn yn llonydd yn yr ysgol fawr o ennill os nad oedd yn dysgu rhywbeth yno. Nid oedd Gwen yn credu yr athrawiaeth yna. Yr oedd ganddi syniad mai'r unig beth allasech ddisgwyl oddi wrth blentyn oedd peidio siarad a pheidio aflonyddu yn nhŷ Duw, a'r unig beth yr oedd Gwen yn treio ei wneud yn festri y plant oedd eu cadw yn weddol o ddistaw ac, i wneud hyn, yr oedd wrthi yn rhedeg nôl ac ymlaen trwy'r prynhawn ac yn dyfod o'r ysgol yn fwy blinedig na phe buasai wedi bod wrthi yn nithio am ddiwrnod. Yr oedd gwrando ar Joseph Parri yn esbonio y wers yn hapusrwydd mawr iddi ac, am hynny, credai nad oedd hawl ganddi i fod yn y dosbarth ac, am fod treulio awr a hanner gyda'r plant yn waith mwy annymunol iddi na cheisio torri cerrig ar yr heol, teimlai yn bur siŵr mai dyna oedd y gorchwyl yr oedd Duw am iddi ymgymeryd ag ef.

Rhyw ddiwrnod neu ddau ar ôl iddi fyned i Lundain, anfonodd Gwen lythyr atom i ddweud ei bod wedi cyrraedd y ddinas yn ddiogel a'i bod 'yn brysur iawn fel arfer' ac, am hynny, nid oeddym i ddisgwyl cael clywed oddi wrthi ond yn achlysurol.

'Beth yn y byd y mae Gwen wedi ei gael i'w wneud yn Llundain?' gofynnwn i Mam.

'O,' ebe hithau, gan wenu, 'wyt ti ddim yn nabod Gwen eto, fachgen? Cyn iddi fod hanner awr yn nhŷ Sarah Ann yr oedd hi wedi gweld cant o bethau oedd eisiau eu trefnu: rhywbeth fan yma eisiau ei wnïo, rhywbeth fan draw eisiau hoelen, neu rhyw lestr eisiau tipyn o gywiro. Annwyl y byd! Y mae Gwen wrth ei bodd os oes yna ddigon o waith i'w wneud yno ac, mor gynted ag y dibennith y gwaith, fydd dim posib ei chadw yn Llundain ddiwrnod yn hwy, bydd eisiau dod yn ôl gartre arni.'

Ond aeth tair wythnos heibio ac, er fod Gwen wedi ysgrifennu ddwywaith, nid oedd gair o sôn yn y llythyrau am ddychwelyd gartref. Yr oedd pethau yn myned ymlaen yn dda iawn o dan ein cronglwyd ni, yr oedd cyfnither i mi wedi dyfod i roddi tipyn o gymorth i Mam ac, ar y cyfan, yr oeddym yn hapus iawn, er fod hiraeth arnom yn bur aml ar ôl Gwen. 'Mae shwt ben gyda hi, mae'n cofio popeth,' meddai Mam yn wylofus, pan, hwyrach, wrth eistedd i lawr i fwyta swper, yr oeddym yn cael fod y dorth olaf bron â darfod a dim burum yn y tŷ i osod y toes i godi.

Nos Fercher diwethaf daeth Joseph Parri heibio ein tŷ ni. 'Rwy'n mynd gyda'r sgyrsion i Lundain nos Wener nesa,' meddai, 'byddwn yno am dri diwrnod ac, os oes gyda chi ryw neges i hela at Gwen, mi â i ag e.'

'Dwedwch wrthi,' meddai Mam, 'i droi ei gwyneb gartre cyn bo hir, ond iddi beidio becso amdanom ni; mae popeth yn mynd ymlaen yn iawn yma, ond fod ei lle hi yn wag iawn a bod tipyn o hiraeth arnom ar ei hôl hi. Leiciwn i iddi aros wythnos eto, os yw hi wrth ei bodd, ond dwed wrthi, Joseph, i gofio mai un corff fydd iddi, ac iddi beidio meddwl gall hi wneud holl waith y byd ag un pâr o ddwylo.'

'Mi ddweda i y cwbl wrthi,' ebe Joseph, 'ac mi 'drycha i fewn yma tua nos Fercher nesa i ddweud sut y bydd Gwen yn edrych.'

'Mi ddylswn hela basgeded o rywbeth i Sarah Ann,' meddai Mam, 'fyddai'n anodd gennyt ti gario ychydig o bethau mewn basged *fach*?'

'Na fyddai,' ebe Joseph, 'os gallwch chi roi basged fach, fuase'n haws gen i gredu mai basged go fawr fyddwch chi yn hela bob tro y cewch chi siawns.'

'Rwyt ti'n eitha iawn,' ebe fi, 'fydd yma ddim un wy, a'r tamaid bach lleiaf o fenyn bore dydd Sadwrn; bydd y cwbl wedi ei glirio i Lundain'.

Yr oedd gan Joseph fraich gref ac, felly, ni ddywedodd ddim am bwysau y fasged pan y galwodd i'w mofyn ddydd Gwener! Yr oedd Mam yn rhyw hanner disgwyl llythyr oddi wrth Gwen ar ddydd Llun; yr oedd yn meddwl y byddai gweled Joseph yn siŵr o'i symbylu i ysgrifennu, ond nid oedd gair oddi wrthi, ac yr oeddwn i yn tybied mai'r rheswm am hynny oedd y ffaith fod Gwen yn meddwl nad oedd eisiau trafferthu i ysgrifennu os byddai Joseph yn ein gweled dydd Mercher ac yn rhoddi ei hanes i ni. Yr oedd Mam yn edrych ymlaen at nos Fercher fel y mae plentyn yn edrych at y gwyliau ac, ar ôl te y noswaith honno, nid oedd modd cael ganddi eistedd yn dawel; yr oedd am sefyll wrth y ffenestr, neu eisiau rhedeg at y drws nôl ac ymlaen. Ar y diwedd, gwelodd Joseph yn dyfod fan draw ac yr oedd ei gwyneb yn disgleirio gan lawenydd. Peth rhyfedd iawn yw calon mam.

'Sut mae Gwen?' oedd y cwestiwn a syrthiodd ar glustiau Joseph cyn iddo groesi trothwy ein tŷ ni.

'Wel,' meddai yn ei ffordd araf, 'mae bron dau ddiwrnod er y gwelais i hi a does dim gwybod sut mae'n awr. Roedd hi'n brysur iawn dydd Llun yn rhoi negesau i mi i ddod atoch chi. Mae hi'n meddwl aros yn Llundain am rai wythnosau eto. "Dwedwch wrth Mam," meddai, "'y mod i yn gweld y gost o ddŵad i Lundain gymaint, fel dydy e ddim gwerth os na 'rosith un am beth amser." Ac yn wir, dydy hi ddim wedi gweld hanner y ddinas, ac ro'n i'n dweud wrthi eich bod chi'ch dau yn eitha cysurus fan yma ac eisiau iddi beidio brysio gartre. Nid yn aml y mae hi yn cymeryd siwrnai mor faith ac, felly, piti peidio aros tipyn go lew ar ôl mynd mor bell.'

'Fachgen,' ychwanegai, gan edrych arna i, 'dyna le rhyfedd yw Llundain: does dim diwedd arno. Rhaid i ti a finnau fynd yno rywbryd gyda'n gilydd. Mi wnes i 'y ngore i weld popeth, ond ches i ddim amser i roi'm traed tu fewn i St. Paul's a Westminster Abbey. 'Dwy'n gwybod dim am rheiny.'

'Shwt mae Gwen yn edrych?' meddai Mam, gan dorri ar y siarad. Doedd sôn am eglwysi cadeiriol a phethau o'r fath o fawr ddiddordeb iddi hi tra yr oedd ei chalon yn llawn o hiraeth am ei phlentyn.

'O,' ebe Joseph, 'un rhyfedd ydw i, begian pardwn, wir. Mae gen i lu mawr o negesau oddi wrthi hi. Mae'n llawn busnes, fel arfer, ac roedd hi am i mi roi rhain i chi,' gan dynnu dau sypyn o'i logell: cadach poced i Mam a chadach gwddf i mi. 'Rwy'n meddwl fod tipyn o hiraeth arni ar ôl Llanestyn ond 'rych chi'n gwybod shwt un yw hi; os bydd hi yn meddwl fod e'n ddyletswydd arni aros yn Llundain, yn Llundain yr arosith hi, nes bydd llais cydwybod yn ei galw gartre.'

'Ie, ie,' meddai Mam, yn fwy crintachlyd nag arfer, 'pwy ddaioni siarad fel'na? Shwt oedd Gwen yn edrych? Yn well neu yn waeth ar ôl bod yn Llundain?'

'Wel,' ebe Joseph, 'alla i ddim dweud yn iawn, ond roedd Miss Price yn dweud ei bod yn llawer gwell, bod ei harchwaeth at fwyd yn well yr wythnos yma.'

'O, da iawn!' meddai Mam, yn dechrau llonni. 'Os yw Gwen yn gallu bwyta, mae hi yn o lew. Digon tebyg doedd hi ddim yn ffansïo bwyd Llundain; hen laeth diflas sydd gyda nhw yno, ac am yr wyau, wel, buase iâr Gymreig ddim yn foddlon eu haddef.'

'Mae hynna'n eitha gwir,' ebe Joseph, 'er, digon tebyg mai o Gymru mae'u hanner nhw yn dŵad; dyna falch oedd Miss Price o'r fasged yna helsoch chi ati. Wn i ddim sut yr aiff hi yn ôl i fwyta bwyd Llundain ar ôl eich menyn a'ch wyau chi.' Ac yna dechreuodd Joseph siarad yn huawdl am y Senedd-dŷ, a gadawodd Mam ni am funud i baratoi swper. Trodd Joseph ataf. 'Pan yr wy' i yn mynd gartre cofia ddod gyda fi at y llidiart. Mae rhywbeth gen i sydd eisiau ei ddweud, ond paid cymeryd arnat o flaen dy fam.' Yr oedd rhywbeth yng ngwyneb Joseph yn peri i mi deimlo yn ofnus, ond ni ddywedais yr un gair, ac yr oedd yn dda gennyf sylwi fod Mam yn edrych yn eitha hapus ar ôl clywed fod stumog Gwen yn well yr wythnos yma.' Ar ôl swper dywedais, mewn tôn mor ddidaro ag y medrwn i,

'Mi â i lawr y lôn dipyn gyda Joseph, mae'n noswaith hyfryd olau leuad.'

'Yn wir, mae chwant arna i fyned ma's am dro hefyd,' meddai Mam. 'Fydd hen wraig yn eich ffordd chi, fechgyn?'

'Na fydd, os na chymrith hi annwyd,' meddai Joseph, yn foneddigaidd. Ond yn ffodus, ar y funud olaf, newidiodd Mam ei meddwl a dywedodd 'nos da' wrth Joseph yn y tŷ a throdd at y tân ar ôl rhoddi anogaeth i mi i beidio aros allan yn rhy hwyr.

Cerddodd Joseph a minnau i lawr i odre'r ardd mewn distawrwydd, yna trodd fy nghyfaill ata a dywedodd yn grug:

'Wyddost ti mai yn yr *hospital* yn Llundain mae Gwen, dy chwaer?'

Edrychais ar Joseph mewn syndod ac, am funud, ni fedrais ddweud dim ond gofyn, 'Beth ydych yn geisio ei ddweud?'

'Wel,' ebe Joseph, 'hen stori sy gen i i'w ddweud, Ifan, hen iawn; rhaid i mi ddechrau yn y dechrau. Yr wy' i flynyddoedd yn hŷn na thi, ond y mae rhyw ieuenctid yn perthyn i mi nawr er hynny. Wel, ugain mlynedd yn ôl daeth drosta i chwant i briodi, a'r unig un welais i oedd yn bopeth 'own i eisiau, oedd Gwen, dy chwaer. Mi ddywedais i rywbeth wrthi hefyd ac yr oeddym yn deall ein gilydd. Doedd dim eisiau arnom i gael yr holl wlad i siarad amdanom ac felly cadwasom ein carwriaeth yn ddistaw iawn. Ond yr o'n i'n paratoi yn fy ffordd i, a Gwen yn ei ffordd hithau, erbyn yr amser y buaswn yn gallu priodi. Ond un noswaith, daeth Gwen i'm cyfarfod a dywedodd wrthw i fod yn rhaid i mi roi fyny bob meddwl am briodi.

'Mi addewais i 'Nhad,' meddai 'y buaswn i'n gofalu am Mam ac Ifan tra buaswn i byw ac rwy'n gweld nad yw e ddim diben i mi feddwl eu gadael: maen' nhw mor amddifad, does yna neb i feddwl am ddim ond fi. Mae'r gofal i gyd arna i ac mae'n rhaid i mi ddweud ffarwél wrthych.'

'Mi droais i yn styfnig a dywedais wrthi os nad oedd arni hi fy eisiau fod digon o ferched eraill yn barod iawn i'm cymeryd, a gwahanasom mewn tymer ddrwg, ein dau. Wel, allswn i byth ei hanghofio ac, fel roedd y blynyddoedd yn mynd heibio, yr oeddym ein dau (hi a fi) yn cwrdd, nawr ac yn y man, fel ffrindiau gwyddost; ro'n i'n gweld nad oedd dim diben ceisio bod yn ddim byd agosach: yr oedd eich mam a thithau yn llanw ei chalon. Ond pan fyddai hi mewn penbleth, ata i yr oedd yn dŵad, a finnau'r un fath. Pan yr oedd pethau yn mynd yn lletchwith, at Gwen yr o'n i'n mynd am gyngor a chyfarwyddyd. Sylwais ryw flwyddyn yn ôl fod rhywbeth yn blino Gwen; yr oedd hi'n fwy tawel ac, ambell i waith, yr o'n i'n sbecto ei bod hi wedi bod yn llefain tipyn. Dywedodd hi ddim wrthw i, beth bynnag. Ond rhyw ddau fis yn ôl cwrddais â hi yn ymyl Trefeity. Yr oedd hi wedi cerdded o'r *station* a gofynnais iddi ddod yn y car gyda fi. Ar ôl tipyn o ymdroi, dywedodd yn sydyn, "Joseph, mae'n rhaid i mi ddweud wrth rhywun, neu mi â i i'r *asylum*. Wyddost ti, yr wy' i wedi bod yn teimlo yn sâl am fisoedd lawer ac, o'r diwedd, mi es at ddoctor yn Trebeynon, heb ddweud dim wrth Mam ac Ifan. Dywedodd hwnnw wrthw i fy mod yn afiach iawn ac y dylswn i fynd o dan *operation*, ond mi balles yn deg. Ro'n i'n meddwl y gallswn i ddioddef tipyn yn hwy cyn mynd mor bell â hynny. Dywedodd wrthw i am ddod i'w weld mewn mis ac mi es yno heddiw. Dydyn nhw gartre ddim yn sbecto dim. Dywedodd y doctor wrthw i fy mod yn waeth a bod y dolur yn cynyddu a bod rhaid i mi fynd i Lundain i'r *hospital*, neu y byddwn farw mewn ychydig iawn o amser. A nawr, Joseph, rwy wedi penderfynu mynd i'r *hospital*; mi sgrifenna i at Sarah Ann Price ac mi ddweda wrthi hi fy mod i am ddod i fyny ati am dipyn. Mi alla i ei thrystio hi i beidio dweud gair wrth neb, un dawel iawn yw hi."

"Wel", meddwn i, "yr wyt ti'n meddwl dweud wrth dy fam?"

"Nagw," meddai, "ddim un gair. Does dim eisiau dweud wrthi hi, nac Ifan ychwaith. Wna nhw ddim daioni i mi a bydd eu gweld nhw yn torri eu calonau yn 'y ngwneud i yn waeth. Cofia, Joseph," meddai, a'r dagrau bron dod i'w llygaid, "yr wy' yn rhoi siars arbennig i ti beidio dweud gair wrth un ohonynt."

'Wel, mi âth i Lundain, ac mi ges i air oddi wrthi i ddweud ei bod yn mynd i'r *hospital* ar ddiwrnod penodol ac mi benderfynais yr awn i i fyny i'w gweled. Ro'n i'n ddigon lwcus i gael sgyrsion yr wythnos diwethaf, a doedd neb yn sbecto y rheswm pam yr o'n i'n mynd i'r ddinas. Yr oedd Gwen yn well nag o'n i'n disgwyl, er ei bod wedi gwaethygu tipyn; ond mae'r doctoriaid i gyd yn dweud ei bod yn gwella yn ffamws. Roedd un ohonyn nhw yn dweud wrthw i, dan chwerthin,

"Fe gaiff angau waith i fynd yn drech na hon yma. Welais i erioed shwt ysbryd i orchfygu ag sydd ynddi; nis gall roi dim i fyny. Mae hi wedi dioddef digon i ddanto menyw gyffredin, ond doedd hi ddim yn foddlon i gyffesu ei bod mewn poen ac, oni bai fy mod i yn deall yn wahanol wrth ei gwyneb, buaswn yn meddwl mai ychydig iawn o deimlad oedd ynddi; ond nawr, mae hi yn gwella a dydw i ddim yn rhyfeddu. Os cewch gleifion a digon o benderfyniad i wella ynddynt, mae hanner y frwydr wedi ei hennill."

Arhosodd Joseph am eiliad a gofynnais iddo, 'Pryd wyt ti'n meddwl y bydd Gwen yn ddigon iach i ddod gartre?'

''Mhen mis neu chwech wythnos yr oedd y doctor yn meddwl. Bydd yn rhaid iddi aros yn Llundain dipyn ar ôl dŵad allan o'r *hospital*, er mwyn i'r meddygon gael cyfleustra i weled ei bod yn gwella yn iawn.'

'Fe fydd raid i ni ddweud rhywbeth wrth Mam. Mae'n siŵr o feddwl fod Gwen yn sâl os na ddaw hi adre 'mhen wythnos neu ddwy.'

'Fe sgrifennith Gwen ati cyn bo hir,' ebe Joseph; 'mi fydd hi yn siŵr o ffeindio rhyw esgus am aros yn Llundain. Yr wy' i wedi addo yn bendant i gadw'r wybodaeth oddi wrth eich mam.'

'Wel,' ebe fi, 'yr oeddych wedi addo ei gadw oddi wrthw i a, chan eich bod wedi torri eich adduned yn ei pherthynas â mi, gystal i chi ei thorri gyda Mam hefyd.'

Siglodd Joseph ei ben, 'Yr o'n i wedi cael caniatâd i ddweud wrthot ti, Ifan, ond doedd dim modd cael ganddi i fod yn foddlon i'th fam wybod.'

'"Peth hawdda yn y byd," meddai wrthyf, "yw twyllo Mam. Mae hi fel yr adnod yn y Corinthiaid, 'Yn credu pob dim.' Bu Elen, Wern-goch yn yr *hospital* flynyddoedd yn ôl a dywedodd wrth Mam mai lle creulon iawn oedd e, ac mae'r enw *hospital* yn gwneud i Mam lewygu bron; fynnwn i ddim er popeth iddi gael gwybod 'y mod i yma ac, os na allwch chi ac Ifan gadw'r gwirionedd oddi wrthi, rhai sâl iawn 'ych chi'ch dau."'

'Mae'n rhaid i ni wneud ein gore ynte,' meddwn i, 'ond yn wir, fe fydd yn anodd. Mae'n gas gen i feddwl fod Gwen wrthi ei hunan, druan, yng nghanol estroniaid, a hithau yn sâl ac rwy'n teimlo awydd siarad amdani gyda Mam a chael ei meddwl hi ar y pwnc.'

'Dim iws i ti wneud hynny,' meddai Joseph; 'os gall Gwen ddioddef yn dawel, mi allwn ni dreio gwneud ei harch hi a chadw y newydd yn ddistaw; mi fydd hi gartre cyn bo hir, cei di weld. A nawr, mae'n rhaid i mi fynd. Paid aros ar ddihun drwy'r nos; rwy'n siŵr y bydd Gwen yn cysgu yn dawel. Mae mor gydwybodol yn cymeryd moddion y doctor, a chysgu, a cheisio bwyta ag roedd hi i dendio y capel a'r ysgol yma. Nos da i ti. Mi fydda i yma eto un o'r dyddiau nesa.'

Arhosais allan am beth amser ar ôl i Joseph fyned ymaith. Yr oedd gennyf lawer o bethau i feddwl amdanynt. Yn un peth, yr oeddwn yn teimlo fy mod wedi gwneud camsyniad rhyfedd yn fy narlleniad o gymeriad Gwen. Ar hyd y blynyddoedd yr oeddwn i wedi arfer edrych arni fel dynes â llawer iawn o rinweddau yn perthyn iddi, ond rhinweddau wedi eu cymysgu â chryn dipyn o fychandra. Nid oedd gennyf syniad uchel o'i doniau naturiol nac ysbrydol ac, wele, pan y pwyswyd hi yn y cloriannau, cafwyd nad oedd yn brin. Yr oeddwn i wedi dysgu fy hunan i ryw hanner edrych i lawr ar Gwen oherwydd ei bod mor fanwl ynghylch pethau bach diwerth, yn ôl fy syniad i. 'Un o'r degymwyr mintys ac anis' oedd fy nisgrifiad o'm chwaer. Nid oeddwn erioed wedi breuddwydio fod yn Gwen y defnydd o ba un y mae merthyron yn cael eu gwneud. Yr oeddwn yn gweled ei bywyd yn wahanol iawn yn awr i'r hyn ydoedd rai wythnosau yn ôl. Yr oedd ei hunanaberthiad yn sefyll allan yn glir o'm blaen. Yr oedd hi wedi rhoddi i fyny obeithion tyneraf menyw am briod a chartref, er mwyn aros i ofalu am fam a brawd nad oeddynt erioed wedi ei deall. Pe buasai Gwen fel pobl eraill hwyrach y buasai wedi ymffrostio yn ei hunanaberthiad ond, ar y noswaith dawel honno, teimlais yn bur siŵr nad ydoedd fy chwaer erioed wedi meddwl fod canmoliaeth yn ddyledus iddi hi oherwydd ei hunanaberthiad. Yr unig beth yr ydoedd hi yn sicr ohono ydoedd fod *dyletswydd* yn galw arni i wneud y peth hyn a'r peth arall ac, am hynny, yr oedd yn rhaid ei wneuthur. Cofiais am y bore hwnnw yn y beudy. Druan o Gwen! Yr oedd yn ofni cymaint i ddolurio ein teimladau ni, fel nad oedd yn foddlon caniatáu iddi ei hunan yr ymollyngdod o wylo yn y tŷ. Yr oedd yn rhaid iddi fyned i blith creaduriaid direswm i roddi ymollyngiad i'w theimladau. 'Mi af i Lundain i'w gweled,' meddwn wrthyf fy hun. 'Fe fydd yn dda gyda hi i ddeall fy mod yn meddwl amdani hi; ac mi af yn drech na Mam am unwaith, chaiff hi ddim gwybod i ba le yr wyf yn myned.' Euthum yn ôl i'r tŷ ac, er fy syndod, gwelais fod Mam yn eistedd yn y gegin.

''Rych chi heb fynd i'r gwely,' meddwn.

'Ydw,' meddai Mam. 'Wn i ddim be sy arna i, does dim cysgu yn agos ata i heno. Wyddost ti beth, Ifan? Mae chwant arna i weithiau mynd i Lanfor am ddiwrnod neu ddau. Dydw i ddim wedi cysgu yn iawn ers wythnos ac y mae awyr y môr yn gwneud lles i mi bob amser. Mi ofalith Mag amdanat ti hyd nes dof i nôl.'

''Rych chi'n eitha iawn,' meddwn yn union. 'Mae eisiau newid aer arnoch chi a buaswn i'n meddwl y byddai yn dda iawn i chi fynd yfory, Mam fach. Bydd modryb Catrin yn llawen iawn eich cael am wythnos, ac mi ddo i i'ch mofyn yn ôl.'

'Wel,' meddai Mam yn dawel, 'falle galla i gasglu pethau ynghyd i fynd yfory. Wn i ddim hefyd, bydd yna dipyn o waith ar ôl i Mag.

'Wel,' ebe fi, 'bydd digon o amser gyda hi i'w wneud. Piti i chi ohirio nawr pan mae'r tywydd yn deg. Gadewch y cwbl,

Mam fach, mi ofalwn ni amdanynt.'

Ar ôl tipyn o siarad, cefais gan fy mam i addo myned drannoeth.

'Fuost ti'n meddwl, Ifan,' gofynnodd, 'fod rhywbeth rhwng Joseph Tŷ Hen a Gwen?'

Chwarddais. 'Falle,' meddwn, 'ond chlywais i erioed mo Gwen yn ei ganmol.'

'Naddo, wranta,' ebe Mam, 'nid dyna ffordd Gwen. Baset ti yn clywed Gwen yn canmol dyn yn eithriadol, gallset benderfynu nad oedd lle yn ei chalon iddo. Gweld gwendidau ei ffrindiau gore sydd yn naturiol i Gwen a hynny, gwyddost, am fod cymaint eisiau arni hi iddi nhw fod yn berffaith. Ond ryfeddwn i damaid nad yw hi a Joseph yn caru. Rhaid i mi siarad â'r llances y tro nesa y gwela i hi.'

'Wel, cerwch i'ch gwely nawr, Mam fach, neu fydd dim Llanfor i chi yfory.' Meddyliais, ar ôl i Mam fyned i'w hystafell, yr euthwn at y bocs bychan oedd gyda ni yn cadw arian. Yr oedd ynghlo bob amser pan yr oedd Gwen gartref ond, er pan aeth hi i Lundain, yr oedd fynychaf ar ben y gist yn lle bod tu fewn iddi. Yr oeddwn yn gwybod fod ychydig arian ynddo yn awr, oherwydd yr oedd dau fochyn wedi eu gwerthu yn ddiweddar ac yr oedd eu pris yn y bocs. Cyfrifais pa faint o arian fuasai eisiau ac agorais y 'banc' fel yr oeddwn yn arfer ei alw. Yr oedd llai o arian ynddo nag oeddwn yn ddisgwyl, ond meddyliais fod Mam, digon tebyg, wedi talu rhywfaint y diwrnod hwnnw ac mai am hynny yr oedd cyn lleied. Ar ôl cymeryd swm digonol, eisteddais i lawr i geisio trefnu pa fodd i gyrraedd Llundain y diwrnod nesaf. Trwy Lanfor oedd y ffordd fwyaf uniongyrchol ond, gan fod Mam yn myned i Lanfor, yr oedd yn rhaid i mi fyned trwy Trebeynon. Nid oeddwn am i Mam gael drychfeddwl am fy mwriad, a gwyddwn, os aethwn i Lanfor, y byddai fy mam yn haeru dyfod i'r orsaf i'm gweled yn cychwyn yn ôl i Drefeity.

Felly, penderfynais y cymerswn i fy nhaith i Lundain trwy Trebeynon.

Y diwrnod nesaf, cychwynnodd Mam yn brydlon i fyned tua Llanfor. Yr oedd Mag, fy nghyfnither, wedi cael llu o orchmynion i ofalu amdanaf fi a'r anifeiliaid, ac fe aeth Mam ymaith gan edrych yn weddol hapus. Rhyw awr wedyn, cychwynnais innau ar fy nhaith. Dywedais wrth Mag fod Gwen yn sâl a mod i yn myned i Lundain i'w gweled, ond gwneuthum iddi addo cadw y ffaith oddi wrth fy holl gymdogion, ac fe addawodd, gyda phob parodrwydd i wneud felly. Yr oedd Llundain yn hollol ddieithr i mi, ond yn y trên deuthum o hyd i amryw Gymry yn teithio tua'r ddinas. Dywedwyd wrthyf y byddai yn rhy hwyr i fyned i dŷ Sarah Ann Price y noson honno. Byddai well i mi gysgu mewn llety oedd yn agos i orsaf Paddington. Ac felly y gwneuthum. Yr oedd un o'r Cymry yn aros yno gyda mi ac yr oedd yn ddigon caredig y diwrnod nesaf i ddyfod gyda mi i'r ysbyty lle yr oedd Gwen yn cartrefu. Dywedodd wrthyf ar y ffordd yno fod dyddiau penodol yn cael eu gosod ar ba rai yr oedd rhyddid i ffrindiau y cleifion fyned i'w gweled. 'A digon tebyg chewch chi ddim ei gweld hi heddiw,' meddai. Ond, yn lwcus iawn, yr oeddym wedi taro ar un o'r dyddiau ymweliadol a, chan fod gennyf yr holl gyfarwyddiadau angenrheidiol am y ward mewn ysgrifen, ni chefais fawr waith i fyned i fewn. Nid disgrifiad o ysbyty yw yr ysgrif yma, neu gallswn ysgrifennu tipyn am y lleoedd rhyfedd hyn y mae cyfeillion Duw wedi adeiladu i gleifion ein gwlad. Euthum i fyny risiau lawer ac yna arweiniwyd fi i ystafell fawr lanwaith ac, ar wely bychan, gwelais fy chwaer Gwen yn gorwedd, ac yn eistedd yn ei hymyl, a'i dwylo wedi ymblethu yn nwylo Gwen, gwelais fy mam!

Yr wyf yn pasio heibio syndod fy mam a Gwen pan yr ymddangosais i o'u blaen. Yr wyf yn meddwl i mam ddychmygu ar y cyntaf mai ysbryd oeddwn: sylwais iddi wasgu fy llaw gyda llawer o rym a thybies mai am foddloni ei hunan yr oedd nad ysbryd, ond mai corff gwir oeddwn!

'Ifan,' meddai, mewn dychryn, 'wyt ti'n sâl? 'Machgen annwyl i, sut dest ti yma!'

'Gyda'r trên wrth gwrs,' ebe Gwen.

'Ond beth oedd dy reswm am ddod?'

'Beth ddaeth â chi, Mam?' gofynnes innau, gan geisio ateb cwestiwn trwy ofyn un arall.

'Calon mam ddaeth â fi yma,' meddai. 'Ro'n i'n gwybod wrth wyneb Joseph fod rhywbeth allan o le ar Gwen ac roedd raid i mi ddod i edrych fy hunan sut yr oedd hi. Feddylies i ddim buaset ti yn dŵad, Ifan; newydd ddweud wrth Gwen o'n i am y ffordd yr o'n i wedi dy dwyllo di,' ychwanegai gyda gwên, 'a digon tebyg dy fod dithau yn meddwl yr un peth amdana i cyn i ti ddod i fewn yma.'

'Wel, o'n yn siŵr,' ebe finnau. 'Mae'n dda gennyt ti i'n gweld ni, Gwen?'

'Does dim eisiau gofyn hynna,' meddai hithau. 'Yr o'n i yn hanner disgwyl dy weld ti, Ifan, yr wythnos nesa; mae sgyrsion yn dod i'r lan. Ond yr o'n i'n gobeithio y byddai Mam yn cael bod heb wybod; ond does dim byd i wneud, rhaid i ni fyw yn strifus ar ôl mynd gartre i wneud i fyny y gost.'

Siglodd Mam ei phen. 'Nawr, Gwen, does dim siarad fel'na i fod. Gallwn feddwl, wrth wrando arnat ti, mai safio arian yw prif amcan bywyd. Yr wyt ti wedi bod yn ddigon cynnil ar hyd y blynyddoedd; paid poeni, os ydym ni yn awr yn gwario tipyn.'

'Yng gore te,' ebe Gwen yn addfwyn iawn, 'dydw i ddim yn meddwl blino oherwydd yr arian. Ar ôl mynd gartre, mi ga i ddigon o gyfle i gynilo tipyn.'

Aeth yr amser heibio yn gyflym iawn a chyn bo hir yr oedd

yn rhaid i Mam a fi fyned allan o'r ysbyty. Yr oedd gwyneb gwelw Gwen wedi effeithio arnaf yn rhyfedd: peth hollol newydd oedd ei gweled hi yn anabl i weini arni ei hunan ac, er fod y doctoriaid yn sicr iawn ei bod yn gwella yn gyflym, golwg ddigon truenus oeddwn i yn cael arni. Ond gwella yr ydoedd a'r tro nesaf yr aeth Mam a finnau i'r ysbyty yr oedd y gwelliant yn ddigon amlwg: yr oedd yr *hen* Gwen wedi dychwelyd.

'Ifan,' meddai, 'buais i yn meddwl y buase yn well i ti sgrifennu at Joseph a gofyn iddo i dreio cael allan pwy sydd yn dŵad i fyny gyda'r sgyrsion yr wythnos nesa. Buase'n werth iddyn nhw brynu *ticket* i ti, fydd dipyn tsiepach nag i ti brynu un yma. Wrth gwrs, feallai fod yn ddigon lwcus i ffeindio rhywun sy'n dod i Lundain i aros fydd dim eisiau yr hanner arall o'r tocyn arnyn nhw; byddai hynny'n tsiepach fyth. Gofyn i Joseph edrych yn fanwl; mae obeutu yr amser i Mari Edward Jones ddod gartre i Lundain, ac un dda yw hi am ddod yn y ffordd tsiepa. Cofia sgrifennu yn union ar ôl mynd gartre.'

Chwarddais yn uchel ac edrychodd un o'r *nurses* arnaf yn sarrug ac yn bur awgrymiadol!

'Beth yn y byd wyt ti'n gael i chwerthin amdano?' gofynnai Gwen.

'Chwerthin arnat ti, ym morwyn i,' ebe finnau; 'wyt ti wedi newid dim, Gwen.'

'Nagw,' ebe hithau, 'dydw i ddim yn bwriadu newid. Mae rhai pobl yn gweld rhywbeth digrifol iawn mewn treio gwneud y gore o'r hen fyd yma a thebyg gen i mai un o'r rheiny wyt ti, Ifan. Wrth gwrs, os wyt ti am fod yn dlawd trwy'r gaeaf a byw heb dân yn un lle ond y gegin, gwaria gymaint o arian yn awr ag sydd gennyt. Dyw e ddim i mi. Bydd llai o waith glanhau i mi a dydw i ddim mor gryfed ag yr o'n i.'

'Yng gore te,' meddwn, yn edifeiriol iawn, 'mi sgrifenna at Joseph heno, ond, Gwen fach, sut wyt ti'n disgwyl iddo gael hyd i bobl y sgyrsions? Fydd dim siawns gydag e. Dim ond rhyw ddau neu dri fydd yn mynd o'n hardal ni, gewch weld.'

'Bydd un *ticket* yn ddigon i ti, a fydd fawr iawn o drafferth iddo wneud hynny; ac rwy am i ti hela at John Hughes, Pant y Ddôl. Clywais e yn dweud y llynedd y byddai'n rhaid iddo ddod i fyny i Lundain i edrych ar ôl rhyw fusnes oedd ganddo. Dyw e ddim wedi bod eto a falle y gallet ti wneud y gwaith yn ei le; buase dim drwg sgrifennu i ofyn iddo, ac rwy'n gweld fod pobl y rheilffordd yn gwneud digon o arian heb roi mwy yn eu dwylo nag sydd eisiau.'

'Oes yna rywbeth arall i mi wneud?' gofynnais mewn dychryn. Yr oeddwn i yn gweled fy wythnos o seibiant yn diflannu fel mwg o'm blaen!

'Wel, oes,' ebe Gwen, yn hamddenol. 'Mae gennyt ti ddigon o amser i fynd i edrych sut mae merched yr hen Pali, Rhos Hir; rhai gwael am ysgrifennu ydyn nhw a mae eu mam yn becso amdanyn nhw, a bydd yn dipyn o galondid iddi hi gacl gwybod dy fod ti wcdi cu gwclcd. A chofia gacl gwybod gyda nhw sut maen' nhw'n treulio eu hamser: i ba dŷ cwrdd maen' nhw'n mynd? A buaswn yn leicio i ti gael gair gyda'r blaenoriaid amdanyn nhw; thrystiwn i damaid ohonyn nhw, rhai drwg am ddweud anwiredd fuon nhw erioed; a chofia sylwi sut maen' nhw'n gwisgo. Rwy'n ofni eu bod yn meddwl gormod am ddillad. Mi elli ddweud wrthyn nhw fod eu mam yn ddigon gwael yr olwg arni ac y dylen nhw dreio mynd i'w gweled cyn diwedd yr haf: pharith hi ddim dros y gaeaf, os nad ydwyf fi yn camsynied.'

Edrychais ar Mam; yr oedd gwên ddireidus ar ei gwyneb.

'Well i ti fynd nawr, Ifan,' meddai, 'i *ddechre* gwneud rhai o'th orchwylion. Mi ddo i adre yn burion wrthyf fy hunan.'

Cerddodd gyda mi at ddrws y ward, a sibrydodd yn ddistaw

bach, 'Os arosi di lawer rhagor, bydd Gwen wedi cofio am berthnasau pob dyn a dynes yn Llanestyn a bydd blwyddyn yn rhy fach o amser i ddod i ben â'r holl waith o ymweled â nhw i gyd.' Pan ddaeth Mam yn ôl i'r tŷ, yr oedd wedi derbyn llu mawr o orchmynion; yr oedd i anfon at hanner poblogaeth Llanestyn (allwn feddwl wrth eu nifer) i ofyn iddynt a oedd rhyw neges a allsem wneud trostynt yn y ddinas.

'Druan o Gwen,' ebe Mam, 'mae hi yn dwyn beichiau yr holl gymdogaeth ar ei hysgwyddau. 'Dyna fecso mae hi dy fod ti yn gwisgo dy ddillad gore bob dydd yma. Yn wir, yr wy' i yn credu,' meddai, dan chwerthin, 'ei bod yn meddwl nad oes dim ond y tloty o'n blaenau ni os treuli di nhw allan cyn yr amser penodedig.'

Mi fûm yn ddigon lwcus i gael tocyn rhadlawn i ddychwelyd gartref, yr hyn oedd yn esmwythder mawr i'm chwaer. Daeth Gwen allan o'r ysbyty ymhen rhyw wythnos wedyn ac yr oedd Mam yn meddwl fod rhai o'r *nurses* yn teimlo yn bur ddiolchgar pan y gadawodd y ward. Yr oedd ei llygaid treiddgar yn peri cryn dipyn o anesmwythder iddynt; os oeddynt ambell i dro yn esgeuluso dyletswydd, gallsem deimlo yn bur siŵr fod Gwen yn ymwybodol o'r ffaith! Yr oedd ganddi lawer iawn o negesau i gludo oddi wrth y cleifion at eu cyfeillion mewn gwahanol rannau o Lundain. Fel yr oedd ei hiechyd yn gwella, yr oedd dyletswyddau yn cynyddu, ac yr oedd Mam yn edrych arni gyda syndod a dychryn.

'Rwy'n mynd i weld tad Jennie Price heddiw,' meddai. 'Does dim synnwyr gadael y plentyn yn yr *hospital*, gartre dylse hi fod. Mae hi'n llefain am oriau ar ôl gweld ei thad neu ei mam; ddywedith neb arall wrthyn nhw, felly rhaid i mi fynd. Mae rhai plant mwy teimladwy nag eraill ac nid lle i rai fel'na yw'r *hospital*. Rwy am fynd heddiw, am mai yfory yw'r *visiting day* a does dim eisiau i'r rhieni gael dioddef mwy nag sydd raid; chysgith y fam fawr heno fel y mae, druan.' Pryd arall yr oedd yn llawn pryder am fod chwaer un ferch ieuanc oedd yn yr ysbyty yn methu myned i'w gweled; ac yr oedd yn rhaid i Gwen gael myned yn ei lle. Meddyliais i na ddeuai Mam a hithau byth yn ôl. Ond un diwrnod, cymerwyd Joseph Parri yn sâl iawn ac mi ysgrifennais i ddweud wrth Mam fod y meddyg yn ofni fod *inflammation* arno.

Y diwrnod nesa, daeth llythyr i ddweud fod fy mam a Gwen yn cychwyn ar unwaith tua chartref. Yr oedd Gwen yn ysgrifennu yn llym iawn. 'Gobeithio,' meddai, 'nad ydych wedi bod mor ffôl â galw Dr Prosser i'w weled, oherwydd gwyddoch nad oes llond gwniadur yn ei ben; ac fel yr 'ych yn gwybod hefyd, dydy e yn deall dim am *inflammation*; rhaid i chi alw Dr Williams i'w dendio ar unwaith.'

Erbyn iddynt gyrraedd gartref yr oedd Joseph yn well ac mi gefais ddarlith oddi wrth fy chwaer am fod mor ffôl ag anfon newyddion drwg cyn cael allan y gwirionedd yn eu cylch. Yr oedd Mag, fy nghyfnither, yn ofnus iawn i weled Gwen yn dychwelyd, rhag y byddai rhywbeth allan o le. Ymdrechais ei chysuro trwy ddangos iddi nad oedd yn bosibl gwncud pcthau yn hollol yn ôl barn Gwcn ac mai'r pcth callaf oedd paratoi ei hunan i dderbyn rhai geiriau garw. Ond yr oeddwn yn hollol o'm lle. Edrychodd Gwen yn fanwl o'i chwmpas a dywedodd, gyda gwên, fod y tŷ mor lân, 'wn i ddim a allwn i ei wneud yn well fy hunan.' Edrychodd Mag yn bryderus iawn. Yr oedd hanner ofn arni fod Gwen yn sâl eto! Ond ymhen rhai diwrnodau dywedodd fy chwaer wrth Mam ei bod yn meddwl priodi cyn bo hir.

'Addewais yn bendant i Joseph y buaswn i yn ei briodi ar ôl dod o'r *hospital*. Mae Mag yn taro yma yn *splendid*. Mae hi yn un daclus iawn i gadw tŷ; mi ddo' i drwodd i gyweirio menyn a chorddi, ynte bydd dim ffansi gyda chi at fenyn neb arall. Mae'n rhaid i rywun fynd i edrych ar ôl Joseph: un tost yw e am ofalu amdano ei hunan.' (Yr oedd Joseph wedi gofalu amdano ei hunan am dros ddeugain mlynedd.)

Yr oedd Mam yn ei helfen yn ceisio paratoi erbyn y briodas. Yn wir, yr oedd hi yn edrych yn llawer iawn mwy tebyg i ferch ieuanc na Gwen, yr hon oedd yn llawn o helyntion bywyd. 'Dyna'r caru rhyfedda weles i,' ebe Mam yn ddifrifol, 'adrodd adnodau i'w gilydd maen' nhw yn wneud; gallsech feddwl mai hen ŵr a hen wraig ydyn nhw, gan mor dawel ydyn nhw. Wel, yr wy' i yn sefyll i fyny am ddysgu adnodau ond, yn wir, Ifan, pe buase gyda dyn ddim byd arall i ddweud wrthw i cyn i mi briodi ond siarad am bregethau ac adnodau, mi gawsai '*No sir*,' yn go fuan gen i. Ond dyna, fu Joseph na Gwen erioed yn ieuanc.'

Yr oedd Gwen, fodd bynnag, yn awyddus i gael popeth ynglŷn â'r briodas 'yn daclus ac yn dda': yr oedd tipyn o ofn tafodau dynion arni.

'Does dim eisiau ffrog newydd arna i damaid, ond fe fydd pobl yn siarad os na fynna i un, a fuais i erioed yn un i fod yn destun siarad i neb.'

Y diwrnod cyn y briodas, gofynnodd Mam a oedd Joseph wedi prynu modrwy. Doedd dim eisiau gofyn y fath gwestiwn, gan fod a wnelo Gwen â'r mater.

'Mae'r fodrwy yn barod,' ebe Gwen. 'Mi ofales i am hynny. Does dim eisiau dweud wrthych chi, Mam, fath rai sâl yw'r gwrywiaid; ro'n i'n gwybod sut y byddai pethau os aethai Joseph i'w phrynu. Prynu y fodrwy mwyaf drud yn y siop buase fe, felly mi brynais i un fy hunan ac mi ces i hi yn rhad iawn, ac mae'n ddigon da i unrhyw un.'

'Wel, wel,' ebe Mam 'Does dim barddoniaeth yn agos atoch chi, Gwen! Pan ro'n i yn lodes yr oedd y fodrwy yn bwysig iawn, yn 'y ngolwg i, a allswn i byth ei phrynu pe buasai rhywun yn fy nhalu am wneud. Mae'n dda ein bod ni mor wahanol i'n gilydd, ddigon tebyg, ac am hynny, tra mae tipyn o'r breuddwydiwr yn Joseph, mae rhagluniaeth wedi dy wneud di yn wahanol iawn.'

'Rwy'n union fel y crëwyd fi,' ebe Gwen, 'ac yr wy' i yn teimlo cymaint â phobl sy'n siarad mwy. Does gen i ddim amynedd gyda'r rheiny sy'n sôn byth a hefyd am eu teimladau, a phe buase rhywbeth yn digwydd i'r rhai maen' nhw yn caru, allsen nhw wneud dim trostynt ond llefain: dyw llefain fawr o les i bobl sâl.'

Wel, y mae Joseph a Gwen wedi priodi ers wythnos, ond yr wyf fi yn gorfod cyfaddef fod Mam a fi yn llawer iawn mwy tebyg i bâr ieuanc newydd briodi nag ydynt hwy. Ond, fel y dywed Mam, 'fu Gwen erioed yn ifanc.'

Aberth Gwirfoddol

Yr oedd siop Isaac Roberts yn lle o gryn bwys ym mhentref Llanestyn. Ar noswaith Seiat byddai yn llawn o bobl y wlad, y rhai a wnaent eu negesau tymhorol ar yr un siwrnai â'u dyletswyddau crefyddol. Nid oedd Isaac Roberts na'i wraig yn ryw boblogaidd iawn yn yr ardal. Yr oedd Isaac yn cael y gair o fod 'yn dipyn o gadno, ac yr oedd ganddo ddull neilltuol o gael gan ferched gweini i brynu yn ei siop. Nid wyf yn gwybod yn gysact pa fodd yr oedd yn gwneud hyn. Dywedai Gwen mai trwy roddi iddynt bâr o fenig hen ffasiwn, neu dipyn o ruban glas golau, gwnâi y tro yn iawn yn Llanestyn, er y byddai yr haul wedi dwyn oddi wrtho rywfaint o'i dlysni cyntefig. Am Ann Roberts, y wraig, gallaswn ysgrifennu yn helaeth pe bai yn wiw gwneud hynny. Un o ryfeddodau ein cymdogaeth ni oedd hi! Ni welais i neb erioed yn 'mwynhau' gofid fel Mrs Roberts. Yr oedd Dic Tŷ Hen, yn ei ffordd watwarus, yn ei galw 'Llyfr y Galarnad' ac yn dweud fod ei llygaid yn dechrau bywiogi pan y clywai am ddamwain, a bod angladd iddi hi fel talpiau o siwgr gwyn i blentyn! Anaml iawn yr oedd Mrs Roberts yn wir hapus. Yr oedd rhywbeth bob amser allan o'i le yn ei byd bach hi. Weithiau byddai pregeth anarferol o dda yn cael ei thraddodi gan ryw bregethwr ac wrth fyned o'r capel dywedai un o'r cymdogion wrth Ann Roberts.

'Wel, dyna i chi bregeth! Chlywais i erioed mo Mr Richart yn well na heddiw.'

'Wel,' meddai Mrs Roberts, 'alla i ddim dweud hynna. Ges i well hwyl gydag e lawer gwaith. O'r annwyl, Rachel Jones, dyna dorri mae'r dyn, druan ohono. Allwn i lai na meddwl, wrth wrando arno heddi, digon tebyg mai dyna'r tro olaf y daw e i Lanestyn.'

'Yn wir, Mrs Roberts,' ebe cyfaill, 'mi ddylech fod yn

ddiolchgar fod gyda chi shwt gartre cysurus.'

'Falle hynny,' meddai hithau, 'ond dyna sy'n 'y mlino i. Wyddoch chi yn y byd mawr pryd y troith pethau a falle y bydda i farw yn y *workhouse* wedi'r cwbl.'

Ar ôl i Henri, y mab, basio rhyw arholiad ynglŷn â'r ysgol Sul yn llwyddiannus aeth rhywun i longyfarch ei fam. 'Rhaid eich bod yn falch iawn o'r bachgen; peth *fine* yw gweld crwt ifanc yn dechre cydio mewn pethau crefyddol.'

'Dydw i ddim yn meddwl llawer am ei basio,' ebe Mrs Roberts, 'oherwydd wyddoch chi ddim fath ddyn wnaiff e. Mae llaweroedd o fechgyn yn ddyfal iawn gyda'u llyfrau ond, cyn tyfu i fyny, yn dysgu meddwi a phob drygioni.'

Doedd Mrs Roberts byth yn gweled angladd yn pasio heb ddweud yn bruddaidd, '*Dear me*, falle fi fydd yn claddu Isaac Roberts y tro nesa!'

Yr oedd Henri yn arfer dweud 'na fuasai ei gladdu *ef* yn ddim byd newydd i'w fam, oherwydd yr oedd wedi bod drwy'r holl *berformance* ddwsinau o weithiau er ei enedigaeth!'

Yr wyf yn cofio unwaith clywed fy mam, yn ei ffordd dyner, yn dweud gyda chydymdeimlad yn ei llais, 'Druan ohoni, dydy hi byth yn mwynhau'r haf am fod y gaeaf yn dod; mae yn cael pleser mewn diwrnod teg am fod glaw yn siŵr o ddyfod rywdro. Druan ohoni, dyna fywyd mae'n gael!'

'Twt, twt,' ebe Gwen yn sychlyd, 'peidiwch gwastraffu eich cydymdeimlad ar Ann Roberts, er mwyn popeth, Mam. Wyddoch chi ddim bod hi yn mwynhau ei hunan yn *splendid*; mae mor hapus â brenhines ond iddi gael digon i'w gwneud yn wylofus. Dyna ei nefoedd hi!'

Yr oedd Isaac Roberts yn proffesu ei fod yn llawen iawn pan y dywedodd Henri wrtho fod chwant pregethu arno. Yr oedd rhai yn dweud mai siopwr fuasai Isaac yn hoffi iddo fod, neu ynte 'ffeiriad, gan fod rheiny yn ennill mwy o arian na phregethwyr. Ond yr oedd cryn lawer o styfnigrwydd yng nghyfansoddiad Henri a doedd fawr ddaioni treio cael ganddo newid ei feddwl am bwnc. Bachgen â 'phen ar ei ysgwyddau' (yn ôl tyb Joseph Parri) oedd Henri. Pan ydoedd yn ifanc iawn dangosodd yn eglur ei fod yn berchen ar feddwl annibynnol ac, os y credai ei bod yn ddyletswydd arno i wneud rhywbeth, nid oedd gallu yn y nefoedd na'r ddaear a'i rwystrai i'w gyflawni. Wrth gwrs, weithiau byddai, trwy y duedd yma, yn cael ei arwain i wneud pethau gwyllt ac afresymol, ond ar y cyfan, gallasech benderfynu fod ffordd Henri Roberts o fyw yn un agos iawn i'w lle.

Aeth i'r Athrofa yn yr amser cyfaddas ac enillodd yno safle anrhydeddus, er nad ydoedd yn un o'r enwogion mewn addysg ac nid oedd ynddo chwaith ddefnyddiau pregethwr poblogaidd. Yn wir, nid oedd y blaenoriaid yn rhyw hoff iawn ohono am y rheswm ei fod yn rhy hoff o bregethu am ddyletswyddau y bywyd crefyddol ac yn pasio heibio yn bur fynych y pynciau cyffredin megis 'cyfiawnhad trwy ffydd' a 'mabwysiad' ac 'eiriolaeth Crist' &c.

'Mae rhywbeth *impudent* yn y bachgen,' meddai Mr Jones, blaenor Capel Ebenezer, 'dŵad yma a phregethu bore Saboth ar y ddyletswydd o gyfrannu at achos Duw. Fu bron iddo a dweud wrthon ni *faint* o arian o'n ni i roi. Glywsoch chi fath beth erioed? Dywedais i wrtho ar ôl cwrdd y bore, mewn ffordd eitha tyner 'rych chi'n deall, "Buaswn i'n aros am nifer o flynyddoedd cyn pregethu y bregeth yna eto. Meddyliwch," meddwn i, "beth os oedd rhywun yn y capel y bore yma mewn pryder am ei enaid ac yn gobeithio cael tipyn o oleuni? Mi âth o'r capel mor dloted a daeth e yno. Does dim byd fel yr hen Efengyl, fel 'aberth y groes', i gyffwrdd â chalonnau pobl." Edrychodd arna i a gofynnodd yn dawel iawn a o'n i'n meddwl fod llai o 'Galfaria' yn ei bregeth e nag oedd yn y bregeth ar y mynydd.

"Wel," meddwn i, gan synnu fod y bachgen mor fentrus â beiddio cyffelybu ei bregeth e â phregeth Crist, "yr wy' i yn meddwl fod rhywbeth pechadurus mewn cwestiwn fel'na."

"Oedd yna rywbeth ynte," meddai fe, "yn 'y mhregeth i y bore yma yn groes i Air Duw? A ddywedes i rywbeth sydd heb ei ddweud yn y Beibl?"

"Wel naddo," meddwn i, ond dywedes nad allswn i byth aros yno trwy'r dydd i ddadlu gydag e, ond fod llawer pwnc yn cael ei ddwyn i'r golwg yn y Beibl nad ydyn nhw ddim yn ffit i'r pulpud.

"Mi cawsoch e yna, Mr Jones" ebe Piter Salmon, y saer, gan guro ei ddwylo.

"Cael e?" ebe Mr Jones. "Naddo'n wir. Mae rhai o fechgyn y coleg yna, fel rhai pysgod: gellwch feddwl ddwsin o weithiau eu bod nhw wedi llyncu yr abwyd ac nad oedd gennych ddim i'w wneud ond eu lladd a'u bwyta ond, erbyn edrych, maen' nhw wedi mynd yn rhydd ac allan o'ch cyrraedd, y gwirion."

"Wel, be ddywedodd e?" gofynnai Piter.

"O! dydy cyfrannu at achos Duw ddim yn un o'r pethau gwaharddedig. Siaradodd neb erioed fwy am arian na Iesu Grist: chi synnech pe baech yn chwilio gynifer o weithiau y sonia yr ysgrythurau am arian a'r pechod o ariangarwch. Iesu Grist yw model pob pregethwr ac, felly, rwy'n ffaelu gweld fod gyda chi hawl i ddweud dim yn erbyn fy mhregeth i." A'r noswaith honno fe bregethodd, os gwelwch chi'n dda, ar ddameg y gŵr goludog.'

Ond er fod Henri Roberts yn gwneud cynifer o elynion, fel y gŵyr pawb, y gwirionedd mae'r werin am glywed ac, felly, yn raddol daeth y pregethwr ieuanc yn bur boblogaidd yn ein sir ni. Yr oedd Henri yn gyfaill trwyadl iawn ac yr oedd ganddo lu o ffrindiau ymhlith y pregethwyr; barn y rhai hynny amdano ydoedd ei fod yn fachgen hynod o grefyddol, ond ei fod yn gwneud eilun o'i annibyniaeth: '*aggressively independent*,' oedd disgrifiad un o'i gyfeillion ohono, a hwyrach nad oedd yn bosibl rhoi un gwell.

Fe ddaeth adeg pan y cafodd Henri siawns i bwyso ei ffrindiau yn y cloriannau. Bu Isaac Roberts farw yn bur sydyn ac, er syndod i'r gymdogaeth, cafwyd nad ydoedd mor gyfoethog ag y tybid ei fod. Yr oedd mewn dyled i liaws o bobl ac, ar ôl talu i'r rheiny, ychydig iawn oedd yn ôl ar gyfer Henri a'i fam. Ond mwy na hynna! Un noswaith, gofynnodd Henri i mi fynd gydag ef am dro. Sylwais ei fod yn sobr iawn a meddyliais fod rhywbeth yn gwasgu ar ei feddwl. Yn y man dechreuodd,

'Ifan, yr wy' i wedi cael siom dychrynllyd. Wn i ddim a oes hawl gen i i ddweud y cwbl wrthot ti, ond mae'n rhaid i mi arllwys fy nghwyn yng nghlustiau rhywun. Wyt ti'n gwybod fod fy nhad wedi marw yn ddyn tlawd? Yr o'n i'n eitha tawel fy meddwl; nid o'n i erioed wedi disgwyl cael ffortun. Ond wrth fyned trwy hen ddesg oedd gan fy nhad, des o hyd i hen lythyrau. Ro'n i'n ffaelu eu deall a gofynnes i Mam am eglurhad. Does dim eisiau i mi fynd trwy'r hen stori, mae'n ddigon diflas. Ond beth bynnag am hynny, ces ddigon o brawf fod fy nhad wedi defnyddio dau gant o bunnau oedd yn eiddo i'w chwaer, fy modryb Jane. Bu hi farw flynyddoedd yn ôl, yn ddigon tlawd, tra'r oeddym ni yn byw yn gyfforddus ar ei harian! Mae ei mab, John Henri, yn blisman yn Nhrebeynon ac rwy i wedi dweud wrth Mam fod yn rhaid iddo fe gael yr arian, ac fe'u caiff nhw hefyd,' meddai yn gynhyrfus. 'Ond, Ifan, dyna be sydd yn fy mlino i. Mae'n rhaid i mi roi fyny bregethu am dipyn a mynd i ennill fy mywoliaeth fel clerc siop. Pe rhown i bob dimai a gawn i am bregethu at ei gilydd, ni wnâi y cyfan bedwar ugain punt yn y flwyddyn. Heblaw hynny, mae'n rhaid i bregethwr gyfrannu; alla i ddim gofyn i bobl eraill fod yn hael heb fod yn hael fy hunan. Rwyt ti'n gwybod fy mod i wedi myned trwy fy mhrentisiaeth ac rwy'n meddwl y ca' i siawns go lew, trwy ddylanwad fy hen feistr ym Manchester, i gael lle mewn siop. Fedra i feddwl am ddim byd gwell,' meddai, gan droi ei wyneb ymaith.

'Fachgen,' meddwn, 'does dim synnwyr yn y fath beth. Rhoi fyny bregethu? Meddylia be ddywed y bobl.'

'Wyt ti'n meddwl nad ydw i wedi bod trwy hynna i gyd? Wyt ti ddim yn gwybod fod rhoi i fyny bregethu fel torri aelod i mi? Torri aelod yn wir! Fyddai hynny ddim byd ato. Ond rhaid i mi fod yn onest ac, am beth ddywed y bobl, mi alla ddweud hynny wrthot ti'n awr: "Creadur pen wiw ydyw, wedi blino ar bregethu am nad yw yn cael y lle yn y Cyfarfod Misol mae e'n meddwl ei fod yn haeddu." Gallant ddweud be leicia nhw, alla i ddim help ond, cofia Ifan, does yr un gair i fod am y gwir reswm dros imi adael pregethu. Mae 'Nhad wedi marw ac mae 'nghefn i yn ddigon llydan i gario hynna i gyd.'

'Beth am Lizzie?' meddwn i.

'O,' meddai, 'mae hi yn meddwl fy mod i'n ffit i'r *'sylum*; dyna ddywed y menywod i gyd.'

Yr oedd Henri a Lizzie Lloyd, merch yr ysgolfeistr, wedi bod yn gariadon am flynyddoedd a gwelais fod tywydd garw wedi bod yn hanes fy nghyfaill rhwng ei fam a'i ddarpar wraig!

Am rai wythnosau ar ôl hyn, doedd dim i'w glywed ond hanes Henri; hanes digon celwyddog, fel yr own i'n gwybod; pob math o bethau yn cael eu dweud amdano. Rhai yn dweud ei fod wedi cyflawni rhyw drosedd a'i fod yn diswyddo ei hunan yn lle aros i'r awdurdodau wneud hynny. Priodolid pob math o amcanion iddo ond yr un gwir. Clywais fod Joseph Parri wedi ei basio ar yr heol heb siarad, am y rheswm ei fod yn edrych ar Henri fel Demas, 'yr hwn a'm gadawodd, gan garu y byd presennol.' Nid oedd Joseph byth yn treio perswadio dynion ieuainc i ddechrau pregethu. Yn wir, yr ydoedd yn rhy hoff, feallai, o osod rhwystrau yn eu ffyrdd. Ond unwaith yr ymgymerai dyn â'r swydd gysegredig yr oedd Joseph yn disgwyl iddo fod yn ffyddlon. Yr oedd lliaws yn meddwl fod Henri wedi ei siomi yn amgylchiadau ei dad a'i fod, am hynny, wedi penderfynu gwneud arian mewn masnach a throi ei gefn ar y weinidogaeth. Anodd iawn oedd gennyf beidio egluro i'r byd yn gyffredinol beth oedd gwir garictor y dyn oeddynt yn ei farnu mor llym; ond gan fy mod wedi gwneud addewid i'm cyfaill, cedwais fy ngair ac ni ddywedais ddim.

Cafodd Henri le mewn masnachdy ym Manchester ac, ambell waith, byddai yn ysgrifennu ataf. Druan ohono! Yr oedd ei fam yn edrych arno fel ynfytyn. A Lizzie Lloyd, oddi wrth pa un y gallasai ddisgwyl cydymdeimlad, gellid meddwl, yn barod i gredu y storïau gwaethaf amdano ac, yn fuan iawn ar ôl i Henri fyned ymaith, clywais ei bod yn 'siarad â phregethwr ieuanc arall.' Yn raddol enillodd Henri safle anrhydeddus yn y masnachdy ym Manchester ac yr oedd pobl Llanestyn yn teimlo yn ddig iawn wrtho am beidio rhoddi carreg uwchben bedd ei dad. Bu ei fam yn cael hwyl neilltuol wrth grio am y prawf newydd hwn o ddiofalwch ei mab.

Yn y cyfamser, beth bynnag, yr oedd John Henri wedi derbyn y gyfran gyntaf o'r ddau gant o bunnau ac wedi synnu yn fawr uwchben llythyr ei gefnder. Teimlai yn bur siŵr fod colled enbyd arno. 'Fyddai neb ond dyn heb fod yn gall yn talu arian heb ei orfodi i wneud felly!' meddai yn ddifrifol. Ar ôl rhai blynyddoedd o fyw yn gynnil ac ymwadu ag ef ei hun, llwyddodd Henri i dalu yr holl ddyled a daeth yn ôl i Lanestyn gan deimlo, yn ôl ei gyffesiad ei hunan, 'fel dyn oedd wedi bod am dymor yn y carchar.'

Un diwrnod daeth ei gefnder, John Henri, i'w weled. Plisman, fel y dywedais, oedd John Henri: creadur mawr oedd yn llanw yr ystafell fechan ac yn gwneud i mi a Henri edrych fel ceiliogod rhedyn.

'Piti fod e mor od,' meddai wrthyf yn gyfrinachol ar ôl i Henri fyned o'r ystafell am funud, 'mae e'n edrych yn fachgen *fine* ac yn ddigon call i siarad ag e, ond mae rhai pobl yn mynd yn ddwl ar bwnc yr arian pan ma' nhw'n ddigon call ar bopeth arall.'

'Os yw bod yn onest yn brawf o ffolineb, mae Henri yn siŵr o fod yn ddyn ffôl iawn,' meddwn, 'ac eto, welais i erioed ddyn mwy synhwyrol nag ef.'

'Mae'n anodd gen i gredu ei fod yn hollol fel pobl eraill,' ebe'r plismon yn ddifrifol. 'Mae'n siŵr fod crac ynddo yn rhywle. Yr wy' i yn ddyn gonest fy hunan, yn talu'm ffordd yn gyson (fel dywedith unryw un sydd yn fy nabod yn Nhrebeynon) ond, serch hynny, mae synnwyr mewn bod yn onest.'

Daeth Henri i fewn, ar hyn, a throdd ei gefnder ato:

'Dweud o'n i wrth Ifan Cadwgan yma fod dot yn dy ben di, neu fuaset ti byth yn treio talu dyledion dy dad. Paid bod mor ddwl tro nesa, da machgen i. Wrth gwrs, rwy'n ddigon boddlon i gymryd yr arian; mae arian yn dda bob amser a dydw i byth yn credu mewn peidio cymryd y cwbl a ddaw i mi: dyna'r ffordd i ddod ymlaen yn y byd yma. Ar yr un pryd yr o'n i'n meddwl mai gwell fyddai rhoi tipyn o gyngor i ti. Rhyfeddwn i damaid na fydd pob dyn yn yr ardal yn treio cael gennyt ti feddwl fod arian ar dy dad iddyn nhw. Cofia, paid talu dim os na fydd gennyn nhw rywbeth i ddangos fod hawl gyda nhw. Rhaid i mi fynd yn awr, ond do'n i ddim yn teimlo yn esmwyth heb ddŵad yma i roi gair o gyngor i ti. Ffarwél, nawr,' a ffwrdd ag ef.

'Wel, wel,' meddai Henri, 'mae dyn sydd yn treio bod yn onest yn cael ei ystyried yn greadur penwan! Glywaist ti fath beth erioed?'

Ac hyd yn oed ar ôl i'r stori wirioneddol am Henri ddod yn wybyddus i'r cyhoedd, nid gwaith hawdd gafodd ef i gael gan y bobl gredu ynddo. Yr oedd y mwyafrif yn edrych arno fel rhyw *curiosity*: creadur ansefydlog fyddai'n barod i adael pregethu am unryw felus chwant a enillai ei gydymdeimlad ar y foment.

Ond yn raddol, argyhoeddwyd pawb o'i onestrwydd a daeth yn bregethwr dymunol iawn. Mae ef ei hunan yn dweud mai'r blynyddoedd yn y siop ym Manchester oedd y coleg gore gafodd erioed. Yno y dysgodd adnabod dynion. Ac yno hefyd y dysgodd sut i ymddwyn at wahanol gymeriadau, ac mae'r wybodaeth hon yn gymorth nid bychan iddo yn ei waith presennol fel bugail ar eglwys ac fel cynghorydd llu mawr o ddynion ieuainc.

Siomedigaeth Rebeca Parri

Y mae tŷ bychan yn agos i gapel Llanestyn sydd yn annwyl iawn i mi. Nid oes dim byd neilltuol yn ymddangosiad y tŷ yma; tŷ cyffredin iawn yr olwg arno. Ac eto, mae yn gas gennyf ei ddisgrifio fel tŷ cyffredin, oherwydd mae pethau mwyaf fy mywyd yn dwyn cysylltiad â'r gegin honno, ar eich llaw chwith wedi myned i fewn.

Flynyddoedd yn ôl yr oedd Malachi Parri a'i wraig, Rebeca, yn byw yn Ty'nlôn. Nid oedd ganddynt blant a, chan fod llawer o amser ganddi, yr oedd Rebeca Parri yn gwneud tipyn o waith fel gwraig gweinidog. Dywedai rhai fod Rebeca yn ymffrostio yn y ffaith fod Malachi Parri, ei gŵr, yn pregethu weithiau ar y Sul, ond tystiai rhai eraill fod y ffaith fod ei gŵr heb ei ordeinio yn swmbwl mawr yn ei chnawd a'i bod hi yn gwneud ei gore i'w rwystro i fyned yma ac acw i wasanaethu y pulpudau gwag. Yr oedd gan Malachi ychydig o arian ac yr oedd Ty'nlôn yn eiddo iddo, fel nad oedd yn angenrheidiol iddo weithio a, chware teg iddo, nid ydoedd byth yn gwneud dim ac yr ocdd ganddo rcsymau digonol i'w rhoi i'r rhai hynny fyddai ambell i dro yn ei atgofio am yr adnod honno: 'os byddai neb ni fynnai weithio, na châi fwyta chwaith.'

'Digon gwir,' fyddai ateb Malachi Parri, 'dyna beth yr wy' i yn ddweud wrth y feistres pan y mae creaduriaid yn dŵad yma i ofyn am gardod: "Dwed wrtho am fynd i weithio i ennill ei damaid," dyna 'nghyngor i bob tro. Ac, yn wir, dyna pam nad ydw i ddim yn gwneud mwy fy hunan: teimlad o dosturi dros y rhai hynny sydd yn gorfod gweithio. Os â i i wneud gwaith rhywun arall, bydd e, druan, yn siŵr o ddioddef, ac mae rhyw ychydig gyda mi, fel y gwyddoch chi ac, felly, does gen i ddim hawl i gymeryd y bara o enau dyn arall.'

Nid oedd yn bosibl i neb wrthsefyll y fath hunanymwadiad a'r canlyniad oedd fod y mwyafrif yn disgrifio Malachi Parri fel 'dyn bach da iawn.' ('Maen nhw'n gofalu rhoi'r 'bach' i fewn,' oedd sylw Mrs Parri.)

Ar brynhawn Sadwrn byddai Malachi yn cychwyn at ei gyhoeddiad, a rhyfedd y gwaith ynglŷn â'i gychwyniad! Yr oedd yn berchen ar ryw ychydig o bregethau ac yr oedd y rhai hyn wedi eu hysgrifennu allan mewn llyfr destlus; yr oedd pob gair yn cael ei roddi i lawr. A phob dydd Llun, ar ôl dychwelyd gartref, byddai Malachi yn ysgrifennu rhif yr emynau a ganwyd y Saboth, y penodau yr oedd wedi eu darllen ac hefyd y gweddïau yr oedd wedi offrymu. Byddai Rebeca weithiau yn colli amynedd gyda'i gŵr, ac yn myned i'r parlwr bore Llun ac yn dweud yn sarrug:

'Gad lonydd i'r hen lyfrau yna, pwy ots dy fod wedi rhoi allan 477 a 689. Yn enw'r brenin, beth sydd arnat ti yn sgrifennu yr holl emyn allan fel'na? Oes coll arnat ti, Malachi?'

'Na nid coll sydd arnaf,' fyddai atebiad tawel Malachi, 'edrych ymlaen i'r dyfodol yr wyf; rhyw ddiwrnod bydd yr holl ffeithiau hyn yn gysegredig. Byddai yn dipyn hawddach ysgrifennu hanes bywyd Jones Talsarn a Henry Rees pe buasa nhw wedi gofalu cofrestru pethau. Ar ôl i ddyn farw mae pethau bach yn myned yn bwysig.'

'Y tirion annwyl,' meddai Rebeca, 'a dyna'r fath ddyn yr wy' wedi briodi!'

Ond yr wyf yn crwydro. Bob dydd Sadwrn yr oedd cryn dipyn o waith i gael Malachi ar ei ffordd. Yr oedd yn boenus o araf ac yn synfyfyrio yn y parlwr am oriau. Ond yr oedd yn ofalus iawn i adael swm ei fyfyrdodau gyda'i wraig.

'Meddwl yr oeddwn am bechod gwreiddiol, y fath anffawd iddo gymeryd meddiant o'r hen fyd yma, sut na fuasai Efa yn sbecto y sarff, buaswn i yn meddwl ...'

'Dwed wrth bobol Trefain yfory, Malachi bach,' meddai Rebeca, 'mae eisiau mynd arna i i grasu bara.'

'Wel, cofia, os bydda i farw cyn dychwelyd, pwnc pechod gwreiddiol oedd yn fy mhoeni; bydd goleuni claer tragwyddoldeb erbyn ...'

'Dyma fi yn gadael y *pony*, rwy'n bownd o fynd at y bara.'

'Daearol iawn wyt ti, 'y merch i, ond mae llawer o bethau da ynot ti,' fyddai geiriau olaf Malachi cyn cychwyn. Ar ôl gweld ei gŵr yn myned ymaith, byddai Rebeca yn cloi y drysau ac yn myned i'r gegin i lefain fel plentyn. Digwyddodd rhywun ei gweld yn crio yn hidl rhyw ddiwrnod ac aeth y gair trwy'r gymdogaeth fod "Beca Parri yn ynfyd obeutu'r dyn yna: mae hi yn lleisio bob tro mae o'n mynd at ei gyhoeddiad."

Yr oedd Beca dros ddeugain oed cyn iddi briodi. Yr oedd Malachi Parri yn ddyn glân iawn yr olwg arno ac yr oedd amryw o ferched wedi syrthio mewn cariad gydag ef. Ond Rebeca ydoedd yr un a gymerodd ac, y mae yn debyg iddo wneud dewisiad call iawn, oherwydd yr oedd y wraig yn barod i wneud gwaith y gŵr yn ogystal â'i gwaith ei hunan. Yr oedd yn foddlon i aberthu ei hunan ar allor dyletswydd ac, mewn canlyniad, yr oedd Malachi yn cael amser hapus dros ben; yn cael gwneud yn union fel yr oedd arno eisiau, heb neb i'w aflonyddu. Nid rhyfedd ei fod yn dweud yn y tai capelau ar hyd y wlad, 'Yr wyf fi yn hapus iawn yn y sefyllfa newydd, mae y wraig yn fy mharchu i ac yr wy' innau yn ei pharchu hithau.' O drugaredd, nid oedd Malachi yn deall ei wraig, nac yn abl i ddarllen ei chalon.

Un diwrnod, rai misoedd wedi y briodas, aeth Rebeca i edrych am Betsy Jones.

'Wel, Beca fach,' ebe Betsy, 'mae yn dda orgynnig gennyf dy weled. Sut mae'r gŵr?'

'O, da iawn, am wn i,' ebe Beca yn dawel, 'mae e wedi mynd at ei gyhoeddiad.'

'Mae'n unig iawn arnat ti ddydd Sadwrn,' meddai Betsy, 'ond dyna, fe alli di ei ddisgwyl yn ôl ddydd Llun; amdana i ... ond pwy iws sôn, mae'r addewidion gyda mi.'

'Dŵad i siarad am Malachi ro'n i,' ebe Rebeca yn dawel iawn. 'Mae'n rhaid i mi siarad neu roi diwedd arnaf fy hunan a, nawr Betsy Jones, yr wy' i yn mynd i arllwys fy nghalon i ti. Mae pethau wedi mynd yn gyfyng iawn arna i.'

'Bydd dy gyfrinach fel y bedd,' ebe Betsy.

'Wel,' meddai Rebeca, 'yr wyf wedi cael siom fawr iawn. Nid am na ches i gynigion buais i mor hir cyn priodi, ond yr oedd gen i ryw deimlad fod eisiau arnaf gael rhywun y gallwn roi'm holl serch arno. Paid chwerthin, Betsy, ond pan briodais i Malachi, er fy mod yn un a deugain oed, yr o'n mor hoff ohono â chroten a nawr, ar ôl priodi, yr wyf wedi deall y fath gamsyniad yr wyf wedi wneud.'

'Dere di, 'y merch i,' ebe Betsy. 'Paid dweud gormod. Mae'r haul yn machludo ambell waith, yn mynd o dan y cymylau bryd arall, ond mae e'n codi eilwaith. Paid meddwl gormod am bethau bach.'

'O, dydw i ddim,' ebe Rebeca. 'Nid rhyw bethau bach, neu bethau mawr yr wy' i yn meddwl amdanynt, ond popeth gyda'i gilydd. Mi wnes gamsyniad ofnadwy. Mi briodais ddyn ac y mae cywilydd arna i drosto. Pe buase fe yn ddyn drwg iawn, yr wyf yn meddwl y gallsen i dreio gweddïo tipyn drosto, ac mi fuaswn yn foddlon gwneud unrhyw beth er mwyn treio cuddio ei fai. Ond os bydd *ffŵl* yn y tŷ, does dim posib ei guddio, ac yr wy' i yn meddwl gallswn i ddioddef unrhyw beth yn well na chael fy nghlymu wrth ddyn y mae pawb yn chwerthin am ei ben; pe buasai tuedd chwerthin arna i, buaswn innau yn chwerthin ar ei ben. O Betsy fach, dyna deimlad ofnadwy yw bod cywilydd arnoch chi o'ch gŵr.'

'Mae llawer benyw fach yn gorfod dioddef peth fel'na,' ebe Betsy, 'a gwaeth na hynny hefyd. Mae yn hawdd iawn i ti,

Beca, feddwl y gallset ti ddioddef yn well pe buasai dy ŵr yn meddwi neu yn rhegi; ond dim yn deall wyt ti. Mae rhywbeth digon diniwed yn Malachi.'

'Dyna beth sydd yn fy mecso i. Mae e mor ddwl, mor dwp: y bobol yn chwerthin ar ei ben ac yntau yn ddigon ffôl i feddwl mai ei ganmol ef y maent!'

'Peth da iawn yw dysgu gwneud y gore o bethau,' ebe Betsy, 'buaswn i yn dy le di, Rebeca, buaswn i yn treio 'y ngore i gael gafael yn holl rinweddau y gŵr a chadw'm llygaid yn *hold fast* ar rheiny: dyna 'nghyngor i i ti.'

'O'r annwyl, Betsy Jones, paid siarad fel'na. Dyna ti yn mynd i Drefeity ac yn prynu *gown* newydd sidan, yn talu pris mawr amdano, ac yn mynd ag ef gartre ac, yna ar ôl edrych yn ddyfal arno, cael allan mai nid sidan oedd e o gwbl, ond hen frethyn cyffredin a tipyn o *gloss* sidanaidd arno. Sut buaset ti yn teimlo wedyn? Edrych trwy y pisyn a treio dweud wrthyt dy hunan: "Wel, os brethyn yw hwn, mae rhan ohono yn o dda ac mae'n rhaid gwneud y gore o fargen ddrwg." Dim fath beth, Betsy fach, buaset ti yn taflu y stwff o'r golwg rhywle; buasai edrych arno yn dy wncud yn sâl.'

'Aros dipyn,' meddai Betsy, 'doedd neb yn gwneud i ti briodi Malachi Parri; mynd gydag ef o'th ewyllys dy hunan 'nes di felly rhaid i ti beidio bod yn rhy ddiamynedd gydag ef.'

'Fe'm mherswadiodd i mai sidan ydoedd,' meddai Rebeca, 'a hen frethyn cyffredin iawn yw e.'

'O,' ebe Betsy, 'roedd bai arnat ti. Lle roedd dy synnwyr di os oedd dyn yn gallu dy dwyllo mor hawdd?'

''Dwn i ddim wir, ond mae pethau wedi dŵad i'r pen bellach. Mae Malachi yn treulio llawer o amser yn y parlwr gyda'r llyfrau ac yn ysgrifennu llawer, a bore heddiw dyma fe yn galw arna i fewn ac yn dweud, yn ei ffordd fawreddog, "Yr wyf yn bwriadu cyhoeddi cyfrol o'm pregethau." Bu agos i mi gael ffit! "Y dyn," meddwn, "pwy, yn enw'r holl fydoedd, wyt ti'n feddwl fydd yn prynu dy lyfr?" "Y cyhoedd," meddai yn dawel iawn, "mae'r cyhoedd yn barod bob amser i gael gafael ar beth da." "Ro'n i'n meddwl," meddwn, "fod cyhoeddi llyfrau yn waith costus iawn, ac o ba le mae'r arian yn dŵad?" "Yr wyf yn meddwl fod gennych chi ryw dipyn," meddai, gan chwerthin, "ac rwy'n gwybod bydd yn dda gyda chi roi benthyg eich arian i wneud gwaith da fel hyn." "Dim un ddimai," meddwn. "Byddwn yn hen bobol ymhen ychydig o flynyddoedd, a bydd eisiau yr ychydig sylltau yr wyf wedi eu rhoi heibio i'n cynnal ni. Pwy wyt ti'n meddwl fydd yn barod i brynu dy lyfr? Pwy sydd yn gwybod hyd yn oed am enw Malachi Parri?" A beth wyt ti'n feddwl ddywedodd e? "Hefyd y gŵr oedd annwyl gennyf, yr hwn yr ymddiriedais iddo, ac a fwytaodd fy mara, a ddyrchafodd ei sawdl i'm herbyn."

'A fan yna mae'r pwynt yn sefyll yn awr?' gofynnai Betsy.

'Ie,' ebe Rebeca, 'am wn i, ond dyna sydd ofn arnaf; iddo ofyn i'r bobol yn y gwahanol gapelau i gymeryd un o'r cyfrolau yma. Mae pobol yn ddigon caredig, ond dydw i ddim eisiau cardod, a beth ond cardod yw prynu llyfr o bregethau dyn di-nod?'

'Os na fyddi di yn rhoi arian, allith e ddim cyhoeddi'r llyfr,' ebe Betsy.

'Betsy fach, dyna'i gyd yr 'ych chi'n ddeall o natur ddynol. Mae'r llyfr wedi ei gyhoeddi, rwy'n siŵr o hynny, er na ddywedodd air, ac mae y teitl wedi ei ddewis, *Sŵn y Dulsimer*. A nawr, os gofynnith Malachi i ti brynu y llyfr, cofia beidio gwneud. Mae'n hawdd iawn gwneud esgus. Dwed wrtho nad wyt ti byth yn prynu menyn heb ei dasto.'

'Beth os bydd y gŵr yn gofyn i ti werthu y llyfrau?' gofynnai Betsy. 'Roedd gwraig John Owen, gweinidog Gibeon, yn cario llyfr gyda hi i bob man ac yn ei werthu.'

'Nid Rebeca Parri oedd Lisa Owen,' meddai Rebeca yn

sychlyd, 'a welwch chi byth mo Rebeca Parri yn gwerthu llyfrau ei gŵr.'

'Ond mae pethau da iawn yn y llyfr,' ebe Betsy yn ddifeddwl.

'Beth?' meddai Rebeca, 'ydy Malachi wedi bod yma eisoes yn gwerthu y gyfrol? O'r annwyl, yr oeddwn yn meddwl fy mod wedi dŵad mewn pryd i'ch rhybuddio.'

'Dydy e ddim wedi bod mewn llawer o dai,' ebe Betsy, 'ac os yw pobol yn foddlon i brynu menyn heb ei dasto, arnyn nhw y mae'r cyfrifoldeb.'

'Och gwae,' meddai Rebeca, 'yr o'n i eisiau cysur, ond teimlo yn waeth yr ydw i. Betsy fach, gweddïwch drosof.'

'Mi allaf wneud hynny,' ebe Betsy, 'a wyddoch chi beth, rhyfeddwn i ddim nad yw llaw yr Arglwydd yn y peth hwn. Pe buase Rebeca Parri heb ei siomi, buasai dim ffordd cael ganddi i gymeryd diddordeb ym mhobol ieuainc yr ardal; mae eisiau rhywun craffus fel chi i ddylanwadu ar ieuenctid y gymdogaeth. Cer gartre, Rebeca fach, a meddwl di am beth yr wy' i wedi ddweud wrthot ti.'

Cymerodd Rebeca gyngor Betsy: penderfynodd wneud y gore o'i hamgylchiadau. Un diwrnod, cydiodd yn y llyfr, *Sŵn y Dulsimer*, a dechreuodd ddarllen un o'r pregethau ac, yn ddisymwth, daeth o hyd i ddywediad trawiadol iawn. 'Mae hwnna yn berl,' meddai wrthi ei hunan mewn syndod. Darllenodd ef drosodd a throsodd, a daeth gwawr nefol trwyddo i'w henaid. 'Malachi,' meddai, 'mae'r bregeth yna yn *Sŵn y Dulsimer* wedi bod yn foddion gras imi; fedra i byth ddiolch digon i chi,' a dechreuodd wylo yn hidl.

Dydi Rebeca ddim yn gwybod hyd y dydd hwn mai pregeth rhywun arall, sydd ers blynyddoedd yn ei fedd, yw'r bregeth sydd wedi bod o'r fath gynhorthwy iddi. Daeth y brawd Malachi o hyd iddi ymhlith llythyrau hen gyfaill iddo a meddyliodd mai da fuasai ei chyhoeddi fel ei bregeth ef ei hun.

Yr Etholedig Arglwyddes

Pe buasai athrylith arliwydd gennyf buaswn yn ceisio darlunio i chi ddyffryn Alun, ond nid ydwyf yn abl i ddisgrifio prydferthwch natur. Nid ydwyf yn foddlon cyfaddef nas gallaf weled gogoniant anian ond, er mwyn bod yn berffaith onest, rhaid i mi ddweud fod natur ddynol yn fy swyno tu hwnt i natur anianol. Y mae rhywbeth gogoneddus iawn mewn edrych ar y wawr yn codi, gan orchfygu yn llwyr y tywyllwch dudew, ond credaf mewn gwylio ambell i ddyn yn gorchfygu (trwy nerth y Groes) y diafol a'i holl lu, ac yn eistedd i lawr ar y diwedd 'yn fwy na choncwerwr trwy yr Hwn a'i carodd.' Peth cyfarwydd i ni, y dyddiau rhyfedd hyn, yw syllu ar bethau aruthrol; gwyrthiau sydd yn gwneud i natur, er ei holl urddas, guddio ei phen a dweud yn ostyngedig 'Ti bia'r goron.'

Yr ydym ni, pobl Pentre Alun, wedi bod yng nghanol y Diwygiad. Daeth i'n hardal ni fel storom o fellt a tharanau: syrthiodd meibion Belial megis brigau o'i flaen a diwreiddiwyd llawer derwen rymus, hyd yn oed rhai y bu lluoedd Israel yn cysgodi o dan eu canghennau. Digwyddodd pethau rhyfedd ac ofnadwy ym Mhentre Alun, ond y cynhyrfiad mwyaf a gafodd y lle oedd tröedigaeth Mrs Powel, Ty'nrhos. Gyda'i brawd, Ezeciel Dafis, ffermwr go gyfoethog a phregethwr gyda hynny, yr oedd Mrs Powel yn trigo. Bu farw ei gŵr yn ddyn lled ieuanc a'i phriodas oedd yr unig dro ffôl y gwyddem amdano yn ei hanes, oherwydd dyn ofer oedd Richet Powel, hollol annheilwng o'i wraig. Cyfrifid teulu Ty'nrhos fel rhai hynod o gall. Dyn synhwyrol iawn oedd yr hen 'Zeciel Dafis ac yr oedd ei fab a'i ferch yn debyg iawn iddo. Byddai Mrs Powel yn gwneud gwaith ardderchog yn y capel ymhlith y gwragedd a'r merched, yn cymeryd diddordeb anghyffredin yn y gwahanol ddosbarthiadau Beiblaidd. Yn yr ysgol Sul yr oedd ei gwerth yn ddirfawr ac, yn wir, ym mhob cyfarfod a berthynai i'r capel yr oedd hi yn gweithio yn egnïol. Feallai nad ydoedd yn boblogaidd iawn; yr oedd yn rhy alluog i fod felly. Y mae rhyw Saul ymhlith gwragedd yn sicr o ennyn cenfigen y chwiorydd sydd yn llai eu maintioli. Nid oedd gan neb ddim i'w ddweud yn erbyn Mrs Powel: yr oedd yn hynod ofalus i beidio briwio teimladau neb, yn cymeryd trafferth fawr i gadw pawb yn ddirwgnach. Yn wir, hi oedd Dorcas ein hardal ni, yn gofalu am bawb a phopeth, yn ymweled â'r cleifion, yn dilladu y noeth, yn paratoi ar gyfer anghenion y tlawd, ac ar y blaen ym mhob symudiad daionus.

Ym mis Tachwedd 1904 dechreuodd y sôn am Evan Roberts dreiddio i'n hardal ni. Daeth bechgyn o sir Forgannwg gartref â hanes rhai o'r cyfarfodydd brwd oeddynt wedi gael yn y *South*. Ar y dechre, doedd Mrs Powel yn cymeryd fawr sylw o'r ystorïau. Yr oedd yn rhy gall i chwerthin am ben brwdfrydedd y bechgyn, ond yr oedd yn hawdd deall nad ydoedd, ar y pryd, mewn cydymdeimlad â'r symudiad newydd. 'Eisiau dyfnder, nid sŵn, sydd ar yr eglwys,' meddai, lawer tro, 'a phan y mae Ysbryd Duw yn gweithio, dydy O ddim yn cadw y bechgyn a'r genethod i lawr trwy'r nos a'u gwneud yn amhosibl iddynt wneud eu gwaith y dydd canlynol.'

Ond un wythnos, collwyd Mrs Powel o'r cyfarfodydd arferol a thaenwyd y si ei bod yn wael ei hiechyd. Erbyn diwedd yr wythnos yr oedd pethau wedi mynd yn ddifrifol iawn yn Ty'nrhos. Yr oedd Mrs Powel mor sâl fel yr oedd yn angenrheidiol anfon am feddyg, ac hyd yn oed am *nurse*! Ac yna deallwyd fod rhywbeth ar feddwl Mrs Powel a bod ei chyfeillion gorau yn ofni fod ei synhwyrau yn drysu. Yr oedd, medden nhw, yn dweud y pethau rhyfeddaf, yn tystio nad ydoedd yn grefyddol o gwbl, mai rhith o grefydd fu gyda hi am flynyddoedd a'i bod wedi pechu y pechod anfaddeuol. Am bythefnos gron bu yn y stad boenus yna, yn methu bwyta nac yfed, ond yn gorwedd yn ei gwely o fore hyd nos, ac o nos hyd fore, yn griddfan oherwydd ei phechod. Bu rhai yn ymweled â hi a'u tystiolaeth hwy oedd y byddai yn sicr o orffen ei dyddiau yn y gwallgofdy. Ond un diwrnod, dyma dro yn cymeryd lle yn ei chyflwr. Tystiai, yn awr, wrth bawb fod Duw wedi maddau ei throsedd, wedi cuddio ei beiau, ac yr oedd yn gorfoleddu ddydd a nos. Credai y rhan fwyaf mai *phase* o'r clefyd oedd y datblygiad hwn, ac yr oedd yn haws gan lawer ddeall yr ing a'r gofid y pythefnos cyntaf na gorfoledd a dedwyddwch yr ail bythefnos. 'Yr wyf yn aelod o'r teulu brenhinol,' meddai, 'un o ferched y Brenin. Pwy ydych chi?' Yr oedd nith i Mrs Powel yn byw yn Llys Meurig, rhyw wyth neu naw milltir o Bentre Alun ac, un diwrnod, daeth Mrs Isaac i weled ei modryb. Aeth gartref dan grio yn hidl. Methodd gysgu y noswaith honno ac aeth yn wangalon iawn. Rhyw wythnos wedyn daeth chwant ar Mrs Isaac i fyned eto i weled ei modryb, ond nid oedd ei gŵr yn foddlon. 'Os oes rhaid i chi anfon i ofyn sut y mae hi, mi af fi yn eich lle. Alla i ddim gadael i chi wneud eich hunan yn sâl.' Y noswaith honno, dychwelodd David Isaac a'i wyneb yn welw. Methodd gysgu drwy'r nos a bu yntau yn isel iawn ei ysbryd am ddyddiau lawer hyd nes, yn wir, y dywedodd yn gyhoeddus ei fod ef a'i wraig wedi cael gafael, am y tro cyntaf, mewn gwir grefydd.

Un diwrnod, dyma'r si yn treiddio trwy'r ardal fod Mrs Powel wedi gwella yn llwyr a'i bod yn dyfod i'r seiat y noswaith honno i ddweud ei phrofiad! Tarawyd pawb â syndod: Mrs Powel yn dweud ei phrofiad! Y wraig olaf ym Mhentre Alun i gymeryd rhan mewn cyfarfod cyhoeddus. Llawer gwaith yr oeddym wedi ei chlywed yn dweud gydag awdurdod, 'lle gwraig rinweddol yw yr aelwyd gartre. Os bydd amser ganddi, gall fod yn athrawes yn yr ysgol Sul ac ymweled â'r cleifion. Dydy'r Arglwydd erioed wedi meddwl i'r gwragedd efelychu y gwŷr.' Nid oedd byth yn myned i wrando ar y chwiorydd hynny sydd yn myned ar draws y wlad i areithio o bryd i bryd, felly pan daenodd y newydd ei bod hi, Mrs Powel, yn bwriadu siarad yn y cyfarfod nos Iau, daeth tyrfa fawr ynghyd; llawer ohonynt yn disgwyl cael rhyw fath o *entertainment* oddi wrth greadur hanner call! Anghofiaf fi byth y syndod ddaeth drosof pan yr agorwyd drws y capel ac y daeth Mrs Powel i fewn. Yr oedd ei brawd wedi pallu dyfod. Ofnai weled a chlywed rhywbeth fyddai yn dolurio ei deimladau. Cerddodd Mrs Powel i fyny i'w sedd arferol ac, ar y cyntaf, tybies fod rhywbeth ar fy llygaid. Yr oedd ofn arnaf. Beth oedd wedi cymeryd lle yng ngwyneb y wraig? Yn ddisymwth, cofies am Moses yn dyfod i lawr o'r mynydd a'r Israeliaid yn dymuno ganddo guddio ei wyneb. Yr oedd gwyneb Mrs Powel yn disgleirio rhywsut, a daeth dychryn drosof ac, yn wir, dros bawb arall. Ar ôl dechre y cyfarfod gofynnodd y blaenor, William Griffith, 'Oes rhywbeth ar feddwl rhywun?' Mewn eiliad, dyma Mrs Powel ar ei thraed.

'Oes,' meddai, 'mae llawer ar fy meddwl i.' Yr oedd ei llais yn glir ac yn dreiddgar. Trodd at y gynulleidfa a dechreuodd siarad: 'Yr wyf am gyfaddef yn gyntaf fy mod wedi bod yn aelod o'r eglwys hon am bymtheg mlynedd ar hugain. Yr oeddwn yn proffesu fy mod yn dilyn yr Arglwydd, ond anwiredd oedd y cwbl. Doeddwn i ddim yn ffit i fod yn aelod: rhagrith a chelwydd sydd wedi llywodraethu fy mywyd. Mis yn ôl cefais yr olwg gyntaf ar fy nghyflwr. Roedd fy llygredd yn cyrraedd hyd y nefoedd ac yr oedd cywilydd arnaf edrych i fyny. Pum wythnos i heno, pe buasai un ohonoch wedi gofyn i mi, "Ydych chi yn ofni yr ugeinfed o Ecsodus?" buaswn yn dweud, gyda hyder, "Nag ydwyf, yr wyf yn cadw y gorchmynion bob yr un." Ond pan agorodd Duw fy llygaid, gwelais fy mod wedi torri pob un o'r deg drosodd a throsodd drachefn. Clywsoch, ddigon tebyg, i mi fynd yn agos iawn i'r gwallgofdy. Clywsoch y gwirionedd. Bûm yn agos iawn mynd yno. Yr oedd llygredd fy nghalon gymaint, credais nad oedd yn bosibl i mi gael maddeuant. Llawer gwaith yn ystod y blynyddoedd yr wyf wedi sefyll uwchben trefn y cadw. Yr oeddwn yn credu fy mod wedi myned i lawr gydag Adda, bid siŵr, ond credwn hefyd (yn ddistaw bach) os oedd pobol eraill wedi pechu mor lleied â mi, doedd dim eisiau Aberth y Groes. Ond mis yn ôl mi newidies fy marn. Dyna oedd yn fy mlino nos a dydd; ofn nad oedd digon o haeddiant yng Ngwaed y Groes i olchi fy mhechod i, heb sôn am neb arall! O! fy rhagrith, fy malchder! Bu rhai ohonoch yn ddigon caredig i roi tebot arian i mi fel arwydd o'ch parch a'ch edmygedd ohonof. Bobol annwyl, alla i byth edrych arno mwyach: gwobr dewiniaeth yw'r tebot. Rhagrithwraig ofnadwy ydw i. Yr wyf wedi bod yn athrawes yn yr ysgol Sul, wedi ymweled â'r cleifion, wedi cyfrannu tuag at achosion da. Pam? Er mwyn i chi, pobol Pentre Alun, ddweud amdanaf, "Dyna ddynes rinweddol yw Mrs Powel. Mae'n llawn o garedigrwydd, yn hael iawn tuag at bob achos da." Fy hunan, fy hunan sydd wedi cael yr holl barch a'r bri! Am bythefnos gyfan bûm yn byw yng nghanol fy mhechodau, yn gweled dim byd ond fy llygredd a'm brynti: gwelais fy mhechodau megis mynyddau o'm hamgylch. Ar fy neheulaw yr oedd Wyddfa fawr o'm pechod; tu ôl i mi, Cader Idris fawr o'm pechod; ar fy aswy Pumlumon fawr o'm pechod ac, o'm blaen, tybiwn fod Hymalaia fawr o'm llygredd! A dyna lle yr o'n i am bythefnos gyfan yn byw yng nghanol y mynyddau hyn, a doedd dim hyd yn oed llwybr cul rhyngddynt lle y gallaswn ddianc. Ond un bore, dyma fi yn fy nghyfyngder yn gweiddi allan, "O Dduw, yr wyf yn gwybod mai i uffern y rhaid i mi fyned. Dydw i ddim yn ffit i un lle arall ac rwy'n foddlon mynd, ond cyn fy anfon i golledigaeth tragwyddol, gad i mi gael un golwg ar y Gŵr fu farw trosof." Ac, mewn eiliad, wele'r niwl yn cilio, y tywyllwch yn ffoi, a dyma fy Ngheidwad yn sefyll o'm blaen! 'Dwn i ddim pa hyd y bûm yn syllu ar Ei ogoniant. Falle i mi fod oriau, wn i yn y byd. Ond ar y diwedd cofies fy mod wedi addo myned yn ddirwgnach i uffern ac yr oeddwn yn benderfynol i gadw fy ngair. Caees fy llygaid ac, wele fi, yn ôl eto ymhlith yr hen fynyddau. 'Mhen tipyn agorais fy llygaid i edrych arnynt, ond O ryfeddod! Yr oedd pob mynydd wedi diflannu o'r golwg ac afon o Waed yn rhedeg trwyddynt! A dyma fi yn dechre gorfoleddu. Aeth yr hen wely i ddawnsio otanaf ac, erbyn hyn, dyma'r doctor a'r *nurse* yn rhedeg i fyny y grisiau ac yn cymeryd gafael ynof. "*Be calm my good woman, be calm*," meddent. "*Calm indeed*!" meddwn i, "a mynyddau fy mhechodau wedi eu toddi yn y Gwaed!" A gorfoleddu yr wy' i wedi bod er hynny; gorfoleddu yn fy Ngheidwad annwyl ac yn Ei angau drud. O Calfari! Calfari! Calfari! Byddaf yn edrych arnat i dragwyddoldeb bellach ac yn canu am y fuddugoliaeth fawr! Diolch Iddo! Diolch Iddo! Diolch Iddo!' Eisteddodd i lawr, nid oherwydd ei bod wedi gorffen dweud, ond oherwydd fod ei chorff yn rhy wan i ddal mwy. Daeth distawrwydd mawr dros y capel. Nid oedd yn bosibl i neb ddweud gair. Yr oedd ofn yr Arglwydd wedi syrthio ar bawb ac, am hanner awr mi wn, doedd dim i glywed ond ambell i ochenaid. Yna cododd Mrs Powel. 'Mae'r Arglwydd yn dweud fod yn rhaid i mi dewi heno,' meddai, 'ond nos yfory bydd nerth gennyf i ddweud rhagor am Ei gariad a'i ryfedd drugaredd.' Ac yn ddistaw iawn, dyma'r bobl yn cilio o'r capel, gan deimlo fod Duw yn llond y lle.

Poli Pat

Rhywbryd eto rhaid i mi geisio disgrifio i chi y cyfarfod rhyfedd a gafwyd yng Nghapel Pentre Alun y nos Wener ar ôl i Mrs Powel ddweud ei phrofiad. Ond heddiw, yr wyf am grwydro er mwyn dangos i chi y dyn mawr hwnnw, Jobiah Jenkins. Diacon yn ein capel ni ydoedd Mr Jenkins a'r dyn cyfoethocaf yn yr ardal. Dywedwyd gan rai mai'r rheswm paham y daeth Mr Jenkins i fyw ym Mhentre Alun oedd y ffaith mai cyffredin iawn oedd amgylchiadau pawb ac, felly, nid oedd neb i gystadlu gydag ef. Yr oedd wedi adeiladu tŷ mawr yn agos i'r pentref ac yno yr oedd efe a'i wraig fach ddiniwed yn byw. Dyn bychan o gorffolaeth ydoedd Mr Jenkins, ond peidiwch meddwl wrth hyn fod yn hawdd ei ddiystyru. Yr oedd llais mawr ganddo ac yr oedd yn gwneud y defnydd gorau ohono. Yr oedd iddo lygaid bach tanbaid ac ychydig iawn gymerai le yn y pentref heb wybod iddo.

Ym mhob ardal y mae rhyw un person sydd yn tynnu llinyn mesur dros bawb a phopeth. Ym Mhentre Alun, Ifan Jones y Felin oedd yn gwneud y gwaith hwnnw ac yr oedd yn bur hoff o fesur dyn mawr y plwyf.

'Mae rhyw ysu arno,' meddai, 'am fod yn boblogaidd. Yr wy' i'n credu y byddai yn foddlon gwerthu ei enaid er mwyn ennill gair da oddi wrth y lliaws. Credwch fi, fe wnewch chi yn dda iawn gyda Jobiah Jenkins hyd nes y daw dyn mwy poblogaidd i'r ardal; fynn e ddim cydgarwr ar un cyfrif.'

'Wel,' ebe Dio'r Post, 'does dim eisiau i ti, Ifan, fod yn gas oherwydd, beth bynnag ddywed pobol yn erbyn Mr Jenkins, rhaid cyfaddef ei fod yn rhyfedd o garedig: hanner coron i Mali Tŷ-twt, swllt i Barbara Ty'nclawdd, deunaw i Rhys y Padarn. Pwy arall sydd yn rhoddi pum swllt mewn wythnos i'r tlodion?'

'Gwneud y cwbl er mwyn ennill serch y bobol: dyna sut

cafodd e fynd i fewn i'r Sêt Fawr. Cofio y sylltau a'r hanner coronau yr oedd y dynion a treio talu yn ôl.'

'Wel, wir,' ebe Dio, 'mae'n dda gen i glywed am rai sydd yn dangos tipyn o ddiolchgarwch am garedigrwydd. Mae'r rhan fwyaf yn cymeryd y cwbl, ond ddwedan nhw ddim cymaint â "Diolch".'

'Nid dyna'r ffordd i wneud blaenoriaid,' ebe Ifan, 'y dyn o garictor uchel, nid y dyn sydd yn gallu hau coronau ar hyd yr ardal.'

'Mae'n dda i ti, was, mai nid yn ôl cyfraniadau y mae pobl yn ethol blaenoriaid, neu ynte, fyset ti byth yn cael siawns. Ond fel mae pethau, ryfeddwn i damaid nad ei di fewn tro nesaf.'

Bu Ifan yn pallu siarad gyda Dio am fis crwn. Yr oedd cwestiwn y cyfrannu yn dod yn agos at enaid Ifan. Ond os nad oedd gŵr y Felin yn un da am gyfrannu, doedd dim dwywaith nag ydoedd yn un da am farnu ei gyd-ddyn. Ar ôl y ddwy noswaith fawr honno yn ein capel ni, dechreuodd Jobiah Jenkins ganfod pethau dieithr iawn. Gwelodd fod Mrs Powel yn debyg o ddylanwadu ar yr ardal mewn modd arbennig ac, os na fedrai efe wneud rhywbeth allan o'r cyffredin ynglŷn â'r diwygiad, doedd wiw iddo ddisgwyl parhau yn ei sefyllfa bresennol fel dyn mawr y plwyf. Yr oedd Mrs Powel yn symud trwy'r gymdogaeth fel fflam o dân ac yr oedd hwn a'r llall yn cael eu difa beunydd. Ar ôl ambell i seiat byddai rhai ohonom yn gofyn i'n gilydd, 'Sut yn y byd y cadwodd eglwys Dduw at ei gilydd o gwbl os oedd o'i mewn gynifer o ragrithwyr?' Doedd nemor wythnos yn pasio heb i ni glywed rhai o brif golofnau y cysegr yn cyffesu, mewn ing a galar dwys, eu hannheilyngdod i fod hyd yn oed yn aelodau o'r eglwys, a byddai llawer ohonynt yn enwi eu pechodau yn gyhoeddus ac yn gofyn am weddïau pobl yr Arglwydd.

Lle ofnadwy ydoedd eglwys Salem, Pentre Alun, y dyddiau

hynny ac ychydig iawn o'r aelodau oedd ag amser ganddynt i feddwl pa un ai tlawd ai cyfoethog oedd eu cymdogion, neu ai mewn plasdy neu fwthyn yr oeddynt yn trigo. A chan fod Jobiah Jenkins wedi penderfynu cadw ei le fel dyn mawr yr ardal, gwelodd fod yn rhaid iddo fabwysiadu ffordd newydd i ennill serch ac edmygedd y cyhoedd. Ymhlith y bobl grefyddol yn unig yr oedd Mrs Powel ar hyn o bryd yn gweithio. 'Mae'r aelwyd yn rhy oer i fagu plant,' ebe, 'rhaid cynhesu yr eglwys cyn mynd allan i'r byd i edrych am ddefaid colledig tŷ Israel; mae'n rhaid i fabanod gael gwres, neu trengu a wnant.' A chan fod Mrs Powel yn edrych ar ôl y saint, aeth Jobiah i chwilio am y pechaduriaid.

Nid oedd y dyn mawr wedi cyrraedd llwyddiant masnachol yn Llundain heb ddysgu gwerth trefn a rheol, a phan yr aeth ynghyd â gwaith cenhadol cymerodd ofal i osod i lawr ar bapur bob cam yr ydoedd yn bwriadu ei gymeryd. 'Peth dinistriol mewn busnes yw symud yn rhy araf a pheth llawn mor ddinistriol yw symud yn rhy gyflym,' ebe efe ryw ddiwrnod. 'Os ydych am fod yn llwyddiannus rhaid i chi wybod y cwbl am eich busnes, rhaid i chi wybod y cwbl am eich marchnad a'r cwbl amdanoch eich hunan.'

Y peth cyntaf a wnaeth Mr Jenkins oedd edrych pa faint o arian oedd ganddo i'w defnyddio at y gwaith cenhadol ac, wedi penderfynu y swm, rhoddodd ef heibio mewn man diogel. Y peth nesaf oedd edrych allan enwau y pechaduriaid mwyaf enbyd yn y gymdogaeth. Yr oedd pedwar, o'u hysgwyddau i fyny, yn waeth na neb arall yn y lle am eu drygioni. Y cyntaf oedd Samson Parri, yr hwn nad oedd byth yn sobor (os byddai ceiniog ganddo): byddai yn tyngu ac yn rhegi yn y modd mwyaf beiddgar, fel yr oedd mamau yr ardal yn rhoddi siars i'w plant byth i fyned yn agos i dŷ Samson. Yr ail oedd Benja, y bwtsiar: dyn creulon, anifeilaidd, yn ymladdwr mawr ac yn ffiaidd o ran bywyd. Y trydydd ydoedd

Bil y gwaddotwr: dyn meddw a dyn anonest iawn. Yr oedd wedi bod yn y carchar droeon am ei anonestrwydd. Y pedwerydd ydoedd Poli Williams, druan, neu fel y gelwid hi yn gyffredin, Poli Pat. Yr oedd ganddi frawd yn Patagonia a rhywsut syrthiodd yr enw ar y bwthyn bach anghysbell lle yr oedd Poli yn byw. Ond yr oedd Patagonia yn enw rhy hir i bobl Pentre Alun a chwtogwyd ef i 'Pat'.

Nis gwn sut i ddisgrifio Poli Pat, ond gallaf ddweud, mewn gair, mai creadures ydoedd hon a aeth ar gyfeiliorn yn gynnar iawn yn ei hanes, ac yr oedd yn anodd meddwl am un pechod nad ydoedd Poli wedi bod yn euog ohono. Os byddai ceiniog ganddi, byddai yn yfed nes meddwi. Os na fyddai ceiniogau ganddi, dywedid ei bod yn fedrus fel lladrones. Yr oedd yn byw mewn anfoesoldeb a phechod cyhoeddus. Ond ar Poli Pat, o bawb yn y gymdogaeth, penderfynodd Jobiah Jenkins roddi ei ddwylo anarferedig. Yr oedd maint y gorchwyl yn rheswm digonol ganddo dros ymgymeryd ag ef! 'Wrth gwrs,' ebe wrth Mrs Jenkins, 'rhaid i chi ddyfod gyda fi i'w gweled. Faswn i ddim yn mentro i'w thŷ hebddoch ond, cofiwch, yr unig beth yr wyf fi am i chi wneud yw eistedd yn dawel tra byddwyf fi yn siarad.'

Nid oedd neb byw yn gwybod am yr ymweliadau oddieithr Jobiah a'i wraig, ond un nos Iau, cododd y gŵr mawr ar ei draed a dywedodd fod yn llon ganddo allu dweud wrth yr eglwys fod Poli Williams, Patagonia wedi cael y tro mawr a'i bod yn dymuno cael lle yn yr eglwys. 'Yr wyf wedi bod yn ymweled â hi amryw weithiau,' meddai, 'ac yr wyf yn teimlo yn hyderus fod popeth yn iawn rhyngddi a'r nefoedd. Bûm yn awyddus iawn i'w chael i'r cyrddau gweddi, ond yr oedd yn ofni dod heb i mi yn gyntaf ofyn eich caniatâd.'

Y noswaith nesaf yr oedd Jobiah yn edrych fel cadfridog wedi dychwelyd o faes y gwaed pan y cerddodd Poli ymlaen i eistedd yn y sedd flaenaf. Cododd William Griffith a dywedodd ei fod yn teimlo yn llawen wrth weled Mari Williams yn hawlio rhan y plant.

'Ydych chi yn gofidio llawer am eich pechodau, Poli fach?'

'Nagw i wir, William Griffith,' meddai Poli yn sionc, 'mae digon o waith gen i i dreio byw o ddwrnod i ddwrnod, heb drafferthu am y dyddiau sydd wedi mynd heibio.'

'Ie, Mari fach,' ebe'r hen ŵr, 'ond mae'n rhaid edifarhau am ein pechodau ac, fel yr ydych yn gwybod, mae llawer o bethau yn eich hanes chi, fel yn fy hanes innau, yr unig le diogel iddyn nhw yw o dan y Gwaed.'

Edrychodd Poli yn syn iawn. 'Rwy'n gwybod,' meddai, 'fod pobol yn dweud llawer o bethau amdana i. Rwy'n cael fy meio am droseddau na wnes i erioed a digon tebyg eich bod chi, William Griffith, wedi clywed mai fi roddodd yr ergyd i Siani'r Gof slawer dydd. Wel, mi allwch gredu neu beidio fel mynnoch chi, ond y gwirionedd yw, yr o'n i gartre yn y gwely yn dost ar amser yr anap. Nid fi oedd yn gyfrifol am waed Siani beth bynnag ddwedan nhw, ond ryfeddwn i damaid nas gallwn i roi mys ar y gwalch yma heno yn y cyfarfod.'

'Nid cyfeirio at waed un person dynol yr oeddwn i Mari. Yr ydych wedi clywed,' meddai William Griffith, 'am waed Crist, y gwaed a gollwyd ar Galfaria er eich mwyn chi a finnau.'

'O, yn wir,' meddai Poli yn ddidaro, 'mae pethau rhyfedd yn digwydd.'

Edrychodd y blaenoriaid ar ei gilydd. Doedd neb yn cofio gweled un fel hon yn gofyn am le mewn eglwys!

'Mari,' meddai William Griffith, 'yr ydych yn meddwl mai pechadures ydych, eich bod wedi arwain bywyd drwg iawn?'

'Nid dŵad yma i gael fy insyltio wnes i,' ebe Poli yn gynhyrfus, 'dydw i ddim yn proffesu bod yn ddynes dda, ond wy' i llawn cystal â hanner y menywod sydd yma heno.'

'Ie, ie,' meddai'r hen flaenor, 'ond dydy bod cystal â'r gore yma heno ddim byd Poli fach. Pechaduriaid ydyn ni i gyd.'

'Dyna chi yn siarad sens yn awr,' ebe Poli. 'Dim iws i bobol geisio dweud yn fy nghlyw i mai seintiau ydyn nhw. Mi allwch chi dwyllo y pregethwyr a'r blaenoriaid bach diniwed ond yr wy' i yn gwybod fy mod i mor dda â hanner y gwragedd sy yma. Os ydw i wedi bod yn wyllt, ar eraill yr oedd y bai, fel ro'n i yn dweud wrth Mr Jenkins.'

'Mr Jenkins,' ebe William Griffith, 'falle y gallwch chi gael tipyn o brofiad oddi wrth Mari.'

Cododd y gŵr mawr ac aeth ymlaen.

'Wel, Poli,' ebe, 'yr ydych am ymgyrraedd at y pethau sydd uchod?'

'Wn i yn y byd mawr beth yw rheiny,' meddai Poli, 'ond os oes pethau i'w cael rhywle, heb lawer o drafferth, waeth gen i eu cael.'

'Mari fach,' ebe William Griffith, 'cymer dipyn o gyngor gyda fi. Dos gartre i ddarllen dy Feibl ac i weddïo ar yr Arglwydd. Bydd yn dda gyda ni dy dderbyn ar brawf ymhen ychydig o wythnosau ond, heno, yr wyt yn rhy dywyll.'

'Tywyll! Fi yn dywyll! Nagw'n wir,' ebe Poli mewn syndod, 'ond os ydych chi yn meddwl fy mod i yn dod yma i ddweud yn erbyn fy hunan, wel, fe wnaethoch gamsyniad. Os ydw i wedi bod yn ddynes ddrwg, mae'n gysur mawr gennyf gofio mai pobol go ddrwg ydych chi hefyd, er eich bod yn y tŷ cwrdd. Ro'n i'n synnu clywed am rai ohonoch. "Wel," meddwn i wrthyf fy hunan, "er cynddrwg ydwyf, mae rhai o bobol y tŷ cwrdd yn waeth na fi."'

'Dyna, dyna,' ebe Edwart Hywel, 'does dim eisiau dweud rhagor, ond mi leiciwn gael gwybod pam y daethost ti yma heno, Poli.'

'O,' meddai yn iachus, 'cewch wybod mewn munud. Clywed wnes i fod pobol y capel cynddrwg a roedd Mr Jenkins yn dweud fod y diwygiad yma yn un rhyfedd, fod y papurau newydd yn llawn o hanesion am y dychweledigon. Roedd e yn meddwl falle y byswn i yn leicio cael fy hanes yn y papur, ond pwy ŵyr faint o anwireddau bysen nhw yn roi amdana i, gan mod i yn ffaelu darllen. Ond dyna beth ddôth â fi i'r capel: tosturio dros y fenyw fach yna, gwraig Mr Jenkins. Dyna gerdded y mae hi wedi wneud: nôl ac ymlaen i Patagonia gyda'i gŵr. Credais i y tro diwethaf y buasai yn cwympo yn farw yn y cyntedd a mi benderfynes, pryd hynny, y daethwn i yma heno. Ond os nad ydych am i fi aros, dyma fi yn mynd. Mi allwch roi'r wobr i Mistres Jenkins yr un fath. Nid arni hi mae'r bai, druan fach, mae wedi treulio sgidie lawer wrth fynd a dŵad i'n tŷ ni. Ffarwél i chi gyd.' A ffwrdd â hi allan o'r capel.

Bu Jobiah yn cadw yn ei wely am bythefnos gron ar ôl hyn a dyna ddiwedd ei waith fel cenhadwr.

Gwraig y Tŷ Capel

Os buoch ym Mhentre Alun o gwbl, buoch yn y capel ac, felly, digon tebyg i chi weled Sarah Thomas. Ac os gwelsoch chi y wraig rinweddol hon, fydd fawr eisiau i mi ddweud ei hanes oherwydd yr wyf yn siŵr iawn eich bod yn gwybod y cwbl amdani. Ond hwyrach fod yna rai yng Nghymru sydd heb ymweled â Phentre Alun ac, er mwyn y rhai hynny, ceisiaf ddweud ychydig am un sydd wedi ennill cryn dipyn o sylw oddi wrth bregethwyr a diaconiaid ein henwad.

Pan fu farw Phoebe Williams, Tŷ Capel yr oedd llawer o wragedd yr ardal yn awyddus iawn am ei lle. Yn wir, ar y pryd, yr oedd pump o weddwon yn perthyn i'r capel a phob un ohonynt yn disgwyl cael y fraint o edrych ar ôl y pregethwyr. Yr anhawster ydoedd dewis un o'r pump, oherwydd nid oedd un yn well nac yn waeth na'r lleill. Yr oedd gan bob un o'r pump nifer o gefnogwyr a'r tebygolrwydd ydoedd, os byddai un yn cael y swydd, y byddai y pedair eraill, ynghyd â'u hedmygwyr, yn gadael yr eglwys.

Un diwrnod daeth Sarah Thomas o flaen y blaenoriaid i ofyn am y gwaith o edrych ar ôl y Tŷ Capel a'r Tŷ Cwrdd.

'Rwy'n gwybod,' meddai, 'eich bod oll mewn penbleth a'r ffordd orau i chi wneud yw dewis dynes sydd heb fod yn weddw, a dyma fi yn barod.'

Chwarddodd y blaenoriaid fel bechgyn.

'Sarah, fach,' meddai Edwart Hywel, 'bydd yr holl eglwys yn eich erbyn: un gŵr sydd wedi bod gyda'r menywod sydd yn ceisio y swydd hon, ond amdanoch chi, roedd raid i chi gael tri.'

'Ie, dyna sut un ydw i,' meddai Sarah yn dawel, 'pan y mae y gwragedd eraill yn eistedd i lawr i grio, yr wy' i yn edrych ar ôl fy musnes. Dyna sut y mae pethau cystal arna i ag y maent.'

'Wel,' meddai William Griffith, 'does gen i ddim i ddweud yn eich erbyn Sarah ac, oni bai am y gweddwon yma, byswn i yn barod iawn i gymeryd i fyny eich achos. Ond mae'n rhaid i ni fod yn dyner tuag at y rhai sydd wedi colli eu cynhalwyr.'

'Yr wy' i yn cytuno yn eitha gyda chi, William Griffith,' ebe Sarah, 'mae'r pump wedi cael colled ofnadwy. Dyna Dinah. Rhaid oedd iddi wylo yn hidl pan fu Sam farw. Annwyl y byd! Dyna golled gafodd hi! Maen' nhw'n dweud fod gwragedd a chŵn yn hoffi y rhai sydd yn eu curo. Os yw hynna yn wir, rhaid fod Dinah â meddwl uchel iawn am Sam. Un nodedig gyda'i ddwrn oedd e; digon tebyg y bydd hi yn cario ei farciau i'r bedd.'

'Mae hynna yn ddigon gwir,' meddai William Griffith, 'dyn ofer oedd Sam, druan, ac mae'n well dipyn ar Dinah yn awr na chyn ei farwolaeth, ond ...'

'Ie,' ebe Sarah, yn taro i fewn yn sydyn, 'un o bedair, bid siŵr, yw Dinah. Wel, dyna Ann Joshua. Dyna golled gafodd hi! Roedd Bil yn ŵr da, ddigon tebyg, ond fod y peth yfed yn ei ddistrywio. Wel, mae gŵr meddw yn well na pheidio cael gŵr o gwbl.'

'Dyna ddigon,' ebe Jobiah Jenkins, 'rhaid i chi beidio dweud yn erbyn y gweddwon, druain.'

'Fi yn dweud yn eu herbyn,' meddai Sarah, 'cydymdeimlo yr wy' i gyda nhw ac, os gallwch chi ddewis un ohonyn nhw i ddŵad yma heb wneud y lleill yn ffyrnig, peidiwch meddwl amdana i. Ond clywed William Griffith yn sôn am eu cynhalwyr o'n i a treio meddwl fath bobol o'n nhw. Dyna Lisa Lewys. Hen greadur digon *fine* oedd Ianto: ond i chi roi pibell a baco iddo mi ddwedai stori gystal â neb glywais i erioed. Wn i ddim faint o werth oedd e fel cynhaliwr, William Griffith?'

'Dim o gwbl,' meddai yr hen flaenor, 'dyn pwdr oedd James, druan.'

'Wel, ynte,' meddai Sarah yn ddifrifol, 'dyna Piter Huws. Chlywais i erioed ddim byd yn erbyn Piter, ond dyn afiach ofnadwy oedd e. Clywais lawer gwaith fod Esther yn gorfod ei wylied drwy'r nos a mynd allan i olchi trwy'r dydd nesa. Wel, mi fuodd yn ffyddlon iawn iddo. Naw mlynedd o dendio ar ddyn sâl; mi ddylasai hi gael tipyn o seibiant yn awr.'

'Mae'n well arni yn awr nag y buodd hi erioed. Mae'r siop fach yn talu yn nobl,' meddai Dafydd Pugh.

'Dim ond un weddw arall sydd,' meddai Sarah, 'Beca Jones. Wel, druan fach, mi gollodd hi ŵr da. Mae tipyn o dafod gyda Beca, fel sydd gyda fi o ran hynny, a rhaid ei bod yn gweld eisiau rhywun i dderbyn y gawod siarad yn lle Dio. Rwy'n meddwl byse hi yn taro yn dda iawn yma, fe gadwai bob un ohonoch yn ei le.'

'Bysech chi yn dŵad yma, yr wy'n meddwl y gallsech chi wneud yn go dda fel siaradwraig. Welais i ddim prinder ymadrodd erioed arnoch chi, Sarah,' meddai Mr Jenkins.

'Naddo,' ebe Sarah, 'mae'r Hollalluog wedi rhoi tafod i fi ac rwy'n ei ddefnyddio gore fedra i: os gwela i rhywun yn gwneud cam â'r gwan, does dim ofn arna i siarad.'

'Mae dynes ddistaw yn taro yn dda mewn Tŷ Capel,' ebe Dafydd Pugh, 'does dim eisiau llawer o siarad ar bregethwyr, rwy'n sylwi.'

'Dyna beth od, nawr,' ebe Sarah, 'clywais i Phoebe yn dweud eich bod chi, Dafydd Pugh, yma bob nos Sadwrn yn siarad gyda'r pregethwyr. Ond dyna, falle mai camsynied oedd hi. Dŵad i'w gweld hi yr oeddech, mi wn.'

Hen lanc ydoedd Dafydd, ac nid oedd siarad fel hyn yn ei blesio.

'Dyna un dwl wy' i,' meddai y diwrnod nesa, wrth adrodd ei gŵyn yn erbyn Sarah wrth gyfaill, 'ar y ffordd gartre, mi feddylies am atebiad nobl iddi, "mae pregethwyr yn hoffi clywed dynion yn siarad, ond does dim eisiau lol dynes arnyn nhw!", ond dyna, chofies i ddim mewn pryd.'

Pan yr oedd y blaenoriaid yn ymadael, dywedodd Edwart Hywel gyda gwên:

'Mi allwch gymeryd fy ngair i am un peth, Sarah fydd gwraig y Tŷ Capel. Aiff yr un ohonom yn drech na'r fenyw yna.'

Y dyddiau nesaf, bu Sarah yn cerdded ar draws y wlad yn ymweled â'r pump gweddw. Nid wyf yn gwybod sut y gwnaeth gyda nhw, ond gwn hyn: erbyn y Saboth yr oedd pob un o'r pump yn foddlon i Sarah fyned i'r Tŷ Capel, ond yn anfoddlon iawn i bob un arall. Felly, mewn llai na pythefnos ar ôl gweled y blaenoriaid, yr oedd Sarah Thomas mewn awdurdod yn Nhŷ Capel Pentre Alun. Ei gwaith cyntaf oedd gwahodd y pum gweddw i ddod yno gyda'i gilydd i yfed te, er mwyn i bawb gael deall nad oedd teimlad drwg rhyngddynt. Yr oedd Sarah wedi paratoi yn helaeth ar eu cyfer (wedi gwneud llawer o ddanteithion erbyn y pryd) ac, am dri o'r gloch, wele y gwahoddedigion yn dyfod.

'Yn wir,' ebe Dinah Harris, 'mae gyda chi le cysurus iawn yma, Sarah fach. Dyna beth yr o'n i'n meddwl pan yn gofyn amdano, lle campus i ddibennu oes yw Tŷ Capel."

'Twt lol', ebe Sarah, 'beth wyt ti, Dinah, yn sôn am ddibennu oes, dynes ifanc fel ti. Mae ugain mlynedd dda gyda thi, mi fentra i.'

'Yr wyf wedi heneiddio llawer yn ddiweddar,' ebe Dinah, 'ar ôl colli Sam, *poor fellow*, mae'r gwallt wedi gwynnu yn enbyd.'

'Chi sy'n meddwl hynny, Dinah fach. Y gwirionedd yw, eich bod yn edrych yn ifancach lawer na'ch chwaer, Mari.'

'Ac mae hi ddeuddeng mlynedd yn iau na fi,' meddai Dinah. 'Wel, mae'n dda iawn gen i mai chi, Sarah, sydd wedi cael y lle.'

'Dyna chi yn siarad fel Cristion,' ebe Sarah, 'yr unig beth

yr o'n i'n teimlo wrth ddod yma oedd fath biti fod cynifer yn cael siom. Ond dyna, gobeithio bydd pob un ohonoch yn dŵad yma fel pe byddech yn mynd gartre. Croeso i chi bob amser.'

'Ma' tipyn o waith i'w wneud yn y lle yma,' ebe Ann Joshua. 'Ro'n i'n meddwl bore heddiw, base eisiau dynes gref i wneud y cwbl ac, os ewch i ddechre talu i rywun arall i'ch helpu, wel, mae'r arian i gyd yn mynd.'

'Ody'n wir,' meddai Sarah, allsai dynes fach wanllyd fel chi byth neud y gwaith yma. Rwy'n dweud yn aml 'y mod i mor gryfed â cheffyl, a dyna dda 'y mod i, neu beth ddaethai ohona i?'

'Wel,' ebe Lisa Lewys, 'ma'n rhywbeth i gael dyn oboutu'r tŷ. Rwy'n unig iawn ar ôl colli James: roedd rhyw stori gydag e'n wastad. Welais i erioed ei debyg.'

'Dyna chi, nawr,' ebe Sarah, 'rwy wedi cael tri o wŷr, ond doedd 'r un ohonynt werth taten i ddweud stori. Digon tebyg eich bod yn cael pleser wrth gofio rhai ohonyn nhw'n awr. Ar ôl claddu dyn r'yn ni'n cofio llaweroedd o bethau oedd yn ddibwys gennym tra'r oedd e yn fyw.'

'Chwarae teg i chi, Sarah, un dyner galon iawn 'ych chi,' meddai Lisa, gan guddio ei gwyneb yn ei ffedog. 'Mae'n dda iawn gen i mai chi sydd yn byw yma. Peth mawr yw cael dynes â thipyn o gydymdeimlad ynddi yn byw yma.'

'Dyn da iawn ges i,' meddai Esther Huws. 'Afiach iawn oedd Piter, druan, a gorfod i mi weithio yn galed i'w gynnal, ond buaswn yn eitha boddlon i weithio eto pe buaswn yn ei gael yn ôl. Colled fawr i ddynes yw colli ei gŵr.'

'Ie,' meddai Sarah, 'ie, yn wir. Ar ôl claddu dau ŵr, rwy'n gwybod rhywbeth am hiraeth ac wedi llefain ym siâr er ym ganed'.

'Odych, ddigon tebyg,' meddai Beca Jones, 'Ond ma' Twm gyda chi'n awr i wneud i fyny am y lleill. Mae'n unig iawn ar ddynes os na fydd neb ganddi i ddweud dim wrtho: dyw'r gwragedd ddim fel gwrywod, rywsut.'

Pan yr oedd pethau wedi cyrraedd y pwynt hwn, dyma Mair Llwyd yn dod i fewn. Merch Garreg Ddu oedd Mair ac yr oedd yn caru gyda Trefor Rhys, Siop-yr-oen, Trefeity.

'Dyna dyrfa o fenywod,' meddai yn chwareus.

'Ie, yn wir, Miss Llwyd fach,' ebe Sarah, 'dweud ein profiadau ydyn ni. Mae pob un ohonom ni yn gwybod beth yw priodi dyn a'i gladdu. Maen' nhw'n dweud eich bod chi yn meddwl am briodi hefyd.

'Wel, mi allwch chi roi cyngor i fi, os gall rhywun,' ebe Mair.

'Gwaith rhyfedd yw'r priodi yma,' ebe Sarah, 'mae'n union fel trochi yn y môr yn yr haf. Mae'r haul yn twynnu uwchben ac yr ydych yn meddwl fod y dŵr hyd yn oed yn boeth, ond mor gynted ag yr ewch i fewn, yr ydych yn cael mai oer iawn ydyw'r hen fôr.'

'Peidiwch hela ofn arna i,' ebe Mair, 'fysech chi ddim wedi treio dair gwaith os oedd priodi yn waith oer iawn.'

'Roedd y tri yn wahanol iawn i'w gilydd,' meddai Sarah. 'Dyna Richet, y gŵr cynta. Ro'n i'n gwasanaethu yn Tŷ-nant, ac wrthi yn golchi ei chalon hi, pan welais i Richet am y tro cynta. "Dewch am dro gyda fi heno," meddai fe. Chymerais i ddim sylw ohono a dyna fe yn gweiddi nerth ei lais, "Wyt ti ddim yn clywed *fi* yn siarad?" "Dydw i ddim yn nabod y Fi Fawr," meddwn i. Ac yna chwerthin wnes i ar ei ben, ond ro'n i'n gwybod yn eitha mai dyna'r ffordd i gael gafael ar Richet. Byse fe yn meddwl dim o lodes oedd yn barod i fynd gydag e.

'Buoch chi yn wraig dda iddo, Sarah,' ebe Dinah, 'mae pawb yn dweud hynny.'

'Mi wnes 'y ngorau,' meddai Sarah. 'Os ydych eisiau cadw dyn yn ei le, does dim iws gadael iddo weld eich bod yn ei ofni, na chwaith yn ei fychanu. Rwy'n cofio'r diwrnod daeth Richet gartre'n feddw am y tro cynta. Daeth tri neu bedwar o ddynion gydag ef a deallais, ar unwaith, beth oedd y mater.

"Druan ohonoch," ebe fi wrtho fe, "i'r gwely â chi, mae'n go hwyr i gael doctor heno, mi wna i hyd y bore." A dyma fi yn cymysgu *plaster* o fwstart – digon o fwstart hefyd. Roedd y dynion yn chwerthin yn ynfyd. "Sarah fach," meddai un ohonynt, "wyddost ti ddim mai wedi cymryd diferyn mae e?" "Cerwch allan, bob un ohonoch," meddwn i, "dweud fod fy ngŵr i, sydd mor sâl, wedi bod yn yfed! Allan â chi a pheidiwch a dangos eich gwynebau yma nes y gwyddoch sut i ymddwyn." Ac yna mi es ynghyd â rhoi *plaster* ar y gŵr. Dyna le oedd yn ein tŷ ni! Roedd Richet yn gwichian fel mochyn: fe sobrodd yn glau iawn ac fe ddechreuodd ddweud pethau ofnadwy.

"Richet bach," ebe fi, "peidiwch siarad fel'na a chi wedi bod mor sâl. Mi 'ddylies y byswn i yn weddw cyn y bore, ond os bydd y ffit yma yn cydio ynoch eto, fe fydda i yn gwybod beth i wneud. Peth digymar yw'r mwstart." Un waith yn y deng mlynedd bûm i yn briod y daeth Richet gartre yn feddw wedyn: fe gadd yr un driniaeth a, rhwng fod y gwrywod yn chwerthin ar ei ben, a'r mwstart, roedd y ddiod yn costio yn rhy ddrud iddo. Buodd yn y gwely am saith mis a pythefnos a thri diwrnod, ac fe fu farw yn sydyn iawn. Y peth diwetha ddwedais i wrtho oedd, "Does gen i ddim arian yn awr, Richet bach, i'ch mwrnio yn iawn, ond y cyfle cynta a gaf fi, mi bryna ffroc ddu, yn grêp i gyd, a llinynnau hirion o grêp ar y fonet." Fe lonnodd yn rhyfedd, druan bach. Does gen i ddim amser i ddweud wrthych am y lleill heno, ond os dewch chi yma rhyw noswaith, fe gewch yr holl hanes.'

Yr oedd Sarah Thomas, Tŷ Capel yn un o'r gwragedd mwyaf poblogaidd yn yr ardal ar ôl hyn, oherwydd yr oedd wedi plesio pob gweddw yn y lle, wedi dweud wrth bob un o'r pump y pethau yr oeddent am wybod ac wedi eu fflatro yn y ffordd fwyaf effeithiol. Yr oedd Sarah yn gwybod sut i fyw.

Yr Ail a'r Trydydd

'Beth yw'n enw i, syr? Sarah Thomas, dyna'n enw i.'

'Wel, Mistres Tomos, y pregethwr erbyn yfory ydw i. Fy enw yw Edwarts, o'r Coleg yn Aber-nant.'

'Dewch i fewn, syr, mae popeth yn barod, ond mae'n well i ni ddeall ein gilydd ar unwaith. Peidiwch chi fy ngalw i yn "Mistres Tomos," os gwelwch yn dda. Sarah yw'n enw i a dyna beth yr wy' i yn leicio cael fy ngalw. Ches i ddim cyfoeth gan y Brenin Mawr, ond mi ges dipyn o synnwyr: diolch i'r Goruchel am hynny. Steddwch chi lawr, syr, yn gyfforddus yn y gadair yna. Mae tipyn o flino siŵr o fod arnoch ar ôl cerdded o Drefeity. Nawr, beth gymrwch chi, te, coffi neu laeth? Digon o bob un a phob un yn dda. Nawr, syr?'

'Wel, mi gymra gwpaned o de mewn awr, os gwelwch yn dda, mae'n rhy gynnar eto,' ebe'r efrydydd.

'Mi allwch gael te nawr ac ymhen awr,' meddai Sarah yn siriol, 'mae digon o bopeth yma.'

Chwarddodd y dyn ieuanc. 'Na, rwy'n meddwl arosa i hyd naw o'r gloch, rhaid i ddyn beidio bwyta o hyd. Yn awr, dywedwch wrthw i pam nad ydych yn foddlon cael eich galw yn "Mistres Tomos." Dim leicio yr enw ydych chi?'

'Mae'r enw yn eitha,' meddai Sarah, 'ond does gen i gynnig i glywed pobol bach cyffredin yn galw ei gilydd yn "Mistyr" a "Mistres", fel pe bae nhw eisiau twyllo pobol i feddwl eu bod nhw yn bobol fonheddig.'

'Wel, chware teg,' ebe'r efrydydd, 'mae hawl gan bob dyn a dynes i enw, beth bynnag.'

'Digon gwir,' ebe Sarah, 'ond beth sydd arnyn nhw eisiau cael eu galw yn "Fistyr" a "Mistres"? Nid fel'na ro'n nhw slawer dydd yn y Beibl: Mair Magdalen, a Mair mam yr Iesu. Doedd dim eisiau "Mistres" arnyn nhw. Ond am y bobol ffordd hyn, yn ddiweddar, wel, maen' nhw'n ddigon i droi arnoch chi gyda'u teitlau. Ro'n i wrthi yn golchi y dydd o'r blaen yn y gegin fach a dyna rhywun yn cerdded i fewn trwy'r drws. "Pwy sy yna?" meddwn i, "Fi," meddai llais, "Miss Jones, Bryn." "Miss Jones, Bryn?" meddwn i, "ro'n i'n meddwl mai Tomos Richet oedd yn byw yno. Pwy Miss Jones sydd yna?" "Dewch, dewch, Mistres Tomos," meddai'r llais, "ond fi sydd yma, Ann Jones, merch William Jones, Tyn'reithin. Fe wyddoch fy mod i yn gwasanaethu yn y Bryn." Wel, fe gafodd hi wers go lew gyda fi, y peth bach wirion.'

'Pam nad oes hawl gydag Ann Jones i alw ei hunan yn "Miss" Jones, fel y mae hawl gen i i alw fy hunan yn "Mistyr" Edwards?' gofynnai y dyn ieuanc.

'Nid siarad am hawl oeddwn i,' ebe Sarah, 'mae hawl gan ddyn iach i gerdded gyda ffon fagl os oes eisiau arno, ond 'dwn i ddim ai peth call iawn yw iddo wneud felly. Pe buase un o'r hen bregethwyr yn galw heibio yma, bydden nhw yn siŵr o alw eu hunain yn "John Jones," neu "William Williams" – doedd dim o'r hen wagedd yna slawer dydd. Yn wir, mae'r bobol wedi mynd yn ynfyd am rywbeth fel'na: mae'r *South* yna yn dysgu llawer o hen ddwli iddyn nhw. Mae'n hawdd iawn gweld y pla yn lledu. Dyna Mari, Rhyd-goch. Fel hynny'r o'n ni yn ei nabod dipyn yn ôl, ond mae'r ddwy ferch wedi mynd i Lundain i werthu llaeth a maen' nhw bron mynd yn rhy fawreddog i ddioddef eu hunain. A mae Mari bron mor ddwled â'r merched. Mae Ioan, Rhyd-goch yn ddyn bach simpl iawn (does dim dwrned ohono fe; allech ei roi e ym mhoced eich gwastcot heb wybod fod e yna) a roedd Mari yn arfer sôn amdano fel "Ioan ni." Dynes fawr enbyd yw hi ac yntau yn un bach cwta, gwanllyd. Wel, mi fu hi yma yn cadw'r mis dipyn yn ôl ac, O! 'r annwyl, dyna *larch* oedd hi. "Dyma'r menyn a'r bara, Mistres Tomos," meddai, "mi hela i y caws, a'r ffowlyn, a'r tatws a'r pethau eraill gyda *Mistyr* ar ôl mynd gartre." "Och gwae," meddwn i, "peidiwch bod mor ddwl. Hela ffowlyn, a thatws a phethau gyda'ch *Mistyr*? Gewch chi weld bydd stŵr ofnadwy. Hen ŵr uchel iawn yw Mr Gwyn. Rwy'n rhyfeddu eich bod yn mentro gofyn ffafar ganddo; chymrwn i ddim o'm llaw dde i ofyn iddo gario parsel." Dyna edrych arna i wnaeth hi! "Siarad am y gŵr gartre oeddwn i," meddai mewn llais mawr. "Siarad am Ioan bach ddiniwed fel dy feistr!" meddwn i. "Mari annwyl, rwyt ti wedi mynd yn ddwl yn dy henaint." "Yr wy' i dipyn yn iau na chi," meddai, "ac rwy'n leicio cael parch gyda phawb." A dyna fis ges i! Roedd hi mor grand ac mor *stanch* doedd dim posib byw gyda hi.

'Ydy eich gŵr chi yn fyw?' gofynnai y pregethwr.

'Byw?' ebe Sarah, 'Ody, glei, roedd e yn fyw iawn ddwy awr yn ôl. Dyna waith sydd gyda'r gwrwod yma, ond dyna, mae'n haws byw gyda nhw na hebddyn nhw, fel rwy'n gwybod trwy brofiad.'

'Newydd briodi ydych chi?' gofynnai y pregethwr.

'Nage'n wir,' ebe Sarah, 'dyma'r trydydd i fi a hen un go lew yw e hefyd. Mae'r ail ŵr wedi ei gladdu lawr yn y *South*. Priodais i yn dda iawn yr ail dro. Hen lanc oedd e, dyn tawel iawn. Daeth yma i gladdu ei fam a fi oedd yn edrych ar ôl tŷ yr hen wraig. A thri mis ar ôl iddi gael ei chladdu, dyma John Parri yn gofyn i fi ei briodi ac mi es i gydag ef lawr i'r *South*. Dyna le melltigedig! Mae Pentre Alun yn ddigon drwg, ond y mae y *South* cynddrwg ag uffern allwn i feddwl. Dyn *fine* iawn oedd John, druan. Yr unig fai oedd arno oedd diffyg siarad. Welais i 'rioed shwt ddyn. Doedd dim posib cael ganddo ddweud gair a dyna beth cas iawn mewn gŵr. Gallwch wneud yn o lew gyda dyn os bydd e'n barod gyda'i ateb, ond am y dynion tawel yma, wel, alla i wneud dim â nhw.'

'Ond yr ydych chi yn siarad mor dda, does dim eisiau i chi gael gŵr medrus yn yr un ffordd,' meddai'r efrydydd.

'Credwch chi fi,' meddai Sarah, 'does 'na ddim byd yn torri

calon dynes fel dyn tawel. Dyna hi yn dweud ei gore, yn ei ddwrdio am rywbeth allan o le ac yntau yn gwrando fel bustach, yn darllen ei bapur, falle, neu yn smocio mor ddidaro â phren. Dyna sut ddyn oedd John, druan. Byddai yn cael amserau o ddeud dim ac, ar y gore, fedrai fe ddim dweud llawer. Anghofia i byth mohono ar ôl i ni briodi. Yr oedd Richet, *poor fellow*, y gŵr cynta, wedi cael saldra hir iawn ac ro'n innau wedi mynd yn dlawd wrth geisio talu pawb, a chadw fy hunan: hen ffroc ddigon diolwg oedd gen i yn priodi ac roedd John yn dipyn o ŵr bonheddig yn ei ddillad, a'r diwrnod nesa, dyma fe yn rhoi dwy sofren yn fy llaw ac yn dweud wrthw i am brynu dillad gweddus erbyn y Saboth. "Cofiwch," meddai fe, "rwy'n siopwr yn Tredio ac yn flaenor, ac mae'n rhaid i chi wisgo yn daclus." Ychydig iawn fydda i yn meddwl am ddillad, ond ro'n i wedi addo wrth Richet, druan, byswn i yn ei fwrnio yn iawn y cyfle cynta byswn i yn cael a phan roddodd John y ddwy sofren i fi, mi welais fod y cyfle wedi dod. Mi brynais ffroc ddu dda (mae hi gyda fi'n awr, *French merino*) a mynnais iddyn nhw ei thrimio gyda chrêp. Mynnais fonet grêp hefyd a menig duon. A bore dydd Sul, ar ôl brecwast, gwisgais fy hunan yn y pethau yma a lawr a fi. "Annwyl y byd," ebe John, "beth sydd arnat ti? Wyt ti'n meddwl yr â i i'r cwrdd gyda hen elor-gerbyd fel tydi?" Dwedais wrtho mai mwrnio y gŵr cynta yr o'n i, a dyna fe yn dweud, yn ei ffordd dawel, "Wel, well i ti fynd i gapel y Bedyddwyr heddiw, fe gei di lonydd yno i fwrnio faint leici di." Ddwedodd e air ragor am y dillad, ond y diwrnod nesa dyma ddefnydd ffroc lês tywyll a het yn dŵad i fi a, bore dydd Mawrth, pan ro'n i'n brecwasta dyma fe yn dweud yn sydyn, "Dwedais wrth wniedyddes fach sy'n dŵad i'r capel i ddod yma heddiw i wneud y dillad i chi." Dyna i gyd. Gorfod i fi blygu'r dillad newydd a'u rhoi nhw heibio. Ches i ddim cyfle i ddadlau gyda John, neu byswn i wedi ennill y dydd. Ond dyna, beth allwch chi wneud â dyn sydd yn ffaelu siarad? Mi alla i wneud yn burion â phopeth ond distawrwydd: mae distawrwydd yn fy lladd i.'

'Mae Mr Parri wedi marw, rwy'n deall,' ebe'r pregethwr.

'Ody'n siŵr,' meddai Sarah. 'Pedair blynedd buon ni gyda'n gilydd a welsoch chi 'rioed ddyn caredicach, ond fod e'n ofnadwy o ddistaw. Do, fe'i claddes i e yn Tredio. Cafodd angladd gŵr bonheddig: cerbydau a'r cwbl. Dyden nhw ffor hyn yn gwybod dim am fath angladdau.'

'Fe gawsoch gyfle i wisgo eich dillad du wedi'r cwbl,' meddai'r pregethwr.

'Do, do,' meddai Sarah. 'Mi fynnais bâr newydd du i fwrnio John, a phob Sul gwlyb a thrwy'r gaeaf, yn wir, mi wisgais yr hen bâr i fwrnio Richet, druan. O, rwy wedi ymddwyn yn iawn tuag at bob un o'r gwŷr. Does dim ofn eu cyfarfod arna i: mae hynny yn gysur mawr.

'Arhosoch chi ddim yn y siop?' meddai Mr Edwarts.

'Naddo fi,' ebe Sarah. 'Do'n i'n deall dim am y busnes. Mi alla i olchi, a smwddio a chadw tŷ cystal â neb, ond am gadw siop, wel, fedra i ddim. Os gwela i rywun eisiau cael peth am lai na'i bris, rwy'n ysu i honna gael talu mwy na'r pris; ac os bydd rhywun tlawd iawn, yr wy' i am roi pethau am ddim iddyn nhw. Mi adawodd John swm fach go lew o arian i fi ond, yn wir, ches i fawr cysur trwyddyn nhw. Roedd pob perthynas i John eisiau benthyg arian ac, ar ôl cael yr arian, yn tystio fod nhw wedi helpu llawer ar John pan yr oedd yn dechrau. Ei helpu trwy brynu pethau a dim talu amdanyn nhw, dyna'r unig ffordd. Roedd John wedi dweud yn ei ewyllys, os priodswn i, roedd yr arian i fynd i'r tŷ cwrdd yn Nhredio, a roedd pobol yn capel yn treio cael gŵr i fi.'

'Nhw fu yn foddion i chi gael eich gŵr presennol?' gofynnai Mr Edwarts.

'Nage'n wir,' ebe Sarah. 'Ches i ddim cymorth gan neb i

gael gafael ar Twm. Byw gyda'i chwaer oedd e, yr hen greadures mwyaf budr weles i 'rioed. Yr oedd y tŷ, a'r plant a hithau yn ddigon i wneud mochyn yn sâl. Ac yr oedd Twm yn edrych yn druenus. Yr o'n i'n tosturio wrtho yn aml ac yn gofyn iddo ddod i fewn i'm tŷ i i gael pryd o fwyd. Ac yna dechreuodd perthnasau John i'm gofidio am Twm ac, i ddangos iddyn nhw mai nid eu gwaith nhw oedd busnesa amdana i, mi briodes i Twm a chafodd y capel yr arian.'

'A dydych chi ddim wedi edifarhau, Mrs Tomos, rwy'n siŵr,' ebe'r pregethwr. 'Yr ydych yn edrych yn wraig hapus iawn.'

'Un contentus fuais i erioed,' meddai Sarah. 'Mae Twm yn hen gr'adur dwl ddigon. Does fawr synnwyr ynddo, ond fe wnaiff beth wedwch chi wrtho. Dydw i ddim yn credu yn y gwasanaeth priodi yna: gofyn i ddynes â synnwyr yn ei phen addo ufuddhau i ddyn dwl. Does dim synnwyr mewn peth fel'na. Pan welwch chi Twm, fe fyddwch yn cyd-weld â fi. O drugaredd, peswch wnes i pan roedd y pregethwr yn gofyn i fi ufuddhau i Twm, a ddwedodd e ddim. Yr wy' i yn credu fod y dyn yn gweld cystal â fi mor ffôl oedd disgwyl arna i fod yn forwyn fach i sort Twm, a doedd e ddim eisiau rhoi cyfle i mi ddweud celwydd.'

Ar y funud hon, dyma sŵn o gymdogaeth y gegin a chododd Sarah.

'Mi â i yn awr i baratoi swper. Os oes eisiau cwmni arnoch, daw Twm i fewn. Ddwedith e ddim llawer, mae e'n rhy swil, o drugaredd, i siarad yn hyf ym mharlwr y Tŷ Capel ond, os dewch chi allan i'r gegin, fe siaradith ddigon.'

'O, mi ddof i gyda chi i'r gegin,' meddai Mr Edwarts, gan chwerthin.

Yn y gegin yr oedd dyn bychan yn eistedd wrth y tân. Cododd pan ddaeth y pregethwr i fewn, a chan edrych ar ei wraig, dywedodd yn llariaidd:

'Mae'r bedd yn edrych yn nobl. Dyna waith ges i, ond fydd dim eisiau i chi ofni mynd â'r Brenin i weld e yn awr.'

'Wedi bod yn cymhennu bedd Richet, y gŵr cynta, mae e syr,' ebe Sarah mewn tôn esboniadwy.

Dihangfa Dic Pen-rhiw

Y mae tŷ fferm go fawr gyferbyn â'r capel ym Mhentre Alun, ac yma y mae Richet Jones a'i fab, Dic, yn byw. Dyn tawel, mwynaidd iawn yw Richet Jones. Hyd yn ddiweddar ni fuasai byth yn cymeryd rhan yn y cyfarfodydd. Yr oedd yn arfer dweud fod talp yn codi yn ei wddf pan y byddai gair o brofiad yn dod i'w galon. Yr oedd yn dilyn y moddion yn gyson iawn ac yn edrych fel pe bai yn eu mwynhau hefyd.

Yr oedd rhai o'r bobl hynaf yn dweud fod Richet Jones wedi newid llawer y blynyddoedd diwethaf. Pan yn fachgen, yr oedd yn ddigon siaradus, yn hoff o gwmni ac yn medru adrodd stori dda gyda'r gorau o'r bechgyn. Pan yn agos i ddeugain oed, priododd ferch ieuanc, lân, hardd oedd wedi adnabod er yn blentyn. Bu y ddau yn hapus iawn gyda'i gilydd, Richet fel cariad ar ôl y briodas, megis cynt. Ond ymaflodd y ddarfodedigaeth ynddi ac ymhen deunaw mis ar ôl y briodas, yr oedd y wraig ieuanc yn gorwedd yn dawel ym mynwent Pentre Alun, tra yr oedd Richet yn ceisio bod yn dad a mam i'r baban bach na fyddai byth yn cofio ei fam. Wrth gwrs, bu llawer yn cynghori Richet i ailbriodi, er mwyn y plentyn, ond pan gladdodd Richet ei annwyl Jane, fe dorrodd rhywbeth yn ei galon. Nid oedd yn dweud gair am ei boen, ond bob nos byddai yn cilio fel lleidr o'r tŷ ac yn cerdded i lawr i'r gladdfa lonydd i sefyll am ychydig wrth fedd ei wraig! Nid oedd dagrau yn dod yn hawdd iddo: yr oedd ei friw yn rhy ddwfn i gael rhyddhad fel yna.

Yr oedd rhyw gwlwm anghyffredin rhwng y tad a'r mab ac, fel yr oedd Dic yn tyfu i fyny, yr oeddynt yn myned, os oedd hynny yn bosibl, yn fwy hoff o'i gilydd. Yn wir, yr oedd rhywbeth prydferth iawn yn serch y naill tuag at y llall. Dyn ieuanc, cryf, hoenus ydoedd Dic, yn llawn bywyd a 'mynd': y mae y gair Saesneg, *virile*, yn rhoddi disgrifiad da iawn ohono. Nid oedd yn bosibl meddwl am Dic ond fel dyn nerthol: yr oedd gwendid o unrhyw fath yn atgas ganddo.

Fel llawer dyn cryf arall, syrthiodd Dic mewn cariad gyda merch ieuanc mor annhebyg iddo ag oedd yn bosibl dychmygu. Doli fach dlws ydoedd Miriam Dafis, heb ddim yn ei phen, a llai yn ei chalon. Nid oedd yn meddwl am ddim ond am wisgoedd a phethau cyffelyb. Ond yr oedd wedi cymeryd meddiant llwyr o galon Dic, ac yr oedd yntau yn edrych arni fel rhyw angyles o fyd arall ac yn rhyfeddu ei bod yn foddlon edrych arno ef o gwbl!

Nid oedd Miriam yn gweled Pen-rhiw yn ddigon da o dŷ iddi ac nid oedd yn foddlon chwaith i'r hen ŵr, Richet Jones, fyw gyda hi a'i gŵr ar ôl eu priodas. Felly, yr oedd Dic wedi penderfynu adeiladu tŷ newydd, tra yr oedd ei dad yn pwrpasu myned (er gwaethaf Dic) i fyw am ddyfodol ei oes gyda hen forwyn yn y pentre. Ond nid fel hyn y digwyddodd pethau.

Y mae tŷ gwych iawn rhyw filltir o Bentre Alun. 'Arfryn' yw yr enw, a chymerwyd y tŷ hwn un haf gan weddw gyfoethog a'i hunig fab. Dyn ieuanc ofer iawn oedd Mr Harold Preston ac yr oedd storïau gwrthun iawn yn cael eu hadrodd amdano. Ond yr oedd ganddo lygaid craff ac un diwrnod sylwodd fod Miriam Dafis yn eneth dlos dros ben, yn enwedig pan y byddai yn gwenu. Ac fe gymerodd Mr Preston bob cyfleustra i gael ganddi wenu. Felly y dechreuodd pethau. Cyn bo hir, yr oedd Miriam yn dangos rhoddion gwerthfawr oedd wedi dderbyn oddi wrth Mr Preston, ac yn dweud wrth bawb ei bod hi wedi ffarwelio â Dic a'i bod yn myned i briodi Mr Preston. Cymerodd Dic y newydd yn hynod dawel. 'Y mae Miriam yn rhy dyner i fod yn wraig i ffermwr,' meddai wrth ei dad, a bu bron iddo ddigio wrth yr hen ŵr, oherwydd nad ydoedd yn alluog i gydweled ag ef yn ei edmygedd o Miriam ddwl.

Aeth rhai misoedd heibio ac yna, un diwrnod, daeth y

newydd i'r pentref fod Mr Preston yn myned i briodi rhyw ferch gyfoethog o America a'i bod hi yn dyfod i dalu ymweliad yn fuan â'i darpar fam-yng-nghyfraith! Pan glywais i y newydd nid oeddwn yn rhyfeddu, oherwydd nid oedd eisiau llawer o wybodaeth am y natur ddynol i ganfod nad oedd yn debyg y buasai dyn fel Preston yn meddwl priodi geneth syml, annysgedig fel Miriam. Mae llygaid-y-dydd yn edrych yn dlws iawn yn y cae ac, y mae digon o bobl yn barod i sefyll i'w canmol, ond blodau rhwysgfawr yr ardd sydd yn cael eu tynnu i addurno palasau ein gwlad. Yr oeddwn yn teimlo yn fawr oherwydd siomedigaeth Miriam. Peth caled yw gweled creadur bach eiddil yn cael ei ddarostwng, a gwyddwn yn dda iawn y byddai Miriam, druan, yn cael dioddef yn llym oddi wrth dafodau miniog gwragedd y plwyf.

Un noswaith ym mis Ionawr diwethaf, fel yr oeddwn yn paratoi i fyned i'r cyfarfod hwyrol, dyma Richet Jones yn dyfod i fewn i'r tŷ.

'Peidiwch brysio i'r cyfarfod heno,' meddai. 'Yr wyf eisiau eich gweled. Yr wyf mewn tipyn o helbul.'

'Eisteddwch i lawr,' meddwn, 'gallaf adael y capel heno.'

'Diolch yn fawr i chi,' meddai Richet Jones, 'os bu eisiau cyfaill arna i erioed, heno yw'r adeg.'

Yr oedd llais yr hen ŵr yn doredig iawn. Ni ddywedais yr un gair. Yr wyf wedi dod i ddeall erbyn hyn mai nid gwiw treio cymell cyfrinach; gwell yw gan y trallodedig ddweud ei gŵyn yn ei ffordd ac yn ei amser ei hunan ac, am rai munudau, nid oedd dim i'w glywed yn fy ystafell fechan ond sŵn y brigau yn cynnau yng ngwres y tân. Yna dechreuodd Richet.

'Yr ydych yn cofio am garwriaeth Dic a Miriam Dafis?'

'Ydw', meddwn.

'Wel, yr oedd yn siom fawr gennyf pan ddeallais fod y bachgen yn meddwl priodi Miriam. Doeddwn i ddim yn disgwyl iddo fod yn sengl, ond yr oeddwn yn gobeithio y byddai yn cael gafael ar ferch mwy tebyg i'w fam. Ond dim ots am hynny yn awr. Wel, fe dwyllodd y creadur 'y machgen i, a fuaswn i byth yn maddau i ferch gyffredin am wneud hynny, ond pan ddeallais fod Miriam wedi rhoddi Dic yn rhydd, teimlais y gallwn ganu gan lawenydd a diolchgarwch.'

'Bachgen rhyfedd yw Dic a, phan y credodd fod Miriam yn caru y llanc Saesneg, yr oedd yn foddlon ei rhoi i fyny ac mi gredais i ei fod wedi deall mai rhyw ynfydrwydd bachgennaidd oedd ei serch tuag at y groten; ac yr o'n i'n hanner gobeithio fod e a'r ysgolfeistres fach yna, Miss Williams, yn dechrau ffansïo ei gilydd. Ond pythefnos yn ôl, pan glywodd Dic am fwriad y dyn yna i briodi y ferch o America a gadael Miriam, druan, i ymladd gorau gall hi ag amgylchiadau, gwelais rywbeth dychrynllyd yng ngwyneb y crwt. Mi gefais ei ofn, do yn wir! Neithiwr, ar ôl te, clywsom fod y foneddiges ieuanc o America wedi dyfod i'r Arfryn, a dyna Dic yn gwisgo yn daclus ac yn myned allan. Gwyddwn o'r gorau i ba le yr oedd yn myned ac, ar ôl swper, pan y daeth adref, sylwais nad ydoedd wedi bod yn llwyddiannus. Yr oedd yn beryglus ei adael ac felly gofynnais iddo:

"Dwed y stori i gyd, Dic, yr wy' i yn deall dy fod wedi bod yn yr Arfryn?"

"Do," meddai, "bûm yno yn gweled y greadures yna o'r America. Dywedais wrthi am ei darpar ŵr: sut yr oedd wedi dwyn serchiadau merch oddi wrth ddyn gonest fyddai yn barod i roi ei fywyd i lawr er ei mwyn; sut yr oedd y gwalch, ar ôl cymeryd y cwbl oedd ganddi i'w roi, wedi ei thaflu o'r neilltu, fel y mae yn taflu sigârs ar ôl eu hanner smocio. Ac mi apeliais ati, fel dynes, i'w roddi i fyny i'r unig un oedd a gwir hawl iddo; i ddweud wrtho, os na fyddai yn priodi Miriam, y byddai ei hanes yn cael ei ledaenu ymhlith y bobl y mae efe eisiau eu parch a'u hedmygedd. A dyma hi yn troi ataf ac yn dweud, gyda gwên ar ei gwyneb,"

"Dydy'r bobol o'n set ni ddim yn amcanu cael seintiau fel gwŷr. Mae'n haws o lawer byw gyda dynion sydd wedi bod dipyn yn wyllt ym more eu bywyd. Nid oedd y creadur bach dwl yn disgwyl i fonheddwr fel Mr Preston i'w phriodi. Y mae yn ddrwg iawn gennyf drosti ac, os oes eisiau tipyn o arian arni, mi edrychaf fod swm yn cael ei roddi iddi. Ond mae yn rhaid iddi ddeall nad oes ganddi neb i ddiolch am ei chyflwr presennol ond ei balchder a'i gwagedd ei hun."

"Euthum allan o'r tŷ fel pe bawn wedi fy saethu," meddai Dic, "ond yr oedd gwaeth i ddyfod. Arosais dipyn wrth y clawdd ffin. Yr oeddwn yn teimlo yn rhy wan, rywsut, i gerdded ac ymhen tipyn clywais leisiau yn yr ardd, a dyna Preston a'i gariad yn eistedd ar sedd yn agos iawn i mi. Clywais hi yn dweud wrtho fy mod i wedi dweud 'pethau ofnadwy' amdano: ei fod wedi 'chware yn dost â serchiadau rhyw ferch fach wledig' ac yna dywedodd wrtho yn chwareus ei bod yn ofni ei fod 'yn fachgen bach drwg iawn.' Chwarddodd yntau a dywedodd fod y lodes yn ddigon tlws, '*from a milkmaid's point of view*', a beth oedd diben creu rhai o'r merched bach gwledig mor hardd os nad i roddi pleser am ryw ychydig ysbaid i wŷr bonheddig."'

Chysgodd e ddim eiliad neithiwr a heddiw gwelais e yn brysur iawn gyda'r dryll ac y mae ofn arnaf fi; ofn sydd bron a'm lladd! Y mae Preston a'i gariad wedi myned i Aber-nant heddiw. Bydd y cerbyd yn myned i Drefeity i'w cyfarfod heno gyda'r trên naw ac y mae Dic, fy unig blentyn, mab Jane, ar y ffordd yn rhywle yn barod i saethu. Gwelais ef yn cychwyn a'r dryll ar ei ysgwydd. Beth wna i, Griffith Roberts?'

Edrychais ar y cloc, yr oedd yn ugain munud i wyth o'r gloch.

'Ewch ar eich gliniau, Richet Jones,' meddwn. 'Yr Arglwydd yn unig all eich cynorthwyo. Gweddïwch ar i'r Arglwydd ddwysbigo calon y bachgen *yn awr, tra yr ydym yn gweddïo trosto*.'

Aeth Richet Jones ar ei liniau, 'Alla i ddweud gair,' meddai yn doredig. 'Mae deg mlynedd ar hugain ers claddais Jane. Dydw i ddim wedi maddau i'r Arglwydd eto a sut y medra i ofyn ffafr ganddo?'

'Gofynnwch,' meddwn, 'Mae Efe yn ddigon cyfarwydd â rhoi ffafrau i elynion. Gofynnwch', meddwn yn awdurdodol, 'mae'r amser yn mynd, mae pob moment o bwys.'

'Arglwydd,' meddai yr hen ŵr, 'mae'n gywilydd gennyf ofyn i ti ddal llaw y bachgen heno, rhag iddo wneud niwed. Yr wyf wedi cablu dy enw santaidd, wedi myned i'r capel, nid allan o barch i ti, fel y gwyddost, Arglwydd, ond oherwydd fy mod yn gwybod y byddai Jane yn teimlo os na fyddai Dic yn cael siawns. Arglwydd Dduw, mae'r bachgen yn werth ei achub. Calon dyner ei fam sydd ganddo, ond hen dymer boeth ei dad. Achub ef, Arglwydd, yn awr, tra yr ydym yn gofyn. Dydw i ddim yn werth i ti sylwi arnaf, ond yr wyf yn meddwl fod Iesu Grist wedi fy ngweld yn werth marw trosof ac, er ei fwyn Ef, achub y bachgen.'

Bu distawrwydd am rai munudau, yna cododd Richet Jones ar ei draed a meddyliais am foment fod ei synhwyrau wedi drysu. Dechreuodd ddawnsio a gweiddi fel ynfytyn!

'Mae'r bachgen wedi ei achub,' meddai. '*Mae'r weddi wedi ei hateb*. Mae'r Duw mawr wedi derbyn hen bechadur fel fi heno ac y mae wedi derbyn Dic hefyd.'

''Dwn i ddim sut y cafodd Richet Jones yr wybodaeth hon, ond mae'n siŵr iddo gael rhyw weledigaeth oddi fry, oherwydd fel yr oeddym yn cerdded i lawr tua'r pentref, yr oedd yr hen ŵr yn hollol hamddenol, tra yr oeddwn i yn ysgwyd fel deilen, yn ofni, ofni, ofni.

'I ble ydych chi yn mynd?' gofynnais ar y diwedd.

'I'r capel i ddiolch,' meddai. 'Mae'r weddi wedi ei hateb.'

Ni ddywedais yr un gair, ond euthum ar ei ôl, fel plentyn bach, i fewn i'r capel ac ymlaen tua'r canol. Yr oedd rhywun yn siarad. Yr oedd dagrau yn syrthio yn hidl ym mhob man. Edrychais i fyny. Yr oedd Dic Jones yn sefyll yn y sêt fawr! Clywais ef yn dweud yn grynedig:

'Mae'r Arglwydd wedi fy achub i yma heno a mae'n rhaid i fi ddweud wrthoch chi fath un drwg ydwyf fi. Y mae dyn yn yr ardal hon wedi pechu yn fy erbyn ac yr oeddwn wedi penderfynu y buaswn yn ei ladd heno. Roedd y dryll yn barod. Popeth yn barod. Yr oeddwn yn myned i Drefeity, wedi gwneud y weithred, i roi fy hunan i fyny am y trosedd. Cychwynnais yn o gynnar o'r tŷ, gan feddwl cerdded ar hyd yr heolydd, a hynny hyd yr amser penodedig i ladd y dyn. Ond fel yr oeddwn yn troi o'n lôn ni, dyma Miss Williams yr ysgol yn dod i fyny ataf ac yn gofyn i fi ddod i'r capel heno. Chwarddes yn ei gwyneb.

"Dod i'r cyfarfod, wir." meddwn. "Mae gen i rywbeth mwy pwysig o lawer iawn i wneud na chanu "Diolch Iddo," a phethau o'r fath."

"Wel," meddai, "ofynna i ddim i chi aros hyd ddiwedd y cyfarfod, ond dewch i fewn am hanner awr. Oes brys mawr arnoch chi?"

"Nag oes," meddwn, "ond rhaid i fi fod ddwy filltir o'r capel erbyn naw o'r gloch."

"Yng gore, te," meddai hithau, "cewch eistedd gyferbyn â'r cloc ac, am hanner awr wedi wyth, cerwch allan."

Wn i ddim pam y dilynais hi i'r capel. Gwn hefyd, yr Arglwydd oedd tu cefn. Gadewais y dryll yn y clawdd a deuthum i fewn yma a mae Iesu Grist wedi cael gafael arnaf. Yr oeddwn yn bwriadu bod yn llofrudd heno, ond y mae Mab Duw wedi fy nerbyn yn blentyn iddo ef.'

Eisteddodd i lawr, ac yr oedd gormod o lefain hyd yn oed i roi cyfle i neb gychwyn 'Diolch Iddo.' Ond cyn bo hir clywyd sŵn cerbyd yn pasio y capel. Yr oedd yn hawdd clywed llais Preston a dyma Dic, ar ei draed, yn gweiddi nerth ei lais, 'Diolch Iddo! Diolch Iddo! Diolch Iddo!' nes yr oedd yr holl le yn atseinio a, rhywbryd cyn hanner nos, torrwyd y cyfarfod i fyny a'r peth olaf welais i oedd Dic, a'i dad ar ei fraich, yn cerdded tua Pen-rhiw.

Gwragedd y Blaenoriaid

'Fydd dim llwyddiant mawr yn y capel yma,' ebe Mrs Powel un noswaith yng ngwanwyn 1905, 'hyd nes y bydd gwragedd y blaenoriaid wedi cael crefydd iawn.'

'Mrs Powel bach,' meddwn 'dydych chi ddim yn beiddio dweud fod gwragedd ein blaenoriaid ni heb eu haileni?'

'Beth yw eich barn chi?' gofynnai, gan edrych ym myw fy llygaid.

'Wel, dyna Dinah, gwraig William Griffith, un serchog, ffeind iawn yw hi,' meddwn yn gloff.

'Ie,' ebe Mrs Powel. 'Feddylioch chi rywbryd fod Dinah yn deall crefydd Mab Duw?'

'Mae'n anodd iawn dweud,' meddwn. 'Peth ffôl yw barnu yn rhy lym. Cofiwch am y saith mil yn nyddiau Elias.'

'Nid dyddiau Elias yw y rhai hyn,' meddai Mrs Powel, 'dyddiau rhyfedd deheulaw y Goruchaf yw rhein ac, os oes crefydd yn y gwragedd hyn, fe ddylsai ddangos ei hunan. A pheth arall, os na fydd y Diwygiad hwn yn gwneud iddyn nhw, naill ai ganfod nad oes dim crefydd ganddynt, neu ynte fod gwreiddyn y mater ynddynt yn llechu yn rhywle, fe fyddant yn fwy caled nag erioed ar ôl hyn. Dyma fy neges, Griffith Roberts, helpwch fi i weddïo y gwragedd yma i fewn i'r deyrnas: ar y trothwy mae'r gorau ohonynt yn awr ac mae palas y Brenin yn agored iddynt. Yr wy' i am iddynt fyned i fewn trwy y drws ac eistedd ymhlith pendefigion. Mae dyfodol yr eglwys yn dibynnu mwy na feddyliech chi ar wragedd y dynion mwyaf pwysig.'

'A dydych chi ddim yn credu fod un o'r chwech yn Gristion?' meddwn.

'Ddweda i ddim o hynny yn hollol,' ebe Mrs Powel, 'mae rhyw ychydig o grefydd ynddynt oll, ond nid crefydd yw y peth mawr yn eu bywydau. Dydy'r Efengyl ddim wedi newid eu cymeriadau. Dyna wraig Edwart Hywel. Does yr un te parti yn cymeryd lle yn y capel nag ydy hi ac un o'r gwragedd eraill yn cwympo allan â'i gilydd. Mae hi wedi briwio teimladau bron bawb yn y capel: mae ei thafod, druan fach, fel cyllell. Pwy sydd yn mynd i gredu yng nghrefydd dynes fel'na? Wel, dyna wraig Dafydd Rees. Chware teg iddi, dydy hi byth yn dweud pethau cas am eraill, ond anaml iawn y daw hi i un cyfarfod na bydd rhywun neu rhywrai wedi troseddu yn ei herbyn, a mae hi gartre yn pwdu am wythnosau oherwydd rhyw gam dychmygol. Nid crefydd yw peth fel'na. Dyna wraig Jobiah Jenkins. Glywsoch chi amdani yn gwneud tro caredig tuag at rywun? Byw yn dawel heb aflonyddu ar neb na dim: byw iddi ei hunan, dyna hanes Mrs Jenkins, a nid bywyd Cristionogol yw bywyd fel'na. Gwraig Owen Prosser, mae pawb yn gwybod amdani. Ei hoff waith yw myned o dŷ i dŷ i adrodd y pethau cas mae pobol yn ddweud am eraill. Byw ar wneud drygioni, dyna beth y mae honna yn wneud. Gwraig Henri Dafis: creadures fach ddiffrwyth, ddiwerth yn meddwl am ddim ond am wagedd. Dyna nhw i chi, Griffith Roberts! Mae'n rhaid gweddïo y chwech i fewn i deyrnas Dduw. Ydych chi yn barod i roddi help llaw?'

'Ydwyf,' meddwn, 'mi weddïaf yn daer ar eu rhan ac mi gredaf y bydd yr Arglwydd yn ddigon tirion i wrando ac i ateb fy ngweddïau.'

Aeth pythefnos heibio a dyma Mrs Powel yn dyfod drachefn i'n tŷ ni.

'Yr wyf wedi cael siars neilltuol gan yr Arglwydd,' meddai. 'Yr wyf i ysgrifennu at bob un o'r gwragedd yna i ofyn iddynt ymuno gyda ni mewn gweddi daer ar ran gwragedd a merched y capel.'

'Fyddai ddim yn well gweld y chwiorydd?' gofynnais, 'does yr un ohonynt yn gyfarwydd â derbyn llythyrau a bydd gair oddi wrthych yn fwy pwrpasol allwn i feddwl.'

'"Ysgrifenna" oedd arch y Meistr,' ebe Mrs Powel, 'a phan y mae Efe yn dweud, rhaid ufuddhau. Byddai'n haws o lawer siarad nag ysgrifennu, ond bydd y cyfrifoldeb i gyd arno Ef. Mi ddala i y pin ysgrifennu, ond y Gŵr ei hunan fydd yn paratoi y geiriau.'

'Oes gennych chi ryw syniad pa beth sydd i'w ysgrifennu?' gofynnais.

'Nag oes,' meddai, 'ddim eto. Mae'r papur a'r inc heb ei brynu eto, ond meddyliais y byddai yn well i mi ddweud wrthych yr *orders*.'

Yr hwyr nesaf gwelais Mrs Powel drachefn.

'Mae'r llythyrau oll wedi myned,' meddai. 'Cefais y neges yn grwn oddi fry: yr o'n i i ofyn iddynt gyfarfod gyda fi yn y festri fach nos Sul nesaf, am hanner awr wedi pump, i weddïo am dywalltiad yr Ysbryd Glân. Bydd y Sul nesaf yn ddiwrnod mawr ym Mhentre Alun, Griffith Roberts, bydd gogoniant yr Arglwydd yn llanw y deml.'

Yr oedd llawer iawn o Moses yn Mrs Powel y dyddiau hyn. Hawdd iawn oedd gennyf sylweddoli teimladau plant Israel wrth weled Moses yn dyfod i lawr o'r mynydd a disgleirdeb Duw yn tywynnu yn ei wyneb. Fel yr awgrymais eisoes, yr oeddym ni ym Mhentre Alun yn deall y pictiwr yn dda iawn, a welais i erioed y goleuni dwyfol yn disgleirio yn ei gwyneb gyda'r fath danbeidrwydd â'r noswaith honno.

Daeth dydd Sul o'r diwedd. Yr oeddwn i yn disgwyl pethau mawr erbyn hyn a, phan euthum i fewn i'r capel am chwech o'r gloch, sylwais fod Mrs Powel a gwragedd y blaenoriaid heb ddyfod i fewn. Yr oedd hyn yn argoeli rhywbeth, oherwydd yr oedd Mrs Powel bob amser yn brydlon yn dyfod i'r cyfarfodydd. Cawsom bregeth dda a llawer o eneiniad dwyfol ar y gwasanaeth ac, ar y diwedd, cyhoeddwyd fel arfer gyfarfod gweddi ac arhosodd y rhan fwyaf o'r gynulleidfa.

'Buase well galw ar y gwragedd sydd yn y festri fach,' ebe

Edwart Hywel, 'maen' nhw wedi cael hwyl anghyffredin, dybiwn i; dim un ohonynt wedi dod i'r bregeth. Dywedwch wrthyn nhw, Griffith Roberts, bod ni yn dechrau y cyfarfod gweddi rŵan.'

Euthum trwy y drws yn ymyl fy sedd tua'r festri a churais y drws. Ar y dechrau, credais nad oedd neb yn yr ystafell. Yr oedd popeth mor dawel. Ond, mewn munud, clywais rywbeth fel ochenaid ac agorais y drws. Yr oedd y saith gwraig ar eu gliniau, yn gweddïo yn daer iawn ond yn hollol ddistaw. Ni chlywodd yr un ohonynt fi yn agor y drws ac, felly, euthum yn ôl yn frysiog i'r capel a dywedais wrth Edwart Hywel:

'Rhaid peidio aflonyddu y gwragedd, mae pethau rhyfedd yn cymeryd lle yn y festri.'

'Buase'n well i un ohonom ni fynd acw i'w cynorthwyo,' ebe Edwart. (Dyn ydyw Edwart sydd yn teimlo ei swydd o'i gorun i'w sawdl.)

Fel rheol, dyn tawel iawn ydwyf fi, ac nid wyf byth yn gwrthsefyll y blaenoriaid, ond gwelais fod yn rhaid i mi wneud hynny yn awr.

'Chewch chi ddim mynd i aflonyddu arnynt,' meddwn yn benderfynol yn ei glust. 'Gadewch lonydd iddynt, mae'r Arglwydd yn gofalu am y cyfarfod a does dim eisiau blaenor na phregethwr yna.'

Nid wyf yn meddwl fod Edwart eto wedi maddau i mi, ond eisteddodd i lawr yn ei le ac aeth y cyfarfod yn ei flaen. Cyfarfod hapus iawn ydoedd hwn: gweddïodd llawer o'r gwragedd, nad oeddynt erioed o'r blaen wedi mentro cymeryd rhan yn gyhoeddus, ac yr oedd dylanwad neilltuol ar eu gweddïau. Ar y diwedd, arhosais i weled Mrs Powel a deallais mewn eiliad fod y Brenin wedi ymddangos yn y festri yn ei holl ogoniant. 'Peidiwch gofyn dim i fi heno.' meddai. 'Feallai yfory y gallaf siarad,' ac ymaith â hi. Dydd Llun, daeth i'm gweled yn gynnar yn y prynhawn.

'Nid wyf yn bwriadu dweud wrth neb ond wrthoch chi, Griffith Roberts, am y cyfarfod neithiwr. Mae rhai pethau yn rhy gysegredig i sôn amdanynt, ond mae'n rhaid i chi gael gwybod oherwydd buoch chi yn gweddïo dros y gwragedd, a mae *pob un ohonynt* wedi cael rhywbeth newydd.'

'Diolch Iddo,' meddwn o eigion fy nghalon.

'Ie, Diolch Iddo,' ebe Mrs Powel. 'Bachgen, bachgen, dyna le! Duw yn dangos ei hunan a ninnau yn gallu edrych arno heb ein difa. Pan euthum acw neithiwr am bump o'r gloch er mwyn paratoi fy hunan i'w gyfarfod, gwyddwn fod pethau mawr i ddod ond ddychmygais i ddim fod pethau mor arswydus i ddigwydd. Gwraig Edwart Hywel oedd y gyntaf i godi ar ei thraed, a beth ydych chi'n feddwl ddywedodd hi?

'"Does dim diben i fi weddio," meddai, "nes y byddaf yn gyntaf wedi ufuddhau i arch yr Arglwydd. Pan ddaeth eich llythyr ataf, Mrs Powel, pan ddarllenais i y geiriau yn ceisio gennyf eich cyfarfod fan yma i weddïo dros wragedd a merched y capel, agorodd Duw fy llygaid a gwelais mai ofer i fi weddïo dros eraill cyn gwneud heddwch fy hunan â Duw. Am y tro cyntaf yn fy mywyd, gwelais mai pechadur colledig oeddwn ac mi dreulies noswaith a diwrnod o ing ofnadwy. Ond yr wyf wedi cael gafael ar rywbeth sylweddol rŵan, a'r peth cyntaf raid i fi wneud yw mynd at bob un ohonoch a gofyn eich pardwn am y pethau cas yr wyf wedi ddweud wrthoch chi ac amdanoch chi. Gobeithio y caf faddeuant gan bob un ohonoch. Byw yn y tywyllwch yr oeddwn, neu buaswn i byth wedi ymddwyn mor angharedig."

'Wrth gwrs, torrodd y lleill i lawr i grio a bu llawer iawn o ysgwyd dwylo, a dyna Lisa Hywel ar ei gliniau yn dweud, yn ein clyw ni oll, wrth y Brenin Mawr fath un gas ydoedd hi:

'"Mae 'nhafod i yn brathu fel cyllell," meddai, "yr wyf yn dolurio pawb sydd yn dyfod yn agos ataf, ond yr wyf yn credu fod digon o rinwedd yng ngwaed Iesu Grist i dynnu y gwenwyn allan ohonof. Maddau i mi, Arglwydd, am y pethau creulon yr wyf wedi ddweud wrth y chwiorydd annwyl yma," ac felly ymlaen. Clywais i neb yn dweud pethau mor glir o'r blaen. Ar ôl iddi hi dewi, dyma Jane Rees yn dechrau:

'"O Dduw," meddai, "*rho groen lledr* i mi, fel na byddaf yn teimlo pethau fel yr wyf yn awr. Dysg fi i feddwl mwy am beth yr oedd Iesu Grist yn orfod ddioddef fel na byddaf yn edrych cymaint ar fy mriwiau bach fy hunan. Gormod o hunan sydd ynof, Arglwydd mawr. O tynn allan yr hunan cas yma, er mwyn i mi gael gwneud rhywbeth dros dy Enw mawr." Erbyn hyn, dyma Kezia Jenkins ar ei gliniau:

'"Calon dryw bach sydd gennyf fi, Arglwydd," meddai. "Dydw i yn meddwl am neb na dim ond am fy hunan a'm teulu. Agor fy nghalon fel y gallwyf deimlo diddordeb yn y byd mawr, am mai dy fyd di ydyw. Mae'r cwbl allan o'i le arnaf ac yr wyf am gael fy newid yn hollol." Gweddi ryfedd iawn i Dori fel Mrs Jenkins: roedd yr Ysbryd Glân wedi gwneud Rhyddfrydwr da ohoni.

'Bu tipyn o ddistawrwydd ar ôl i Mrs Jenkins orffen gweddïo, ond mewn tipyn dyma ochneidiau ofnadwy, a dyma Beca Prosser yn gorwedd ar ei hyd ar y llawr:

'"Gweddiwch trosof," meddai, "mae cywilydd arna i ofyn i'r Arglwydd faddau i mi. Dywedwch wrtho fy mod i yn erfyn arno fy nharo i yn fud, os nad oes ffordd fy nghadw heb enllibio â'm tafod."

'Buom wrthi yn ceisio gweddïo drosti (yn dweud wrth yr Arglwydd fod eisiau maddeuant yn enbydus ar Beca) a dyma hi yn torri i fewn arnom:

'"Arglwydd," meddai, "dydyn nhw ddim yn dweud fath un aflan, ddrwg ydwyf. O! 'r anwireddau yr wy' i wedi ddweud! Arglwydd, yr wyt ti wedi rhoddi talent i mi, talent i ddychmygu. Daeth y diafol heibio a dywedodd y buasai yn talu i mi mewn poblogrwydd, ond imi ddefnyddio'r dalent yn ei wasanaeth ef. Dywedodd wrthyf fod pobol yn hoffi clywed pethau cas, pethau dibris am eu cymdogion ac y baswn i yn cael llawer o groeso yn y gwahanol dai, dim ond i mi lunio stori fach, yn llawn o falais a gwenwyn am hwn a'r llall. Dywedodd wrthyf i gymeryd gofal i roddi ychydig bach o wirionedd yn gymysg gyda'r twyll, lapio tipyn bach o wirionedd mewn llawer iawn o anwiredd. O Dduw, yr wyf wedi cael digon ar yr hen fywyd, yr wyf wedi blino ar gyflog y diafol. A fedri di faddeu i mi?"

'Bu am hanner awr fel'na, yn ymbilio â'r Bod Mawr ac, ar y diwedd, torrodd y wawr arni: gwelodd y Groes a'r Gŵr gofidus a chynefin â dolur yn hongian arni; gwelodd y Gŵr yn estyn maddeuant iddi trwy rinwedd Ei waed ac aeth yn orfoledd mawr. Mewn tipyn bach, dyma Catrin Dafis yn gweiddi allan:

'"O mae'n rhaid i mi weddïo, ond wn i ddim sut i ddechrau. O Dduw, maddau i mi am y bywyd segur yr wyf wedi arwain. Dydw i ddim wedi meddwl am lawer ond am ddillad a phethau cyffelyb. *O Dduw, rho rywbeth yn fy mhen i.* Alla i ddim goddef fy hunan fel yr wyf rŵan. Yr wy' am fod yn dda, am fyw yn santaidd, ond fedra i ddim, yr wy'i yn rhy ffôl. O Dduw helpa fi."

'Clywais ryw duchan yn agos ataf a dyma Dinah Griffith yn codi ar ei thraed.

'"Cyn gweddïo," meddai, "rhaid i mi gyffesu. Yr ydych yn gwybod fy hanes. Does gan neb ddim i ddweud yn fy erbyn: yr wyf wedi arwain bywyd tawel, dirodres. Ond y mae yr Ysbryd Glân wedi dangos i mi heno fod popeth o chwith yn fy mywyd. Mae 'nghalon i wedi bod yn llawn o falais a chenfigen. Des i yma heno, gan feddwl myned oddi yma i'ch barnu chi, i'ch pwyso a'ch mesur, ond y mae Ysbryd Duw wedi bod yn fy mhwyso i yn y cloriannau a chafwyd fi yn brin. Gweddïwch drosof." A buom acw yn gweddïo yn ddistaw drosti am amser maith.

'Griffith Roberts, bydd amser rhyfedd yn gwawrio cyn bo hir yn y capel yna. Bydd y bechgyn a'r merched yn cael eu hachub a byddwn oll yn byw yn yr ail bennod o broffwydoliaeth Joel.'

'Diolch Iddo!' meddwn trwy fy nagrau.

'Diolch iddo!' ebe Mrs Powel. 'Rŵan, rhaid i mi, a chi hefyd, ofyn yn daer iawn ar i'r Arglwydd ddyfnhau yr argyhoeddiadau ym mynwesau y gwragedd, rhag iddynt golli rhai o'r pethau mawr maent wedi dderbyn. Cofiwch, ni pia nhw, Griffith Roberts, a rhaid i ni beidio bod yn esgeulus ohonynt.'

Sali Coed Tân

Yr wyf am adael Pentre Alun am ychydig. Bu fy nghyfnither, Martha Jones, yn ymweled â ni yn ddiweddar. Mae Martha yn gweithio yn nhref fawr Caerfor ac yn gwneud gwaith da yno. Un o'i hoff hanesion yw hanes Sali Coed Tân, ac yr wyf innau yn ei gyflwyno i chi, annwyl ddarllenydd.

Mewn stryd gul yng Nghaerfor yr oedd tŷ bychan, ym mha un yr oedd wyth neu naw o bobl yn byw. Yn yr ystafell gyntaf ar ôl myned i fewn yr oedd Miss Nelson, '*Fire-wood Merchant*,' yn trigo. Gwaith Miss Nelson oedd torri i fyny hen focsys, eu rhoi mewn bwndeli a'u gwerthu am ddimai y bwndel. Pan aeth Martha i'w gweled gyntaf, gofynnodd Sali iddi ddyfod i fewn yn siriol iawn ond, ar yr un pryd, dywedodd wrthi nas gallai ofyn iddi eistedd, oherwydd fod ei hunig gadair yn y *pawn-shop*, 'yn talu am fy mrecwast,' meddai. Nid oedd eisiau craffter mawr i ddeall mai nid te neu goffi oedd brecwast Miss Nelson!

'Yr wy' i,' ebe Martha, 'wedi galw i ofyn i chi ddod i'r Cyfarfod Mamau ydym newydd gychwyn yng nghapel Moriah.'

'Diolch i chi am alw,' ebe Miss Nelson, 'ond dydw i ddim yn fam, merch sengl ydwyf fi.'

'Dim ots am hynny,' ebe Martha, 'bydd yn dda iawn gyda ni eich gweld.'

'Dydw i ddim yn meddwl y deuaf i'ch cyfarfod,' meddai. 'Yr wy' i wedi byw heb grefydd am dros hanner cant o flynyddoedd. Mi alla wneud hyd y diwedd hebddi.'

'Wel,' ebe Martha, 'gallwch ddyfod i Gyfarfod y Mamau heb fod yn grefyddol, feallai y cewch chi bleser acw. Yr ydym yn darllen hanesion ac y mae rhai o'r merched ieuainc yn canu. Dewch i weld fath gwrdd sydd gyda ni.'

Siglodd Miss Nelson ei phen. 'Mae crefydd,' meddai, 'fel

yr *influenza* cas yna: peth *catching* iawn yw e, wyddoch chi yn y byd sut yr ydych yn cael y peth. Dyna Miss Bird, 'r ochr arall. Roedd hi yn meddwi bob nos Sadwrn, fel y cloc, ac yn aros yn y gwely i sobri bod dydd Sul. Rhyw nos Sul, fe glywodd y blaenor yna sydd gyda chi ym Moriah (y dyn â'r llais mawr) yn gweiddi rhywbeth yn y cyfarfod yn yr awyr agored. Dydy Miss Bird ddim wedi cael blas ar feddwi 'r un nos Sadwrn wedi hynny.'

'Diolch i Dduw,' ebe Martha.

'Ro'n i'n gwybod y buasech chi yn dweud hynna,' ebe Miss Nelson, mewn tôn wawdlyd. 'Dyna sut rai ydych chi, dydych chi ddim yn foddlon i bobol dlodion gael tipyn o bleser. Pe buase chi'n cael eich ffordd, fyddai'r un tŷ tafarn yn y dre yma.'

'Ydych chi yn hoff o'r ddiod?' gofynnai Martha.

'Nagw,' meddai Mis Nelson yn sionc, 'mi alla i fyw heb y ddiod gystal â neb. Wrth gwrs, ambell i waith rwy'n cymeryd mwy na sydd dda i mi. Pe buaswn i ddim yn yfed, alla i ddweud wrthoch chi y buaswn i yn byw mewn gwell lle na'r Heol Ddu, ond dyna, bywyd byr a bywyd pleserus i mi.'

'Y mae te parti mawr yn ein ysgoldy ni nos Fawrth nesaf,' ebe Martha. 'Cewch de, a chacen a chyngerdd am dair ceiniog.'

'Wel, mae hwnna yn ddigon rhad,' meddai Miss Nelson. 'Dyma dair ceiniog i chi drosof fi a chofiwch fy ngalw yn Sali, nid Miss Nelson: mae e'n siwtio fy *rags* yn well.'

Daeth Sali i'r te parti heb gymaint â golchi ei gwyneb, ei dillad yn garpiog a'i thraed allan o'i sgidiau. Ond ar ôl dechrau dod, daeth yn gyson bob prynhawn dydd Mawrth i'r Cyfarfod Mamau, er nad ydoedd ei hymddygiad yn dda iawn. Nid oedd yn ceisio gwrando pan y byddai pennod yn cael ei darllen neu weddi yn cael ei hoffrymu. Un prynhawn, adroddodd un o'r chwiorydd hanesyn am y gwaith cenhadol yn India ac erfyniodd ar y mamau, os nad allent gyfrannu tuag at y genhadaeth, i gynorthwyo'r gwaith trwy weddïo trosto. Y dydd Mawrth nesaf, daeth Sali i fewn i'r ysgoldy gan ddwyn basgedaid o goed:

''Dalla i ddim gweddïo dros y creaduriaid du yna,' meddai, 'dydw i ddim yn credu mewn gweddi o gwbl, ond os bydd tipyn o goed tân o ryw help iddyn nhw, dyma ddwsin o fwndeli.'

Yr oedd mynd mawr ar y coed y prynhawn hwnnw a gwerthwyd y fasgedaid am swllt. Y dydd Mawrth nesaf yr oedd lle Sali yn wag ac yr oedd wedi anfon neges i ddweud wrth Martha nas gallai ddyfod bellach, ac iddi beidio pryderu yn ei chylch. Galwodd Martha lawer gwaith i'w gweled, ond nid oedd Sali yn cymeryd arni ei bod gartref. Un prynhawn oer, stormus mentrodd Martha fyned eto at y drws a chafodd fyned i fewn i'r tŷ y tro hwn. Gofynnodd i Sali paham nad ydoedd yn dyfod bellach i'r cyfarfod.

'O, Miss Jones,' ebe Sali, 'yr ydych wedi gwneud gwaith drwg iawn, mae'r hen *influenza* crefyddol arna i. Ond dewch chi,' ychwanegai yn benderfynol, 'rwy'n cymeryd moddion da iawn i'w wella: rwy'n meddwi bob dydd yn gyson. Does gen i ddim amser i fod yn grefyddol.'

Un hamddenol iawn yw Martha, a chyn ateb, arhosodd i ystyried tipyn. Torrodd Sali ar y distawrwydd.

'Dydych chi werth dim fel *pedlar*,' meddai yn ddirmygus. 'Buaswn i yn dweud wrth un o rheiny fy mod yn teimlo eisiau mawr iawn am dipyn o frethyn, ond nad oeddwn i ddim yn bwriadu prynu heddiw, buase raid i fi gymeryd y brethyn (cawswn i byth wared o'r dyn), ond dydych chi bobol grefyddol ddim hanner mor awyddus i gael pobol i gredu yn eich Beibl chi, "Mae'n *well* i chi ddod at Iesu Grist," dyna'ch tôn chi, ond dydych chi byth yn *gwneud* i bobol ddyfod ato.' Teimlodd Martha fod geiriau Sali yn llosgi fel tân a gwnaeth ei gore i ddweud gair am Iesu Grist a'r bywyd tragwyddol y mae Efe yn gynnig i bechadur.

'Dydw i ddim yn hidio am fywyd tragwyddol,' meddai Sali. ''Dwn i yn y byd beth yr ydych yn feddwl wrth y fath eiriau.'

'Wel,' ebe Martha, 'sut y gwyddoch chi fod eisiau crefydd arnoch chi?'

'Mae rhyw hen boen yn fy mlino o hyd,' meddai, 'rhywbeth yn swnio o hyd yn fy nghlust, "Dewch at Iesu, dewch at Iesu," a dydw i ddim am ddod at Iesu. Dyna ddigon amdana i. Mae dynes fach fyny'r llofft yn marw o'r darfodedigaeth. Buase'n well i chi fynd i'w gweled, buase tipyn o grefydd yn gymorth mawr iddi hi, druan.'

'Mi ddof gyda chi yrŵan,' ebe Martha. Sylwodd fod Sali lawer iawn yn lanach o ran golwg, ond yr oedd ei hystafell lawer mwy gwag nag yr oedd yn arfer bod. Yr oedd hyd yn oed y gwely wedi mynd a gofynnodd Martha a ydoedd mewn eisiau.

'Nagw'n wir,' meddai'n rymus, 'mae pethau yn well nag arfer arna i. Mae modryb gyfoethog gyda'r ddynes fach fyny'r llofft, a mae honna yn talu i mi am edrych ar ôl Mrs Hunt.'

'Ble ydych chi yn cysgu yrŵan?' gofynnai Martha.

'O,' meddai Sali, 'yr ydw i wedi gwerthu yr hen wely ac yr wy' i, fel y bobol fawr, yn cysgu mewn *bedroom*. Mae'n well i ni fyned i weld Mrs Hunt yrŵan.'

Dilynodd Martha Sali i fyny'r grisiau i ystafell fechan hynod o gysurus. Yr oedd tân yn llosgi yn siriol ac, ar wely newydd glân, yr oedd gwraig ieuanc yn gorwedd. Edrychai yn wael iawn: yr oedd ôl bysedd oer angau i'w canfod ar ei gwyneb gwelw.

'Ble ydych chi wedi bod?' gofynnai i Sali. 'Mi ddweda i wrth fy modryb sut yr ydych yn fy nhrin i. Mae'r ddynes yma,' ychwanegai, gan edrych ar Martha a chyfeirio at Sali, 'yn cymeryd tâl gan fy modryb am edrych ar fy ôl i ac, yn lle hynny, mae yn fy ngadael wrthyf fy hunan. Hen ladrones yw hi.' Daeth ffit o beswch drosti, ac aeth Sali i'w chynorthwyo ac aeth Martha gartref yn rhyfeddu at amynedd Sali Coed Tân.

Aeth Martha i weled Mrs Hunt yn bur aml, er nad ydoedd ymweled â hi yn waith pleserus iawn. Nid oedd yn bosibl ei phlesio. Yr oedd pawb (meddai hi), oddigerth y fodryb gyfoethog, yn gas iawn wrthi. Yr oedd ei thriniaeth o Sali yn peri blinder mawr i Martha. Byddai Sali yn gweini arni gore medrai a'r unig ddiolch a gâi oedd storm o ddifrïaeth. 'Hen ladrones yw hi', 'yn y carchar dylai hi fod', 'hen greadures feddw yw hi; dydy hi byth yn sobr', fyddai'r sylwadau cyffredin a wneid ym mhresenoldeb Sali, ac yr oedd Martha beunydd yn synnu wrth amynedd yr hen chwaer. Yr unig berson ag yr oedd gan Mrs Hunt air da i ddweud amdani oedd y fodryb gyfoethog, yn yr hon yr oedd yn bur hoff o ymffrostio.

'Sut na fyddai eich modryb yn dyfod i'ch gweled?' gofynnai Martha un diwrnod.

'O,' ebe Mrs Hunt, 'dydy hi ddim yn leicio fy ngweld mor dlawd. Mae hi yn dod i fyny'r grisiau yma weithiau ac yn taflu parsel trwy'r drws, a ffwrdd â hi, ond dydy hi byth yn dangos ei hunan.'

'Beth sydd yn y parseli?' gofynnai Martha.

'O, arian', ebe Mrs Hunt. 'Ychydig ydw i yn gael, mae'r hen Sali yn dwyn cymaint.'

Nid oedd ôl llawer o arian yn yr ystafell: yr oedd tân cysurus, bid sicr, gwely glân, ond dim argoel fod digonedd o ddim byd. Anodd iawn oedd cael gan Mrs Hunt wrando gair am y byd mawr tragwyddol. Er fod pob anadliad yn costio yn ddrud iddi, er ei bod yn gwanhau bob dydd, credai yn ddiffuant ei bod yn gwella. Un diwrnod sylwodd Martha ei bod yn wannach nag arfer ac, os oedd yn bosibl, yn fwy dreinog nag arfer. Yr oedd popeth o chwith. Goddefodd

Martha lawer iawn y prynhawn hwnnw. Ar y diwedd, gofynnodd a fuasai yn leicio iddi ddarllen pennod iddi.

'Fel byddwch chi eisiau y gwnewch chi, pa un ai boddlon neu anfoddlon fyddaf,' meddai yn sarrug. 'Does neb byth yn meddwl amdanaf fi.'

Dechreuodd Martha ddarllen ychydig o adnodau, yna trodd Mrs Hunt ati.

'Mae'ch *horrid Welsh accent* yn gwneud dolur i mi,' meddai.

Yr oedd hyn yn ormod hyd yn oed i Martha. 'Yr wyf wedi dioddef digon oddi wrth eich tymherau,' meddai 'ffarwél i chi.' Aeth allan o'r ystafell. Tu allan i'r drws yr oedd Sali yn sefyll.

'Dydych chi ddim yn mynd?' meddai yn wylofus.

'Ydwyf,' meddai Martha, 'does gen i ddim amser i dreulio yma i gael fy insyltio gan Mrs Hunt.'

'Mae hi yn sâl iawn,' meddai Sali, 'bron â marw, a dydy hi ddim yn gwybod am Iesu Grist, druan fach.'

'Ydych chi yn gwybod amdano?' gofynnai Martha mewn syndod.

'Dipyn bach,' meddai Sali. 'Beth wnawn ni â Mrs Hunt?'

'Does gen i ddim rhagor i wneud,' meddai Martha. 'Yr wyf wedi treio dweud wrthi am dynerwch Iesu Grist; mae hithau yn chwerthin yn ddirmygus. Yr wyf wedi dweud wrthi am y farn sydd i ddod; mae hi yn mynd yn wallgof ac yn dweud na wnaeth hi ddrwg i neb erioed ac nad oes dim synnwyr dweud wrthi hi am y farn. Yr wyf wedi gwneud fy ngorau.'

'Yr wy' i yn eich credu,' ebe Sali, 'ond beth wnawn ni? Mae hi yn marw a dydw i ddim yn leicio iddi farw fel yna.'

Torrwyd ar eu hymgom gan lais Mrs Hunt. Yr oedd yn treio gweiddi ar Sali. Arhosodd Martha am funud wrth y drws. Gwelodd Mrs Hunt yn ymaflyd yng ngwallt Sali, gan ei dynnu yn fileinig. Yr oedd yn rhy wan i ddweud llawer, ond yr oedd ei gwyneb yn ddychrynllyd. Aeth Martha gartref yn ddicllon iawn. Yr oedd Mrs Hunt yn wraig ddrwg iawn, ond yr oedd ganddi enaid ac, ar ôl meddwl tipyn, penderfynodd Martha fyned yn ôl i'w gweled yr hwyr honno. Druan o Martha! Yr oedd hi wedi digio a dianc yn ei llid, ond yr oedd Duw yn gofalu am y ddafad golledig. Dringodd i fyny y grisiau anwastad a safodd am ennyd tu allan i ddrws yr ystafell. Clywodd leisiau. Agorodd y drws ac, yn dawel iawn, aeth i fewn heb aflonyddu ar neb. Ar ei gliniau, wrth erchwyn y gwely, yr oedd Sali, yr hen bagan anwybodus, yn gwneud ei gorau i arwain Mrs Hunt at waredwr y byd.

'Treiwch ddweud, "Iesu, cymer fi". Fe'ch cymrith chi mewn munud,' ebe Sali, 'a dyna un *fine* yw e, dydy e byth yn dannod yr hen bechodau i chi. Dweud wrthoch chi bydd ef, "Fy mhlentyn bach, gorweddwch yn llonydd yn fy mreichiau i, mi ofalaf fi amdanoch chi bob amser." Treiwch chi ef, Mrs Hunt fach.'

Mewn llais gwannaidd iawn, atebodd Mrs Hunt, 'O, rwy'n rhy ddrwg. Ro'n i'n arfer meddwl fy mod yn dda iawn, ond yr wy' i yn gwybod yrŵan fy mod i yn bechadur mawr. Chymrith Iesu Grist ddim ohona i.'

''Drychwch yma,' ebe Sali. 'Fuoch chi yn feddw rhyw dro?'

'Naddo,' ebe Mrs Hunt, 'dynes *respectable* fuais erioed.'

'Wel,' ebe Sali, 'yr wy' i wedi bod yn meddwi am flynyddoedd, ac fe gymerodd Iesu Grist fi, felly mae e'n siŵr o'ch cymeryd chi.'

'O, rwy'n bechadur mawr iawn,' ebe Mrs Hunt, 'mae ofn Duw arnaf.'

'Gwnewch fel y gwnes, i,' ebe Sali, 'Mi ddywedais i wrth Dduw, "O Dduw, paid edrych arnaf fi, ond edrych ar waed Iesu Grist sydd yn rhedeg fel afon dros fy nghalon i," a dyna beth wnaeth e. 'Drychodd e ddim ar fy meiau, yr oedd gwaed

Iesu Grist yn eu cuddio.'

'Mae yna air rhywle,' meddai Mrs Hunt, 'sydd yn dweud mai bugail yw yr Arglwydd. Rwy'n cofio clywed ei ddarllen flynyddoedd yn ôl. O! Mi leiciwn ei glywed eto.'

Tybiodd Martha fod yr amser wedi dod iddi ddangos ei hunan ac, er fod ei llygaid yn wlyb gan ddagrau, darllennodd y drydedd Salm ar hugain. Ychydig iawn ddywedodd Mrs Hunt wrthi, ond cyn y diwedd dywedodd:

'Cerwch at fy modryb a gofynnwch iddi fod yn dirion iawn wrth Sali. Diolchwch iddi am ei charedigrwydd. Buaswn i wedi marw ers meitin oni bai am yr arian a anfonodd.'

'Leiciech chi weled eich modryb?' gofynnai Martha.

'Leiciwn yn fawr,' meddai 'ond rhaid iddi brysuro.'

Yn fore iawn y diwrnod nesaf aeth Martha at ddrws Mrs Perkins, modryb gyfoethog Mrs Hunt. Rhoddodd ei neges a dywedodd Mrs Perkins:

'Yr wyf wedi gwneud rheol trwy 'mywyd i beidio esgeuluso pryd o fwyd. Peth niweidiol iawn i iechyd ydyw. Ar ôl brecwast mi af i weled fy nith.' Cyn iddynt gyrraedd yr Heol Ddu, yr oedd Mrs Hunt wedi marw. 'Gall y plwyf ei chladdu,' meddai Mrs Perkins, 'ond fe allwch chi, Miss Nelson, gael eiddo fy nith.'

Ychydig ar ôl marwolaeth Mrs Hunt aeth Martha i ymweled â Sali. Yr oedd gwely newydd Mrs Hunt yn yr ystafell ac yr oedd pethau yn edrych dipyn mwy cysurus. Yn sydyn, gofynnodd Sali:

'Dwedwch, Miss Jones, ydy e'n ddrwg bob amser i ddweud anwiredd?'

'Ydy, bid siŵr,' meddai Martha.

'Wel, wel, bydd dim gobaith i mi ynte,' meddai Sali, gan wylo.

'Mae gan Dduw faddeuant,' meddai Martha, 'ac os ydych chi yn edifarhau, ac yn penderfynu dweud y gwir o hyn ymlaen, fe gewch faddeuant trwy waed Iesu Grist.'

'Mae gwaed Iesu Grist, ei fab ef, yn ein glanhau ni oddi wrth bob pechod,' meddai Sali. 'Dyna *fine* oedd e yn marw drosof fi. Alla i byth ddiolch digon iddo.'

'Sali,' meddai Martha, 'sut ddaru i chi gael gafael ar Iesu Grist?'

'Fe gafodd afael arna i,' meddai Sali. 'D'on i ddim am fod yn Gristion. Mi wnes fy ngore yn erbyn yr *influenza* crefyddol, fel yr ydych yn gwybod. Fel hyn roedd hi. Mi welais fod Mrs Hunt, druan, yn marw a pheth ofnadwy yw marw. Mi welais i wraig dduwiol yn marw unwaith a dydw i byth wedi anghofio ei thawelwch. Mi ddwedais i y pryd hynny bydde'n rhaid i mi gael crefydd cyn marw, ond doedd ddim eisiau dim arna i i fyw. Allwn i fyw heb Iesu Grist yn dda iawn, ond roedd ofn marw hebddo arna i. A phan welais i Mrs Hunt, druan fach, 'ddylies fod yn rhaid i mi gael tipyn o grefydd iddi. Dyna pam ro'n i gymaint eisiau i chi fynd i'w gweld. Go *slow* roedd hi yn cymeryd crefydd hefyd, ac ro'n i'n ceisio'ch helpu, gore fedrwn i, wrth siarad wrthi am Iesu Grist. Ychydig wyddwn i amdano ond ro'n i'n treio cofio y cwbl a glywswn amdano, ac adrodd rheiny nôl ac ymlaen i Mrs Hunt oedd fy ngwaith i. Ac un diwrnod, fel ro'n i'n torri coed, daeth yn ddisymwth i'm meddwl: "Sali, rwyt ti'n blentyn i'r Arglwydd." "Nagw, nagw," meddwn innau yn ôl, "hen baganes ydw i." "Yr wyt ti'n blentyn i'r Arglwydd," medde'r llais drachefn. "Lol i gyd," meddwn innau. Ac yna, meddylies fod rhyw lais yn gofyn i mi, "Sali, wyt ti yn fy ngharu I?" "Ydw'n wir," meddwn i. "Ydwyt ti yn treio cael gan bobol eraill i fy ngharu I?" "Ydw'n wir," ebe fi. "Wyt ti am roddi dy hunan i Fab Duw?" "Ydw'n wir," meddwn eto, "os galla i fod o ryw les iddo." Ac fe ddwedodd rhyw lais wrthyf: "Morwyn yr Arglwydd ydwyt ti." "O!" meddwn, "mae gen i bechodau rif y gwlith. Beth wna i â rheiny?" ac mi 'ddylies fod diwedd amdanaf. Ond yn y fan mi welais y groes y buoch chi yn darllen amdani: roedd Iesu Grist yn hongian arni ac mi welais fod fy mhechodau yn hongian acw hefyd. Dyna hapus ro'n i'n teimlo! Ond, yn y fan, cofies am yr yfed. Un enbyd fuais i am y glasied. A beth feddyliech chi ddywedodd Iesu Grist wrthyf? "Bwrw dy demtasiwn arna I; gad i Mi ymladd yn dy le di." A dyna beth wnes, i. Mi dafles i y cyfrifoldeb i gyd ar Iesu Grist. ''Dwn i ddim sut y mae wedi bod rhwng y diafol a Iesu Grist, ond bob tro y mae e'n fy nhemtio i yfed, rwy'n dweud wrtho, "Gad lonydd i mi, does gen i ddim i wneud â'r blys; dos at Iesu, fe sydd yn ymladd yn fy lle," a dydw i byth yn ei weled wedyn am ysbaid; mae gormod o ofn Iesu Grist arno rwy'n coelio. Ac wedyn, dechreuais ofyn cymwynas gan Iesu Grist; gofyn iddo achub Mrs Hunt, druan, ac fe wnaeth, rwy'n siŵr o hynna.'

'Sali,' meddai Martha, 'Yr ydych yn adnabod Iesu Grist yn well na fi. Dwedwch pa faint oedd Mrs Perkins yn eich talu i edrych ar ôl Mrs Hunt.' Gwridodd Sali ac ni atebodd yr un gair. 'Sali,' meddai Martha, 'yr wy' i yn dechre deall pethau: thalodd Mrs Perkins yr un geiniog.'

'Naddo,' meddai Sali, mewn llais isel.

'Beth am y parseli o geiniogau yr oedd Mrs Hunt yn sôn amdanynt?'

'Fi oedd yn eu rhoddi,' ebe Sali, ei ffedog wrth ei llygaid. 'Roedd hi'n dlawd iawn, druan fach, ac ro'n i'n gwybod byddai mynd i'r tŷ mawr yn torri ei chalon. Roedd gen i gwpl o geiniogau ar y pryd a rhoddais dipyn o gymorth iddi, dyna i gyd.'

'Fe roddsoch eich gwely iddi,' ebe Martha.

'Gwerthais yr hen un; roedd e wedi mynd yn rhy fudr ac un ambydus am ddŵr a sebon oedd Mrs Hunt. Mi ges i gwpl o sylltau gan hen feistres i mi a phrynais wely bach newydd. Gwyddwn na fyddai dim eisiau gwely yn hir ar Mrs Hunt.'

'Ble oeddech chi yn cysgu?' gofynnai Martha.

'O, ro'n i'n gwneud yn iawn: weithiau ar y llawr, weithiau yn ymyl Mrs Hunt. Wyddoch chi, Miss Jones, ro'n i'n ennill arian heb ddim ffwdan tra yr oedd Mrs Hunt yn sâl: roedd y ceiniogau yn dod i fewn un ar ôl y llall yn ddi-stop. Duw oedd yn gofalu amdanaf, fe welwch.'

'Ychydig o ddiolch gawsoch chi gan Mrs Hunt,' meddai Martha.

Chwarddodd Sali. 'Doedd dim eisiau diolch arna i,' ebe, 'yr oedd Iesu Grist yn gwneud digon o hynny.'

'Wel,' meddai Martha, 'y mae Mrs Perkins yn meddwl ei bod hi wedi ymddwyn yn garedig dros ben tuag atoch trwy roddi caniatâd i chi gymeryd eich pethau eich hunan.'

'Wel, maen' nhw i gyd yn ôl,' ebe Sali, 'ond os bydd eu heisiau ar Iesu Grist, fe gaiff nhw i gyd eto.'

Ar ôl hyn dechreuodd Sali ymddwyn fel cenhades yn yr Heol Ddu. Yr oedd ei sêl dros achos y gwaredwr yn hawddgar dros ben. Byddai yn rhoi benthyg ei dillad i'r gwahanol wragedd ac, os na fyddai Sali yn y cyfarfod, yr oedd ei dillad yn siŵr o fod yno ar gefn rhywun. Nid yw yn bosibl dweud faint o ddaioni a wnaeth Sali yn yr Heol. Ond yr oedd gan yr Arglwydd waith arall iddi ei wneud. Un diwrnod, cafodd Martha neges oddi wrthi ac, erbyn myned i'w thŷ, dywedodd wrthi: 'Mae'r Arglwydd am i fi fynd fel cenhades i'r tloty. Mae eisiau rhywun yno sydd yn adnabod Iesu Grist ac rwy'n mynd acw yr wythnos nesaf.' Yr oedd digon o bobl yn barod i helpu Sali i fyw yn ei hystafell fechan, ond mynnodd fyned i'r tloty, ac yno y mae heddiw yn adrodd hanes y Gŵr fu farw drosti i bob dynes sydd yn dod i'r lle. Hi yw bywyd y *wards*. Mae'r gwragedd i gyd yn gwenu yn serchog wrth ei gweled yn nesáu atynt: mae ei gwyneb hithau yn disgleirio gan lawenydd; llawenydd sydd yn tarddu o orseddfainc Duw a'r Oen.

Priodas Lisa Bennet

Yr oedd Capel Llandafydd yn un hen iawn ac yr oedd yr aelodau yn meddwl gryn dipyn ohonynt eu hunain. Mameglwys oedd Siloam a chanddi, nid un neu ddwy o ferched, ond pump. Dau flaenor a hanner dwsin o ddynion da eraill ddechreuodd yr achos newydd yn Carmel. Mrs Jones, Pantgwyn a'r teulu fu yn foddion cychwyn yr achos yn Pengwynt. Ritchet Rhys a'i fab, ac un neu ddau arall, aeth gyntaf i Cwm-du i geisio sefydlu Methodistiaeth yn y man llygredig hwnnw lle nad oedd dim ond Sosiniaid dienwaededig. Bu cweryl go chwerw yn Siloam unwaith rhwng teulu Edwart William a theulu Jane Jones, y *Post*; hynny yw, fe ddechreuodd y cweryl rhwng y ddau deulu yma. Cyn dibennu, rhannwyd yr eglwys yn dair rhan: un blaid yn selog iawn dros Jane Jones, un arall yn clymu eu ffydd wrth Edwart William, a'r drydedd blaid yn pallu cymeryd ochr un na'r llall. Gorfu i'r Cyfarfod Misol ddyfod i setlo y mater ac, fel canlyniad, aeth Edwart William a'i barti i ddechrau cadw cwrdd yn ysgybor Pont-fach, tra yr aeth Jane Jones a'i pharti i gynnal cwrddau yn yr awyr agored am ysbaid, tra yr oedd yr haf yn parhau. Pan ddaeth y gaeaf, yr oedd Jane wedi cael gafael ar lofft yn agos i'r Pendros ac, yn y fan yma, y cynhelid cyfarfodydd o bryd i bryd. Ar ôl peth amser, cafwyd caniatâd i adeiladu capelau bychain yn y ddau le ac, os oedd eu dechreuad yn ddrwg, ar ôl claddu hwn a'r llall o'u plith llwyddwyd i gael achosion da iawn yn Pont-fach a Phendros. Ac wedi cael gwared o'r fath nifer o'i haelodau, teimlodd Siloam fod yn rhaid iddi hithau ddeffro os oedd yn mynd i ddal ei thir. Ond sut yr oedd dechrau? Mewn ardal fel Llandafydd, y mae bron bawb yn mynychu lle o addoliad, ac nid oedd yr ychydig hynny na fynnent fyned i'r un eglwys, yn ôl Sali Penforial, 'ddim yn werth sôn amdanynt.'

'Ond,' meddai Let, Tŷ Glâs, 'mae'r Iesu yn galw pechaduriaid ac os oes eu heisiau arno fe, well i ni fynd i'w chwilio.'

'Twt, twt,' meddai Sali. 'Dwyt ti ddim yn deall y gymdogaeth fel fi. Mae'n eitha iawn hela'r efengyl i wledydd pell sy'n llawn o ddynion duon ac anwariaid, ond yma, y mae pob dyn a benyw hefyd o fewn clyw'r Efengyl. Yr wy' i yn eitha boddlon i fynd â pryd o fwyd i'r newynog, ond os bydd tlodion yn sefyll wrth ddrws 'y nhŷ i, a finnau'n eu gwadd i fewn i fwyta gyda mi, a hwythau yn rhy styfnig i ddŵad, mi gân glemio gen i. Dydw i ddim yn mynd â'r bwyd atyn nhw, nagw'n siŵr i chi.'

'Nid fel yna y gwnaeth Iesu Grist pan yr oedd efe yma ar y ddaear,' ebe Wini Trefor, merch yr ysgolfeistr. 'Fe aeth Ef ar eu hôl, hyd oni chafodd Efe hwynt, ac yr wyf fi am fynd ar eu hôl os daw rhywun i'm helpu.'

'Na, merch fach i, peidiwch siarad dwli. Chi'n mynd ar ôl y taclau yna! Pwy ddaioni ydych chi'n meddwl wnewch chi?' gofynnai Sali, gan godi ei breichiau.

'Fe fyddan yn gwybod ein bod ni yn eu caru,' ebe Wini.

'Twt lol, yn lodes fach i. Mae'n dda iawn gen i eich clywed yn siarad fel hyn, ond cymerwch gyngor gen i; yr wy' i yn hen wraig ac 'rych chi yn ifanc. Gwnewch chi'ch gore gyda'r plant yn yr ysgol Sul, paratowch ar gyfer eich dosbarth. Dyna ddigon o waith i lodes o'ch oed chi.'

'Ond maen' nhw'n marw allan o Grist,' ebe Wini, 'a sut fedra i wynebu fy Iesu yn y dydd mawr a meddwl na ddywedes i air erioed wrth neb oedd ymhell o gyrraedd y gwirionedd?'

'Bydd lot o ddynion o Affrica a phob lle,' meddai Sali, 'a allwch chi byth ddweud wrth bawb ohonyn nhw am drefn y cadw.'

'Ond mi alla ddweud wrth y bobol ffordd yma,' ebe Wini.

'Wel, wrth gwrs, os ydych chi'n meddwl y gallwch chi wneud yn well na phobol sydd wedi treio ganwaith ac wedi ffaelu. Does gen i ddim rhagor i ddweud,' meddai Sali, gan droi ymaith yn frysiog.

'Peidiwch mynd fel'na, Sali fach,' meddai Let, 'dwedwch wrthon ni nawr beth yr ydych chi wedi wneud. Pe buase ni'n tair yn mynd gyda'n gilydd, efalle gallen ni wneud rhywbeth, ond rhaid i chi ddŵad i'n helpu.'

Trodd Sali yn ôl a dywedodd, mewn tôn gwynfannus, 'Mi 'na i ngore, wrth gwrs, os ydych chi'n meddwl y galla i helpu.'

'Helpu!' ebe Wini. 'Chi fydd ein harweinydd. Yr ydych chi yn nabod y bobol yn well na ni'n dwy.'

'Wel,' meddai Sali, 'y peth cynta yw cael enwau y pyblicanod a'r pechaduriaid. Dyna Shincyn, Tŷ'r Gof. Buodd e ddim mewn tŷ cwrdd ers blynyddoedd: dyn drwg enbyd yw e. Dyna Siaci, 'Refail Betws. Mae e'n lleidr arswydus, ac am dyngu a rhegi! Wel, does neb yn debyg iddo yn y parthau hyn. Wedyn, dyna Iento'r Plas. Dyw e byth yn sobr, druan: hen ŵr digon diniwed, ond mae'r peth yfed wedi ei ddifetha gorff a meddwl. Dyco Dic Pen-rhys. Wel, os gwyddoch chi am rhywun gwaeth na Dic, mi leiciwn i ei weld. Mae e'n siŵr o fod wedi torri pob gorchymyn: mab drwg i'w fam, gŵr truenus i'w wraig, druan, tad creulon i'w blant. Dyna i chi res o ddynion i dreio eu hachub. Oes dim ofn arnoch chi nawr, Wini fach?'

'Oes, mae ofn arna i,' meddai Wini. 'Ond, Sali, os aeth Iesu Grist i Galfaria drosoch chi a fi, dydy e ddim yn ormod i ni i fynd ar ôl rhain.'

'Dydw i ddim wedi dibennu eto,' ebe Sali. 'Yr wy' i heb ddechrau gyda'r menywod. Dyna Siani, Porth-y-mochyn. Wel, fe wyddoch fath un yw hi. Dyna Catws, Twyn-y-llan. Fe fuodd hi yn y capel yn ddiweddar, ond fe ddygodd sbectol Mrs Jones y Siop, macyn sidan Mari'r Garth, a chwe cheiniog o boced Bob Harris, Tŷ'r Mynydd. Dyw e ddim yn saff i chi ddŵad â Chatws i'r tŷ cwrdd: does neb yn treio gwrando, edrych ar ôl Catws maen' nhw. Wedyn, dyna Lisa Bennet. Mae hi'n ddigon gonest, am wn i, ond hi yw'r waetha ohonyn nhw i gyd am watwar pethau crefyddol. Nawr sut ydych chi'n mynd i ddechrau?'

'Gofyn iddyn nhw ddŵad i'r moddion, ebe fi,' meddai Let.

'Mi ddwedan nhw i gyd, ond Lisa, y deuant, a diolch i chi am ofyn iddyn nhw, ond ddo'n nhw ddim. A phan ewch chi i edrych amdanyn nhw yr ail dro, fydd dim yn bosibl dod o hyd iddyn nhw. O, rwy'n eu deall nhw yn *first class*.'

'Mae gen i syniad am ffordd well' ebe Wini, dan wenu. 'Yr o'n i'n meddwl mynd atyn nhw a gofyn iddyn nhw gyfrannu dimai neu geiniog yr wythnos at y genhadaeth dramor.'

Chwarddodd Sali yn iachus. 'Wel, dyna ffordd od iawn, meddai, 'mynd i dreio achub pobl trwy ofyn iddyn nhw gyfrannu.'

'Fe wnaeth Iesu Grist beth go debyg,' meddai Wini, 'pan yr aeth i giniawa gyda'r pyblicanod a'r pechaduriaid, nid am fod eisiau eu bwyd nhw arno ef, debyga i, ond am mai trwy gael ganddynt i gyfrannu at ei ymborth ef yr oedd yn cael cyfleustra i siarad â nhw am bethau ysbrydol.'

'Wel, fe gewch chi fynd i ofyn am rywbeth i'r genhadaeth at Lisa Bennet,' meddai Sali, 'â i ddim yn agos ati hi. Does fawr ofn neb arna i ond, yn wir, fentra i ddim mynd at Lisa Bennet.'

'Os â i i'w gweled,' meddai Wini yn sydyn, 'a wnewch chi a Let weddïo gyda'ch gilydd tra bydda i ffwrdd?'

Arhosodd Sali am funud. Nid oedd yn hoffi addo peth mor bwysig â gweddïo heb feddwl uwch ei ben. 'Alla i wneud dim yn gyhoeddus,' ebe.

'Fydd arnoch chi ddim ofn gweddïo yma o flaen Let?' meddai Wini.

'Wn i ddim wir, dynes hen ffasiwn ydw i,' meddai Sali.

'Gwaith hen ffasiwn yw gweddïo hefyd,' ebe Let, 'a dyma fi yn addo yma nawr, os ewch chi, Wini, i ymweled â Lisa Bennet, mi 'roswn ni'n dwy yma i weddïo drosoch chi a thros Lisa.'

'Mi â i prynhawn yfory,' meddai Wini.

'Ac fe fyddwn ni'n dwy fan yma yn disgwyl amdanoch ac yn gwneud gwaith Aaron a Hur.'

Prynhawn nesa, cychwynnodd Wini ar ei thaith. Yr oedd Lisa Bennet yn gawres o ddynes. Yr oedd yn byw wrthi ei hunan mewn tŷ bychan ar y mynydd. Yr oedd ganddi asyn a chert, a'i gwaith oedd myned ar hyd a lled y wlad i gasglu carpiau ac esgyrn. Yr oedd yn cael ei chyfrif yn ddynes gwerth tipyn o arian, oherwydd yr oedd yn ddiwyd iawn ac nid oedd yn wastrafflyd. Yr oedd ei thŷ yn enbyd iawn; nid oedd Lisa yn credu mewn glendid ac yr oedd yn byw yng nghanol llwch a baw ddigon i ladd pobol gyffredin. I'r lle budr yma yr aeth Wini. Yr oedd Lisa gartref ac yn ddigon serchog. Anfynych iawn yr oedd neb yn troi i fewn i'w chyfarch ac yr oedd gwyneb tlws y ferch ieuanc yn cyffwrdd rhyw ysmotyn yng nghalon galed Lisa Bennet. 'Deuwch i fewn', meddai, 'does gen i ddim lle crand iawn, fel rydych chi yn gweld. 'Roswch funud, rhaid i mi symud rhai o'r *rags* yma o'r stolion. Rwy'n hoff o'r anifeiliaid ac maen' nhw yma gyda mi, a does dim posib cadw tŷ glân pan mae'r asyn, a'r ieir ac, yn wir, y mochyn ambell waith, yn byw yma gyda mi. Dyna nawr, dyna stôl go lew i chi, Miss, rhaid i chi esgusodi'r llawr. Dydw i byth yn cael amser i ysgubo, rwy'n mynd obeutu gymaint.'

Eisteddodd Wini i lawr yng nghanol y baw a dechreuodd siarad am y gymdogaeth, y cynhaeaf, yr eisteddfod Nos Galan; popeth ond y peth yr oedd am sôn amdano. Ar y diwedd, dywedodd yn sydyn, heb ddim paratoad:

'Lisa Bennet, dyma fy neges i. Mae gyda ni, y

Methodistiaid, genhadaeth yn yr India. Mae'r cenhadon yn dysgu'r bobol dduon am Iesu Grist a'i groes ac yr y'm ni, y merched a'r gwragedd yn Siloam, am gasglu tipyn o arian go lew i anfon i'w helpu. Mae lot ohonom ni yn addo ceiniog yr wythnos, rhai ddimai ac, ar ddiwedd y flwyddyn, byddwn yn anfon yr arian i ffwrdd, ac ro'n i'n meddwl falle buasech chi yn leicio helpu.'

'Dydw i ddim yn credu mewn casgliadau,' meddai Lisa yn bendant. 'Talu'm ffordd a byw arnaf fy hunan, dyna'm ffordd i.'

'Ie,' ebe Wini, 'ond fe leicsech anfon y newydd da am Iesu Grist i'r dynion duon.'

''Dwn i ddim wir,' meddai Lisa, 'dydw i ddim yn gweld fod pobol y capelau yn well na phobol eraill, a falle bod y bobol dduon llawn cystal heb yr Efengyl.'

'O, nag ydyn yn wir,' ebe Wini, a'i llygaid yn disgleirio, 'gall neb fod yn wir hapus heb Iesu Grist; mae ef yn newid y cwbl. Dydw i ddim yn siarad am beth dydw i ddim yn gwybod amdano, ond fe waredodd Iesu Grist fi. Yr wy' i yn gwybod ei fod ef wedi fy mhrynu ar Galfaria, ac mae wedi rhoi tangnefedd a dedwyddwch i mi, a dyna pam yr wy' i am anfon y genadwri amdano i'r India.'

'Yr ydych chi'n siarad fel pe baech chi wedi gwneud rhywbeth drwg iawn,' ebe Lisa, 'a dydy'ch gwyneb chi ddim yn edrych fel gwyneb lodes ddrwg.'

'Mi balles gymeryd Iesu Grist fel ceidwad am amser hir,' meddai Wini, 'dyna chi ddigon o bechod.'

'Newydd ddechrau gyda chrefydd ydych chi?' gofynnai Lisa, gan edrych yn graff ar yr eneth.

'Yr wy'n aelod ers blynyddoedd, ond yn ddiweddar, yr wy' i wedi dod i ddeall fath geidwad sydd gennyf. Leiciech chi ddim dŵad i'w adnabod?'

'Dim heddi, *thank ye*,' meddai Lisa, gan godi, 'mae'n ddistresol iawn arna i yma heddiw, Miss fach, ond drychwch chi yma, mi helpa i chi gyda'r casgl yna os dewch chi yma bob wythnos i'm gweld. Mi gewch chi ddwy geiniog am ddŵad, ond does dim o grefydd yn ym siwtio i. Pob un at ei ffansi, dyna'n ffordd i; ond dyma'r ddwy geiniog i chi.'

Aeth Wini ymaith, gan deimlo yn falch ac hefyd yn siomedig, ond yr oedd Sali a Let yn llawenhau yn fawr wrth glywed am y ddwy geiniog, ac yn llawn hyder fod pethau mawr yn dyfod. Aeth wythnosau a misoedd heibio. Ar ôl yr ymweliad cyntaf, chafodd Wini ddim cyfle i ddweud gair am ei Harglwydd wrth Lisa. Yr oedd y ddwy geiniog yn barod bob amser a Lisa yn eitha boddlon i siarad ar bob pwnc ond crefydd. Yr oedd Wini bron rhoi fyny, ac oni bai am ffyddlondeb Sali a Let, buasai ei ffydd wedi diffygio. 'Yr ydyn ni ein tair wedi rhwymo Lisa wrth y groes,' meddai Sali un diwrnod, 'mae'n siŵr o edrych i fyny cyn bo hir ac fe wêl ei cheidwad.' Un prynhawn, aeth Wini fel arfer tua'r Mynydd. Yr oedd Lisa newydd ddod i fewn ac fe sylwodd Wini ei bod yn fwy tawel nag arfer, yn llai siaradus ac yn fwy sobor.

'Dydych chi ddim yn edrych cystal ag arfer, Lisa Bennet,' meddai Wini. 'Oes yna rywbeth yn eich blino?'

'Dim byd neilltuol,' meddai Lisa, 'mae dyn yn teimlo yn sobor weithiau, Miss fach.' 'Alla i wneud rhywbeth i'ch helpu?' gofynnai Wini.

'Na allwch, 'y merch fach i, hen greadures ddwl iawn ydw i. Wyddoch chi beth sydd yn 'y mecso i heddi? Ro'n i wedi anghofio f'oedran. Wyddwn i yn y byd faint oedd ym oed. Yr o'n i'n gwybod 'y mod i rhywle obeutu'r deugain ac wyth ond heddi, dyna beth od, mi dryches yn yr hen Feibl mawr a ches allan 'y mod i yn hanner cant ar y pymthegfed o Ebrill, a dyna ergyd ges i. Roedd e fel pe bai'r hen ddiafol eisiau dannod ym oed i mi. Bu Mam farw yn bedwar ar ddeg a deugain, a'm dwy chwaer, un yn bymtheg a deugain, a'r llall yn ddeuddeg a deugain, a allwch chi ddim help cofio am bethau fel'na weithiau. Un cas yw'r hen ddiafol.'

'Yr wy' i yn meddwl mai Iesu Grist oedd yn dweud wrthoch chi mai heddiw yw eich penblwydd,' ebe Wini. 'Y mae efe yn dweud wrthoch chi: "Yr ydych chi yn hanner can' mlwydd oed, deuwch ataf fi, yr ydych yn flinderog ac yn llwythog a mi a esmwythâf arnoch."'

'Mae'n ddigon gwir 'y mod i yn flinedig iawn,' ebe Lisa, 'wedi bod yn gweithio yn rhy galed, ac mae'r gwanwyn yn gwneud i bobol deimlo yn wanllyd. Bydda i yn iawn ar ôl nos o gysgu.'

'Well i chi gymryd Iesu Grist ar ei air,' meddai Wini, 'os yw ef am eich helpu, gadewch iddo.'

'Ddim heddi, *thank ye*,' meddai Lisa, gan estyn y ddwy geiniog, 'mae'n rhaid i mi fynd i edrych ar ôl yr asyn.'

'Wel,' ebe Wini, 'peidiwch anghofio yr adnod.'

'Prynhawn da i chi, Miss fach,' ebe Lisa, gan redeg yn frysiog allan i'r cyntedd.

Arhosodd Wini am funud. Rhywfodd, yr oedd yn teimlo tuedd i aros i geisio arwain Lisa at geidwad y byd. Yna cofiodd am yr adnod honno: "Canys bywiol yw gair Duw a nerthol, a llymach nag un cleddyf daufiniog." Yng nghanol yr annibendod fan draw yr oedd y Beibl mawr teuluaidd. Croesodd Wini y llawr, cydiodd ynddo a gosododd ef ar y bwrdd. Agorodd ef ar yr unfed bennod ar ddeg o Mathew ac yna rhedodd i ffwrdd.

Yr oedd ofn myned i weled Lisa ar Wini y diwrnod nesaf ac ni ddywedodd air wrth Sali a Let am ddigalondid Lisa. Yr oedd ffydd Wini bron diffygio, ond gwnaeth ei gore er hynny i weddïo dros y greadures unig. Ar y trydydd dydd ar ôl ei hymweliad â Lisa, meddyliodd fod yr amser wedi dod iddi fyned eto i'r Mynydd. Yr oedd y drws yn agored ac allan yn y cyntedd yr oedd holl feddiannau Lisa, tra yn y gegin yr oedd Lisa ei hunan yn brysur iawn yn gwyngalchu. Safodd Wini am foment mewn syndod. Lisa Bennet yn glanhau ei thŷ! Yr oedd rhaid fod rhywbeth rhyfedd wedi digwydd! Yn y fan clywodd Lisa yn sibrwd wrthi ei hunan, '"Deuwch ataf fi, bawb ar y sydd yn flinderog ac yn llwythog, a mi a esmwythâf arnoch. Deuwch ataf fi! Deuwch ataf fi!" Mae'n eitha iawn, *quite right*. Mae Ef yn esmwytháu, ydy'n wir.' Allsai Wini aros ddim rhagor. Llamodd i mewn i'r tŷ.

'Lisa Bennet', meddai, mewn llais crynedig, 'ydy e'n wir, ydych chi wedi dyfod ato Ef?'

'Ydw, Miss fach,' meddai Lisa. 'Yr wy' i wedi dyfod, ac y mae Ynta wedi'm derbyn hefyd.'

'Sut ydych chi'n gwybod?' gofynnai Wini. Rhywfodd neu'i gilydd, teimlai fod y ffaith fod Lisa Bennet wedi cael crefydd yn rhy dda i fod yn wir.

'Wel,' ebe Lisa, 'fel hyn daeth hi i ben. Ar ôl i chi fynd dydd Iau, des i yn ôl i'r tŷ a'r peth cynta weles i oedd yr hen Feibl yn agored ar y bwrdd. "Mae hi wedi bod wrth rhyw drics," meddwn i wrthyf, fy hunan. Ro'n i'n gwybod yn eitha eich bod chi yn treio ym hargyhoeddi i, ond hen aderyn o'n i a do'n i ddim yn barod i'm dal ar unwaith. "Beth sy gyda hi nawr," meddwn i, a dyma fi yn mynd i fyny at y bwrdd, ac yn edrych, a'r peth cynta welais i oedd yr adnod honno, "Deuwch ataf fi". Mi gaees y llyfr yn chwap ac rwy'n meddwl i mi ddweud gair go ddrwg hefyd. Ond beth bynnag ro'n i'n geisio gwneud, roedd yr adnod yna yn ym dilyn fel ci. "Gad lonydd i mi," meddwn i, ond yr oedd yr adnod yn pallu gwrando. Ar y diwedd, mi 'roses am ennyd i gonsidro pethau: yr o'n i'n hanner cant oed, yr o'n i'n anhapus ofnadwy, yr oedd ofn angau a'r bedd bron fy llethu, ac ro'n i'n teimlo yn anhwylus hefyd. A rhwng y cwbl, yr o'n i mewn stad i edrych am feddyg. Agorais y Beibl a dechreuais edrych am yr adnod. Dyna waith ges i i'w chael, ond des o hyd iddi ar y diwedd ar ôl ymdroi lawer iawn. Darllenais hi lawer gwaith trosodd a throsodd, ac roedd hi'n cydio ynwyf yn rhyfedd. "Mi 'rosa nes daw Miss fach yr wythnos nesa," meddwn i wrthyf fy hunan. "Well i ti beidio," meddai rhywbeth arall tu fewn i mi, "gest ti dipyn o waith i ddod o hyd i'r adnod yna. Nawr, ar ôl cau'r llyfr yn dy falchder, falle cei di waith mwy i ddod o hyd iddi yr wythnos nesa." Darllenais yr adnod wedyn ac yna meddylies fel hyn: beth pe buase plant bychain troednoeth yn sefyll tu allan i'r ffenest, yma yng nghanol y glaw, a fi tu fewn fan yma, wrth dân mawr cysurus. "Dewch i fewn," buaswn i yn ddweud, "i chi gael twymo." Plant dwl iawn fuase nhw i beidio dŵad. Os na buasen nhw yn leicio'm lle, mi allsen fynd allan ar unwaith, ond piti peidio treio cael gwres a chysur, druain bach. A dyna, mi benderfynais gymeryd gwahoddiad Iesu Grist.'

'Sut ddaru chi ei ffeindio?' gofynnai Wini trwy ei dagrau.

'Wel, yn hawdd iawn,' ebe Lisa.

'Welsoch chi erioed sut beth. Wyddwn i yn fy myw sut i weddïo, ond mi ddeudais yn uchel: "Yr wyt yn dweud, 'Deuwch ataf fi bawb ar sydd yn flinderog ac yn llwythog,' ac rwy i yn flinderog ac yn llwythog, a dyma fi yn dŵad i gael esmwythder."'

'A beth wedyn?' gofynnai Wini.

'Wel, fe gymrodd fy maich,' ebe Lisa.

'Sut ydych chi yn gwybod hynny?' gofynnai Wini.

'Mae E yn dweud, "Mi a esmwythâf arnoch," a dyw E ddim yn dweud anwiredd, ydy E?'

'Nag ydyw,' meddai Wini, 'ac mae Ef wedi cymeryd eich baich.'

'Ydy'n wir,' ebe Lisa, 'Wyddoch chi, ddoe yr o'n i fel creadures wallgof: ro'n i'n teimlo mor ysgafn; ro'n i'n gweiddi bron trwy'r dydd a neithiwr, ar ôl i mi fynd i'm gwely, mi 'ddylies buaswn i yn gofyn i Iesu Grist ddŵad i fyw ata i fan yma. Mi ges i adnod yn dweud ei fod e'n foddlon i ddŵad ond i ni ofyn iddo. Dyna beth o'n i'n wneud ddoe: darllen y Testament ac roedd rhywbeth i Lisa Bennet ym mhob pennod, nes y gallech feddwl mai llythyr preifat i mi oedd y Testament. Wel, fel ro'n i'n dweud, mi benderfynais y buaswn i yn gofyn i'r Iesu ddŵad yma i fyw ac meddwn i wrth fy hunan: "Lisa Bennet, oes dim cywilydd arnat ti i ofyn i Fab Duw i ddŵad i drigo mewn shwt le a hwn?" Chysges i ddim wedyn. Mi godes am dri o'r gloch, ac rwy wedi bod wrthi yn glanhau gore medrwn i. Ond wir, dyw glanhau ddim yn dŵad yn hawdd i mi, Miss fach. Drychwch arna i.'

Dechreuodd Wini chwerthin yn iachus. 'Mae golwg ambydus arnoch chi,' meddai yn ddrygionus. 'Ydych chi yn treio gwyngalchu eich hunan, Lisa?'

'Ryfeddwn i damaid,' meddai Lisa, 'rwy mor anghyfarwydd â'r gwaith o lanhau.'

'Fuasech chi'n foddlon i Sali Penforial, a Let, Ty Glâs i'm helpu i i drwsio tipyn ar eich tŷ?' gofynnai Wini.

'Os ca' i dalu,' ebe Lisa yn bendant. 'Os na fedra i lanhau yn daclus, mi fedra dalu am ei wneud beth bynnag, ac rwy am wneud y tŷ yma yn union fel pe buaswn i yn mynd i briodi, oherwydd dyna beth ydw i wedi wneud: rwy wedi priodi â Iesu Grist. Dydw i ddim yn fenyw sengl ddim rhagor.'

'Oes gyda chi negesau i wneud Lisa?' gofynnai Wini, 'mi leiciwn i gael eich gwared chi am dair awr a, rhwng Sali, Let a fi, gewch chi weld sut dŷ crand fydd gyda chi.'

'Fydd rhaid i chi gael cwpwl o sylltau i wario arno, mi debygwn i,' meddai Lisa, 'dydy'r hen le yma ddim yn ffit iddo Ef.'

'Ond yn ein calonnau ni mae Ef yn trigo,' ebe Wini.

'Ie'n siŵr,' meddai Lisa, 'dydw i ddim yn gofalu am hyn'yna, oherwydd mi ddwedes i wrtho Fe ddoe fod fy nghalon i yn rhy frwnt, yn rhy ddrwg, i mi dreio gwneud unrhyw beth ag e. A dyna be ddywedodd Ef: "Gad dy galon ddrwg i mi. 'Y ngwaed i ar Galfaria yw'r unig beth all lanhau honna." Ond, Miss fach, mi leiciwn feddwl fod y lle yma yn ffit iddo, ond sut i wneud e, 'dwn i ddim.'

'Rhaid i ni gael Sali yma,' meddai Wini yn benderfynol.

'O'r gore,' meddai Lisa, 'mi dala i, ond i rhywun wneud y gwaith.'

Aeth Lisa ymaith i rywle, ni wyddai Wini i ba le, ac ymhen ychydig amser daeth Sali a Let i helpu i wneud lle trefnus o gartref anghysurus Lisa Bennet. Nid oedd yn lle i hudo neb, ar ôl i Sali dreulio oriau yn ei olchi, a Let oriau mewn rhwbio y cadeiriau a'r dodrefn briwedig. Yr oedd Wini yn gwneud ei gore i roi *finishing touches* i'r ystafell, ond llwm ac oeraidd iawn yr edrychai wedi'r cwbl. Pan ddaeth Lisa gartref ar y diwedd, diolchodd yn gynnes iawn i Sali a Let, ond fe ddeallodd Wini bod yr hen gartref wedi diflannu, a bod y gegin lân a'r aelwyd daclus yn edrych yn ddieithr i Lisa ac, ar ôl i Sali a Let fyned ymaith, trodd at Wini, 'Wneiff e byth o'r tro, Miss fach, wneiff e byth o'r tro.' Yr oedd dagrau yn rhedeg i lawr gwyneb Lisa ac nid oedd gan Wini ddim i ddweud. Arhosodd am dipyn i siarad gyda hi ac yna aeth ymaith, gan addo dyfod i'w mofyn i'r capel y diwrnod nesa. 'Bydda' i yma yn fore, Lisa,' meddai, 'cofiwch fod yn barod.' Gwenodd Lisa, ond ni ddywedodd air. Y bore nesaf, aeth Wini yn hoyw iawn tua'r Mynydd. Yr oedd yn ddiwrnod tawel, heulog; yr oedd natur fel pe buasai yn deffro ar ôl cwsg hir y gaeaf. 'Mae popeth yn llon,' ebe'r eneth wrthi ei hunan, 'fel pe bai popeth yn llawenhau am briodas Lisa Bennet.' Curodd wrth ddrws y tŷ, ond ni chafodd atebiad, felly, aeth i fewn yn syth i ganfod Lisa yn gorwedd ar ei gwely yn glaf iawn. Aeth Wini ar unwaith i mofyn Sali a'r doctor, ac am rai dyddiau bu gobaith am adferiad Lisa. Ond gwaethygu a wnaeth. 'Marw yn ifanc mae 'nheulu i bob amser,' meddai, 'a rwyf finnau yr un peth. Peidiwch becso, Miss fach, bydd popeth yn iawn.'

Erbyn diwedd yr wythnos, yr oedd Lisa Bennet wedi cyrraedd glannau'r afon.

'Miss fach,' meddai, 'peidiwch dweud wrth neb fod Lisa Bennet wedi marw; wedi priodi mae Lisa ac mae'r Gŵr sydd wedi ei chymeryd am iddi fynd i fyw gydag Ef yn ei gartre yr ochr draw, a dyma fi yn mynd.'

Llithiau o Bentre Alun (1908)

Ar Goll: 'Enaid'

Yr oedd gryn dipyn o siarad pan ddaeth Timotheus Price fel bugail i eglwys Pentre Alun. Yr oedd y rhan fwyaf o'r aelodau yn meddwl ei fod yn rhy ifanc i gymeryd gofal eglwys gref fel ein heglwys ni, ond yr oedd yr ieuenctid i gyd am ei gael. Mae blynyddoedd wedi mynd heibio er yr amser hwnnw ac y mae Pentre Alun wedi cael llawer bugail, ond nid wyf yn meddwl fod un bugail erioed wedi derbyn y fath groeso â Mr Price. Yn un peth, yr oedd wedi graddio yn uchel yn Rhydychen a pheth go anghyffredin oedd hynny ddeng mlynedd ar hugain yn ôl ymhlith pregethwyr y Methodistiaid. Yr oedd hefyd yn siaradwr huawdl, yn bregethwr coeth ac, os ydoedd yn ieuanc, yr oedd yn hynod o lwyddiannus fel bugail, yn ymweled â'r cleifion, yn dysgu y plant yn y *Band of Hope* ac yn cymeryd dosbarthiadau eraill gyda'r bobl ieuainc. Ac yr oedd yn gwneud yn rhagorol gyda phob un o'r tri: yn gwybod sut i gysuro y claf, yn gwybod sut i addysgu plant ac yn gwybod sut i wneud gwirioneddau y Beibl yn fyw o flaen llygaid bechgyn a genethod yr ardal.

Yr oeddwn i yn ddyn ieuanc pryd hynny ac yr oeddwn yn edrych ar Mr Price fel un o angylion Duw. Yr oedd yn gwybod cymaint, yn medru siarad gyda huawdledd ar bob pwnc (dybiwn i), yn deall seryddiaeth, yn gwybod enwau y planedau uwchben ac yn troi oddi wrthynt i siarad am y blodau a'r llysiau, gan eu rhannu i'r urdd hon a'r urdd arall. Yr oedd yn adnabod yr adar, yn gwybod eu hanes a'u harferion nes, ambell i waith, yr oeddwn i, bachgen gwledig, syml yn teimlo ei fod yn fwy na dyn. O! 'r fath ddyddiau oedd y rhai hynny! Yr oeddwn yn ei garu fel y carai Jonathan Dafydd a'm hoff bleser oedd treulio dyddiau cyfan yn ei gwmni. Yr oedd fy mam yn fyw pryd hynny ac, fel mamau yn gyffredin, yr oedd ei llygaid fel llygaid y barcud mewn popeth a berthynai i'w bachgen.

'Griffi,' meddai un diwrnod, 'mae ofn Mr Price arna i. Rwy'n ei garu fel pe bai yn fab i mi, ond mae ei ben yn rhy wan i ddal yr holl ganmoliaeth y mae yn ei dderbyn. Mi leiciwn yn fy nghalon ei weld wedi priodi lodes â digon o synnwyr ynddi (ond dim arian) a mi leiciwn weld llond y tŷ o blant. Erbyn y cyrhaeddai ganol oed, byddai Mr Price yn ddyn mawr. Fel y mae pethau rŵan, aiff yn ddyn bach cyn cyrraedd deg ar hugain oed.'

'Mam, Mam,' meddwn, 'dyna galed ydych. Y gwirionedd yw, mae cenfigen wedi llanw eich calon oherwydd fod eich mab gymaint yn llai dyn.'

Chwarddodd Mam yr wyf yn cofio.

'Dwyt ti ddim yn deall mamau, Griffi bach,' meddai, 'dydy mam byth yn cymharu ei phlentyn â neb; does neb yn y byd yn ddigon da i'w roddi yn agos ato. Nid cenfigen sydd yn fy nghalon i, ond gresynu yr wyf drosto, druan bach. Aiff ar ei ben, un o'r dyddiau nesaf, i ryw ffolineb, fe gewch weld.'

Mi ddigies yn enbyd wrth Mam am ddweud fel yna, ond rywsut ar ôl hyn mi ddechreuais sylwi yn fwy manwl ar fy nghyfaill. Un diwrnod yr oeddwn yn dychwelyd o neges i fferm gyfagos ac, er fy syndod, gwelais o'm blaen Mr Price a Miss Powel-Gwyn, merch dyn mawr y plwyf.

Yr oedd Mr Powel-Gwyn yn Eglwyswr selog iawn ac yn Dori mawr. Edrychai i lawr gyda'r dirmyg mwyaf ar Ymneilltuaeth ac nid oedd dim yn rhy ddrwg ganddo i'w ddweud am y Methodistiaid. Yn bennaf, hwyrach, oherwydd eu bod, fel plant Israel yn yr Aifft, yn cynyddu mor gyflym. Am y ferch, yr oedd hi yn debyg i'w thad, yn un falch, ysgornllyd, ben-uchel. Nid oedd Miss Powel-Gwyn byth yn edrych ar fynychwyr y capel ac yr oeddwn yn cofio sut y gwnaethai y Nadolig o'r blaen. Yr oedd Mr Huws, perchen y Plas, wedi anfon arian iddi i'w rhannu ymhlith pobl dlodion y plwyf ac euthum i i'w gweled i ofyn iddi am gyfran i Ann Jones, hen wraig dduwiol iawn oedd yn arfer mynychu y capel yn ffyddlon hyd nes y cydiodd afiechyd ynddi. Yr oedd yn dlawd ac yn unig a gwyddwn y byddai yn dda gan Mr Huws wneud caredigrwydd â hi. Ond nid felly Miss Powel-Gwyn. Trodd ataf ar ôl i mi ofyn am rywbeth i Ann:

'Mae yn dda gennyf ei fod yn bosibl i mi ddweud na wnaf wrthych,' meddai gyda gwên ddirmygus, 'pe baswn i yn cael fy ffordd, byswn yn clemio pob un yn y plwyf fyddai yn ddigon rhyfygus i ballu addoli yn yr eglwys. Dwedwch wrthi fy mod yn gobeithio y bydd hi farw o newyn oherwydd ei styfnigrwydd.'

Ni fyddwch yn rhyfeddu fod Miss Powel-Gwyn yn amhoblogaidd. Ac eto, wele ein gweinidog annwyl ni yn cerdded ac yn siarad yn hapus yn ei chwmni! Cyn bo hir, clywsom fod Mr Price a Miss Powel-Gwyn yn caru, ac mewn ychydig clywsom stori arall:

'Mae'r hen ŵr yn groes iawn iddi briodi pregethwr, ond y mae hi yn dweud na fydd e ddim yn bregethwr fis ar ôl y briodas, ei bod hi yn mynd i'w hudo i'r eglwys.'

'Chreda i byth mo hynna,' meddwn yn wyllt wrth mam. 'Celwydd noeth ydyw, mae'r dyn yn credu â'i holl galon mewn Ymneilltuaeth, yn credu na fydd llwyddiant byth ar Eglwys Sefydledig. Yr ydym ni, fel dynion ieuainc, lawer mwy cadarn fel Ymneilltuwyr ar ôl iddo ef ddangos i ni fath beth ardderchog ydyw.'

'Balaam mab Beor,' ebe Mam, 'yr hwn a garodd wobr anghyfiawnder.'

'Mam, Mam,' meddwn, 'peidiwch cablu, yr wyf yn ei garu fel fy enaid fy hunan a fedra i ddim credu dim drwg amdano.'

'Creda ynddo faint a fynni,' ebe Mam, 'ond paid dilyn ei esiampl.'

'Dilyn ei esiampl,' meddwn, 'dyna beth yr wyf am wneud.

Dyn da yw Mr Price.'

'Griffi,' meddai Mam yn sobr, 'os yw Mr Price yn ddyn da, beth mae e'n weld yn Miss Powel-Gwyn? Yr wyt ti yn gwybod nad yw hi yn deall dim am grefydd, nac yn meddwl dim chwaith. Mynd ar ôl cŵn hela a phethau fel'na yw ei nefoedd hi. A dyma weinidog yr Efengyl yn clymu ei hunan i lodes fel'na; dyn sydd wedi profi fod yr Arglwydd yn ddaionus yn meddwl treulio ei fywyd gyda gwraig ag y mae crefydd yn beth gwarthus iddi.'

'Mae e wedi syrthio mewn cariad â hi,' meddwn.

'Fe leiciodd Balaam gwmni Balac a phobol Moab yn rhyfedd,' meddai Mam yn sarrug, 'roedd bai arno, gelynion yr Arglwydd oeddynt a phe buasai Balaam yn ei le, buasai wedi troi ei gefn arnynt. Dywed wrth Mr Price i ddod yma ata i, chaiff e byth ddweud na chlywodd e ddim o'r gwirionedd.'

Bu ofn arnaf roddi'r neges, ond un diwrnod daeth Mr Price i'n tŷ ni a chafodd Mam gyfle i arllwys allan ei chŵyn.

'Mae Miss Powel-Gwyn yn eneth ddigon tlws,' meddai, 'a phe byse chi yn berchen ar balas a thiroedd, hwyrach y buasai yn gwneud gwraig nobl i chi. Ond gweinidog yr Efengyl gyda'r Methodistiaid ydych chi, dyn tlawd, a dydy hi ddim yn eich siwtio o gwbl. Rhoddwch hi i fyny, Mr Price. Fe gewch dipyn o ddolur, mi wn, ond gwell dioddef ychydig yn awr na dioddef llawer yn y blynyddoedd sydd i ddyfod.'

Edrychodd Mr Price yn anghysurus iawn.

'Rhaid i mi ymddwyn fel gŵr bonheddig,' meddai.

'Rhaid i chi ymddwyn fel Cristion,' meddai Mam yn ei ffordd dawel, 'ac os ydych wedi gwneud camsyniad, gorau bo gyntaf y cywirwch y peth.'

'Dydw i ddim wedi addef fy mod wedi gwneud camsyniad,' meddai dipyn yn sychlyd.

'Wel,' ebe Mam, 'yr wy' i wedi eich rhybuddio, mae'r cyfrifoldeb arnoch chi bellach.'

'Rhaid i ddyn briodi i foddloni ei hunan, nid ei gapel,' meddai, a meddylies ei fod wedi digio am byth gyda Mam. Ond yn fuan iawn trodd i siarad am bethau eraill ac ymadawodd o'n tŷ ni yn llon fel arfer.

''Drychwch mor *fine* y mae Mr Price wedi cymeryd eich cerydd,' meddwn wrth Mam, 'buasai llawer wedi ffromi yn gas ar ôl i chi ddweud y fath bethau cas wrtho, ond nid un fel'na yw Mr Price.

'Nage, y mae'n ddrwg gennyf weld,' ebe Mam, 'byswn i wedi meddwl mwy ohono byse fe wedi digio wrtha i. Mae e'n rhy debyg i'r llywodraethwr hwnnw yn yr Efengyl: mi aiff yntau yn athrist oddi wrth Grist, hefyd; mae e wedi cychwyn eisoes. Byse tipyn mwy o obaith pe byse fe wedi digio yn gas, ond pan y mae pobol yn teimlo yn ddrwg ganddynt nas gallant ddilyn Crist, does fawr obaith amdanynt. Gellwch droi casineb yn gariad, throwch chi byth mo ddifaterwch yn gariad.'

Aeth yr wythnosau heibio yn gyflym ac, un noswaith, cawsom ddarlith gan Mr Price ar y testun, 'Paham yr ydwyf yn Ymneilltuwr.' Yr oedd llawer ohonom yn gobeithio fod y ddarlith yn brawf fod ein gweinidog wedi cael digon ar deulu'r *Squire*, ond nid felly'r ydoedd. Ar ôl dweud y pethau mwyaf hallt yn erbyn Eglwys Loegr, addefodd wrthyf fod ei briodas i gymeryd lle mewn tri mis.

'Yr ydym wedi penderfynu,' meddai, 'i ymwahanu ar y Saboth. Fedra i ddim gofyn iddi hi ddod gyda fi i'r capel ac mae'n siŵr ddigon na fedra i ddim myned i'r eglwys.' Ni ddywedais yr un gair wrth Mam. Yr oeddwn wedi sylwi ei bod yn gwrando yn astud iawn ar y ddarlith, a thra yr oeddym ar swper trodd ataf:

'Wel, sut oeddech chi yn mwynhau y ddarlith?' gofynnai.

'Campus,' meddwn, 'mae e'n medru siarad.'

'Ydyw,' meddai Mam, 'mae e'n dweud pethau hallt iawn, ond yn Moab gyda Balac y mae yn trigo ac, os wyf yn cofio yn iawn, fe ddwedodd Balaam bethau go dda, ond yng nghwmni Balac yr ydoedd yr holl amser ac fe lladdwyd ef yn y diwedd yng ngwlad Midian gan blant Israel.'

Ni ddywedais air. Yr oedd fy nghalon yn drom iawn.

Mewn ychydig wythnosau priodwyd Mr Price a Miss Powel-Gwyn yn eglwys Pentre Alun ac aeth y pâr ieuanc ymaith am eu mis mêl i Loegr rywle. Pythefnos wedyn daeth un o'r blaenoriaid i'n tŷ ni.

'Wel, dyma drychineb, Jane Roberts,' meddai, 'mae Mr Price wedi ymddiswyddo ac yn myned i'r eglwys.'

'Beth oeddech chi yn ddisgwyl?' gofynnai Mam, 'mi wyddwn mai fel yna y byddai pethau. Os ewch chi gyda Balac brenin Moab, rhaid i chi farw gydag ef hefyd. Druan o'r bachgen!'

'Ie, wir, mae e wedi cael meistres,' meddai'r hen flaenor, 'byse dynion yn gall, fysen nhw byth yn priodi.'

Ond yr oedd Mam yn rhy anhapus i chwerthin ar ben Isaac Jones.

'Druan o'r bachgen,' meddai drosodd a throsodd.

Blwyddyn neu ddwy wedyn clywsom fod Mr Price wedi cael eglwys fawr yn un o ddinasoedd poblog Lloegr, fod ganddo gyflog anferth a bod yr Eglwyswyr yn falch iawn ohono.

Aeth y blynyddoedd heibio ac ychydig oedd yn cofio am ein hen weinidog. Ond yr oeddwn i yn meddwl yn aml amdano ac yn pryderu yn ei gylch. Yr oeddym wedi bod yn gyfeillion mynwesol ac nid hawdd oedd ei droi allan o'm calon pe buaswn eisiau gwneud hynny. Ond fel yr oedd y blynyddoedd yn myned heibio, yr oeddwn, bid siŵr, yn meddwl llai amdano, er nad ydoedd wythnos byth yn pasio heb i mi offrwm gweddi ar ei ran.

Blwyddyn a hanner yn ôl, yng nghanol gwres y diwygiad, euthum un noswaith olau leuad i lawr mor bell â'r beddrod tawel, lle yr oedd corff Mam yn gorwedd mor llonydd. Yr oedd rhywun yno o'm blaen yn sefyll wrth ymyl y bedd, ei het yn ei law. Symudais ymlaen tuag ato a gwelais mai 'ffeiriad ydoedd, o urdd uchel mi dybiwn hefyd, oherwydd yr ydoedd yn gwisgo socasau a sylwais fod ei het yn wahanol i'r rhai cyffredin. Clywodd fi yn dyfod a throdd.

'Griffith Roberts,' ebe, gan estyn allan ei law, 'ar ôl yr holl flynyddoedd hyn dyma ni yn cyfarfod wrth fedd eich mam.'

'Ie,' meddwn, 'ai Mr Price ydych chi?'

'Y mae gennyf deitlau eraill, y mae'n debyg,' meddai gyda chwerthiniad gwag. 'Yr ydym wedi dod yma i'r hen le am wythnos neu ddwy. Mae fy ngwraig yn dod yma yn lled aml, ond dyma'r tro cyntaf i mi fod yma am bum mlynedd ar hugain.'

'Peth pleserus yw ail ymweled â'r hen leoedd,' meddwn heb wybod yn iawn paham yr oeddwn yn dweud felly.

'Hwyrach,' meddai Mr Price, 'i rai pobol, ond uffern yw'r lle yma i mi. Does dim eisiau rhagrithio wrthoch chi, Griffith Roberts, yr ydych chi yn fy adnabod i. Fe wyddoch, heb i mi ddweud wrthoch, fod eich mam yn iawn. Balaam ydwyf! Yr wyf yn gyfoethog iawn, yn llwyddiannus iawn, yn ddyn o ddylanwad mawr mewn cylch eang. Ond, Griffith Roberts, bu fy enaid farw bum mlynedd ar hugain yn ôl a does dim atgyfodiad iddo. Nos da i chi.'

Ac ymaith ag ef drwy y tywyllwch.

Chwedl Poli Edwart

Yr oedd gwraig Tomos Edwart, y *mason*, wedi marw ers blynyddoedd ac yr oedd Tomos wedi codi ei deulu mewn ffordd rinweddol iawn heb gynhorthwy neb. Nid oedd y ferch hynaf, Mari, ond deuddeg oed pan gladdwyd ei mam, ond bu gorfod iddi fod yn fam i'r plant eraill, edrych ar ôl y tŷ a phob peth arall fel dynes mewn oed. Yr oedd pedair merch gan Tomos ac, fel yr oeddynt yn tyfu i fyny, yr oedd yn amlwg iawn fod y tair hynaf yn neilltuol o lân ac yr oedd holl fechgyn y gymdogaeth yn rhedeg ar eu hôl. Ond yr oedd Poli, y ferch ieuengaf, yn wahanol i'r lleill: lodes denau, dal ydoedd, yn hoff iawn o ddarllen, ond yn meddwl ychydig iawn am wisgoedd a phethau cyffelyb. Yr oedd y gwragedd yn siglo eu pennau wrth sôn am Poli:

‘'Dwn i yn y byd mawr beth ddaw o Tomos, druan, ar ôl i Rachel briodi. Dydi Poli werth dim byd yn y tŷ, mae ei phen byth a hefyd mewn llyfr.'

Ar ddiwrnod priodas Rachel yr oedd y briodferch mewn dagrau yn barhaus wrth feddwl am unigrwydd ei thad.

‘Dydy e erioed wedi teimlo colli Mam,' meddai, ‘yr ydym ni, y merched, wedi gwneud i fyny ei lle.'

‘Paid siarad lol,' meddai Sarah, Tŷ Capel yn ei ffordd lem, ‘yr ydych chi wedi bod yn ferched da i'ch tad, chware teg i chi, ond fedrwch chi ddim gwneud i fyny am ei cholli hi.'

‘Fe welith 'y ngholled i, beth bynnag, rwy'n ddigon siŵr o hynny,' ebe Rachel yn ffromus.' Gadewch lonydd i Poli,' meddai Sarah, ‘rwy'n disgwyl y gwnaiff hi yn dda iawn, ond i chi beidio ymyrraeth â hi.'

‘Rhaid i mi feddwl am gysur 'Nhad,' meddai'r wraig ieuanc yn ben uchel, ‘mi ddof yma bob dydd Gwener i roi'r lle yn gysurus erbyn y Saboth a bydda i yn disgwyl i ti gadw'r lle fel yr wy' i yn ei adael,' ychwanegai, gan edrych ar Poli.

Anaml iawn yr oedd Poli yn cymeryd y drafferth i ateb yn ôl pan y byddai ei chwiorydd yn siarad fel hyn. Ond ar ddiwrnod priodas Rachel, dangosodd fod ganddi ysbryd ac nad ydoedd yn bwriadu i'w chwiorydd gael y cwbl yn eu ffordd eu hunain.

'Bydd yn dda iawn gen i dy weled yn dŵad yma pan y bydd yn gyfleus i ti ddŵad,' ebe yn dawel, 'ond cofia, Rachel, nid dod yma i weithio y byddi di. Fi fydd yn cadw tŷ i 'Nhad ac mi ofala i fod y tŷ yn lân.'

'Mae rhai pobol yn falch iawn,' meddai Rachel, a'i llygaid yn llanw gyda dagrau. 'Mae'n well i ni fynd, Ifan,' ebe, gan edrych ar ei gŵr, 'does neb yma ein eisiau.'

Yr oedd hyd yn oed Tomos yn teimlo fod rhywbeth allan o le.

'Dewch, dewch, ferched,' meddai, 'rhaid i chi beidio cwympo allan ar ddydd priodas Rachel. Beth sydd wedi mynd yn gam, lodes?'

'Ro'n i'n meddwl fod croeso i mi ddod gartre pryd bynnag yr o'n i am ddod, ond mae'n debyg mai Poli sydd i fod yn feistres yma o hyn allan a bydd drws tŷ fy nhad ynghlo yn fy erbyn,' meddai Rachel.

Yr oeddwn yn disgwyl clywed Poli yn amddiffyn ei hunan ond ni ddywedodd yr un gair am rai munudau. Yna dywedodd yn dawel iawn:

'Mae'n biti i ni olchi ein dillad budron yng ngŵydd pawb. Os oes gan Rachel gŵyn yn fy erbyn, gwell iddi aros hyd nes y byddwn wrthom ein hunain.'

Ond yr oedd Rachel wedi digio yn gas. Aeth allan o'r tŷ, gan dynnu ei gŵr ar ei hôl, a dywedodd yn uchel, fel y clywai pawb:

'Ddo i byth yn ôl, hyd nes y daw Poli i ofyn fy mhardwn. Waeth gen i beth ddigwydda, rodda i byth mo 'nhroed tu fewn i'r drws yna.'

Aeth wythnosau heibio. Yr oedd holl wragedd y gymdogaeth yn cadw eu golwg ar dŷ Tomos Edwart.

'Mae ysgubell newydd yn sgubo yn lân,' meddai rhai ohonynt yn ddirmygus, gan gyfeirio at y ffordd yr oedd Poli yn gweithio.

'Mae hi yn codi yn gynnar iawn, ac yn dibennu ei gwaith bron cyn dydd ac yna mae hi yn darllen fel pe bai yn sgoler. Ond pharith hyn ddim yn hir.'

Ond yr oedd Sarah, Tŷ Capel yn dweud yn wahanol.

'Mae rhyw fedr ynddi', meddai, 'rwy'n credu ei bod yn tynnu cynllun cyn dechrau ar ei gwaith a mae popeth yn ffitio i fewn i'r peth arall rywsut. Mae'r tŷ fel pin mewn papur, ond welwch chi byth mo Poli yn aflêr. Lodes ryfedd iawn yw hi.'

Yr un diwrnod daeth Poli i'n tŷ ni.

'Griffith Roberts,' ebe, 'mae eisiau gair o gyngor arna i. Roeddech chi yn ein tŷ ni ar ddiwrnod priodas Rachel ac yr ydych yn cofio sut yr aeth pethau. Wel, dydy Rachel ddim wedi bod yn ein tŷ ni byth wedyn ac rwy'n becso. Beth ddylwn i wneud?'

'Gofynnwch iddi ddod i'ch gweled,' meddwn.

'Yr wy' i wedi gwneud hynny,' ebe Poli; 'gofynnais iddi anghofio diwrnod y briodas a dod i'n gweled, ond dywedodd na ddaethai hi byth nes y byddwn i yn begian ei phardwn am beth ddwedais i y diwrnod hwnnw. Beth yw fy nyletswydd i, Griffith Roberts?'

'Dydw i ddim yn gweld sut y gallwch chi fegian ei phardwn,' meddwn, 'yr oedd eich ymddygiad yn hynod o Gristionogol, 'ddyliwn i.'

'Nag oedd,' ebe Poli, yn ddisymwth, 'peidiwch camgymeryd. Balchder oedd wrth wraidd y cwbl. Yr oedd cywilydd arnaf i ddangos fel yr oedd Rachel wedi fy mrifo. Rwy'n meddwl y bydd yn rhaid i fi ofyn ei phardwn. Mae popeth wedi dŵad yn glir. Prynhawn da i chi.'

Aeth ymaith yn frysiog a'r diwrnod nesaf daeth Sarah, Tŷ Capel ataf i ddweud yr hanes.

'Fe aeth Poli i Tŷ Bryn prynhawn ddoe. Yr o'n i yno ar y pryd. Curodd wrth y drws, a phan welodd Rachel mai Poli oedd yno aeth mor styfnig ag asyn.

'"Beth sy eisiau arnoch chi?" gofynnai mewn llais cras, garw.

'"Eisiau dweud wrthoch chi fod yn ddrwg iawn gennyf i mi fod mor gas tuag atoch cyn i chi briodi," ebe Poli yn wylaidd iawn. "Yr oedd bai arnaf i adael yr holl waith i chi a dydw i ddim yn rhyfeddu eich bod yn pryderu cymaint oherwydd dada. Doeddwn i erioed wedi dangos i chi y medrwn i ofalu amdano. Yr wy' i wedi dod yma i ofyn eich maddeuant."

'Ni wyddai Rachel yn ei byw beth i wneud.

'"Dewch i fewn," meddai, a'i llais yn crynu.

'"Ydych chi wedi maddau i mi?" gofynnai Poli.

'"Dyna un ryfedd wyt ti, lodes," ebe Rachel, "roedd cymaint o fai arna i ag arnat ti. Fynni di gwpaned o de. Mi ddo i adre gyda thi wedyn i weld 'Nhad."'

'Dyna'r storom yna drosodd eto,' meddwn 'lodes ryfedd iawn yw Poli.'

Bûm yn sylwi llawer ar yr eneth ar ôl hyn. Yr oedd rhywbeth newydd wedi dyfod i'w hysbryd: rhyw hoywder, rhyw fwynder, ac yr oedd rhai o'r gwragedd yn ofni nas gallsai fyw yn hir oherwydd, dwedwch a fynnwch, mae'r cyhoedd yn credu yn ddibetrus yn yr hen ddywediad sydd yn honni fod y sawl a gerir gan y duwiau yn marw yn ieuanc. Yn ddisymwth, beth bynnag, dyma Poli yn colli y sirioldeb ac yn myned i edrych yn bruddglwyfus ac yn anhapus. Wrth gwrs, yr oedd y gwragedd yn dweud fod Poli wedi syrthio mewn cariad â hwn a'r llall, ond clywais i un neu ddau o'r gwŷr ieuainc gymeryd yr awgrym fod Poli yn eu hedmygu a, phan y dywedson wrthi eu bod yn hollol foddlon i roddi serch a'i dderbyn, iddi hi edrych arnynt mewn syndod a dweud yn eglur na feddyliodd hi erioed amdanynt. Aeth misoedd heibio, blwyddyn, dwy flynedd, yna un diwrnod daeth Poli i fyny i'n tŷ ni, ei gwyneb yn disgleirio gan lawenydd.

'Yr o'n i'n teimlo fod yn rhaid i mi ddŵad i'ch gweled,' meddai, y dagrau mawrion yn llanw ei llygaid. 'Dyna Dduw rhyfedd sydd gyda ni, Griffith Roberts.'

'Ie?' meddwn, a chwestiwn yn fy nhôn.

'Clywch, dyma stori ryfedd i chi. Ers blynyddoedd, bellach, yr wy' i wedi teimlo awydd cryf iawn i fyned allan i'r India fel cenhades. Doedd dim diben dweud wrth neb. Pwy siawns oedd gan eneth dlawd fel fi, heb gael llawer o fanteision addysg? Ac ar ôl i Rachel briodi, gwelais mai'm lle i oedd gartre gyda 'Nhad. Ond yr oedd yr awydd yn cryfhau fel yr oeddwn yn tyfu ac yn ddiweddar yr ydwyf wedi bod mewn culni tost: rhywbeth yn dweud mai yn India y dylswn i fod a rhywbeth arall yn dweud mai yma yr oeddwn i aros. Ond dydd Mawrth diwethaf, pan yr o'n i yn darllen fy Meibl, dyma'r adnod honno yn dŵad ac yn rhoi ergyd creulon i mi, "Yr hwn sydd yn caru tad neu fam yn fwy na myfi, nid yw deilwng ohonof fi," ac mi ddeallais fod Duw yn fy ngyrru oddi yma. Ni wyddwn yn y byd sut i ddweud wrth 'Nhad, ond cefais nerth i wneud hynny, a beth ydych chi yn feddwl a ddywedodd e?

'"Ro'n i'n gwybod dy fod yn mynd allan yn genhades dair blynedd ar hugain yn ôl, y diwrnod y ganwyd di. Dywedodd dy fam ei bod hi wedi dy gyflwyno fel cenhades a gwnaeth i minnau dy gyflwyno hefyd. Ddwedais i yr un gair wrthot ti, rhag ofn i mi gyffwrdd ag Arch yr Arglwydd, ond yr wy' wedi bod yn gweddïo llawer ar dy ran ar hyd y blynyddoedd ac mae'n dda gennyf fod yr Arglwydd yn derbyn yr aberth."

'"Ond," meddwn i, "beth ddaw ohonoch chi, 'Nhad?"

'"O," meddai, "mae'r Arglwydd wedi paratoi. Mae Jane,

dy chwaer, wedi ei gadael yn eitha tlawd a'r twr plant yna i'w dwyn i fyny. Ar ôl i ti fynd fe gaiff Jane ddod yma. Bydd digon o le i'r hen ŵr wedyn."'

Ac felly y bu. Aeth Poli i'r ysgolion ac i'r ysbytai am dymor, yna aeth allan i'r India i ddweud hanes y Gŵr fu farw drosti. Roeddwn yn pasio tŷ Tomos Edwart y dydd o'r blaen. Digon aflêr oedd y lle yn edrych; ychydig iawn o gysur oedd i'w weled ynddo: twr o blant digon di-drefn yn cadw sŵn mawr yn y gegin ac, yn ymyl y tân, yr hen ŵr yn eistedd yn ceisio darllen. Wrth ymadael, dwedais wrthyf fy hunan.

'Yn y dydd mawr, bydd peth o wobr Poli yn syrthio i ran ei thad.'

Teitlau eraill yng nghyfres Clasuron Cymraeg Honno

Telyn Egryn

gan Elen Egryn

Gyda rhagymadrodd beirniadol gan Ceridwen Lloyd-Morgan a Kathryn Hughes

Telyn Egryn (1850) gan Elin neu Elinor Evans (g. 1807) o Lanegryn, Meirionnydd, yw un o'r cyfrolau printiedig cyntaf yn y Gymraeg gan ferch. Mae ystod thematig ei cherddi yn eang ac mae ei hymgais i hybu delwedd y Gymraes ddelfrydol – merch dduwiol, barchus a moesol – yn rhan o'r ymateb Cymreig i Frad y Llyfrau Gleision. Cynhwysir cerddi gan feirdd benywaidd a gydoesai ag Elen Egryn yn atodiad i'r gyfrol hon.

978 1870206 303 £5.95

Dringo'r Andes & Gwymon y Môr

gan Eluned Morgan

Gyda rhagymadrodd beirniadol gan Ceridwen Lloyd-Morgan a Kathryn Hughes

Ganed Eluned Morgan (g. 1870) ar fwrdd y llong Myfanwy pan oedd honno'n cludo gwladfawyr o Gymru i'r Wladfa Gymreig a oedd newydd ei sefydlu ym Mhatagonia. Perthynai Eluned felly i ddau fyd Cymreig: yr hen famwlad a'r Wladfa newydd. Adlewyrchir y ddau fyd hwn yn *Dringo'r Andes* (1904) a *Gwymon y Môr* (1909), llyfrau taith sy'n dangos arddull fywiog, sylwgar a phersonol Eluned Morgan ar ei gorau.

9781870206457 £5.95

Sioned

gan Winnie Parry

Gyda rhagymadrodd beirniadol gan Ceridwen Lloyd-Morgan a Kathryn Hughes

Un o glasuron llenyddiaeth plant yw *Sioned* (1906) gan Winnie Parry (1870–1953). Ceir ynddi anturiaethau merch ifanc, ddireidus a'i hymwneud â chymdeithas Anghydffurfiol ac amaethyddol Sir Gaernarfon yn y bedwaredd ganrif ar bymtheg. Roedd gan Winnie Parry y ddawn i adrodd stori ac i gyfleu cymeriad deniadol ac mae ei gwaith yn nodedig am ei arddull dafodieithiol naturiol a byrlymus.

9781870206037 £ 6.99

Pererinion & Storïau Hen Ferch

gan Jane Ann Jones

Gyda rhagymadroddion gan Nan Griffiths a Cathryn A. Charnell-White

Ysgrifennai Louie Myfanwy Davies (1908–68) o dan y ffugenw Jane Ann Jones am ei bod yn trafod themâu mor feiddgar a phersonol. Nofela hunangofiannol chwerwfelys ynghylch perthynas merch ifanc â dyn priod yw 'Pererinion'. Taflwyd y deipysgrif wreiddiol i'r tân gan gyn-gariad yr awdur, ond darganfuwyd y copi a gyhoeddir yma (am y tro cyntaf erioed!) gan Nan Griffiths yn 2003. Merched godinebus, dibriod, creadigol a dewr a drafodir yn *Storïau Hen Ferch* (1937) ac mae'r awdur ar ei gorau yn archwilio ymwneud pobl â'i gilydd.

9718702069900 £7.99

Cerddi Jane Ellis

Golygwyd gan Rhiannon Ifans

Bardd a chanddi gysylltiadau â'r Bala a'r Wyddgrug oedd Jane Ellis (1779–*c.* 1841) ac mae ei hemyn adnabyddus, 'O deued pob Cristion', yn un o hoff garolau Nadolig y Cymry. Y casgliad hwn o'i cherddi, a gyhoeddwyd gyntaf yn y Bala yn 1816, yw'r gyfrol brintiedig gyntaf yn y Gymraeg gan ferch. Y mae'r cerddi yn taflu goleuni ar bynciau amrywiol a phwysig: y cylch profiad benywaidd, yr emyn yng Nghymru, hynt Methodistiaeth, twf diwydiannaeth, a datblygiad canu menywod yng Nghymru'r bedwaredd ganrif ar bymtheg.

9781906784188 £7.99